2025年版

出る順社労士

一問一答過去10年問題集

①労働基準法・労働安全衛生法・労働者災害補償保険法

Certified Social Insurance and Labor Consultant

はしがき

本書は、社労士試験の択一式過去問（過去10年分）を一問一答形式で科目別・項目別に編集した問題集である。近年の社労士試験においては、「過去問の焼き直し」とはいえない問題が増えつつあるが、そのような出題に対しても、過去問をベースとした正確な知識は有用となることが多い。今も昔も、過去問をきちんと検討することは、社労士試験合格への「王道」といえる。一問一答形式での択一式過去問の検討は、一肢一肢の根拠（正誤の理由）をきちんと押さえ、知識の定着化を図るという点で有効性が高い。

ただ、他方で、本試験は５肢択一式であるため、試験会場では、「他の肢との相対的な比較」により正答を導く手法も必要となる。このニーズに応えるためには、本試験と同一の５肢択一形式の過去本試験問題集も必要であり、ＬＥＣ東京リーガルマインドでは、このニーズに応えるものとして、「出る順社労士 必修過去問題集」を用意している。

過去問学習の流れとしては、まず、本書で知識のチェックを行い、その後「出る順社労士 必修過去問題集」で実戦感覚を磨く、これがオーソドックスな進め方であろう。

本書と姉妹編である「出る順社労士 必修過去問題集」を有効に活用し、是非、2025年の本試験（第57回社会保険労務士試験）合格も勝ち取っていただきたい。

なお、本書は、2024年８月31日時点において、2025年４月１日までに施行される法令を基準として作成されたものである。

※発行日以後における法令の改正情報については、「インターネット情報提供サービス」にてご提供いたします。

※本書は過去の本試験問題を一問一答形式で掲載しているため、出題当時の問題文と異なる場合がございます。あらかじめご了承ください。

2024年10月吉日

株式会社東京リーガルマインド
LEC総合研究所
社会保険労務士試験部

左ページ

問題

②適用事業・用語の定義

038 □□□ 普通 R6.2-ア

労働基準法において一の事業であるか否かは主として場所的観念によって決定するが、例えば工場内の診療所、食堂等の如く同一場所にあっても、著しく労働の態様を異にする部門が存する場合に、その部門が主たる部門との関連において従事労働者、労務管理等が明確に区別され、かつ、主たる部門と切り離して適用を…基準法がより適切に運用できる場合には、その部門を一…れている。

H29.2-ア

…い大学生が自身の引っ越しの作業を友人に手伝ってもら…ったとしても、当該友人は労働基準法第9条に定める労…当該友人に労働基準法は適用されない。

H29.2-ウ

…居住及び生計を一にするものとされ、その就労の実態に…9条の労働者に該当することがないので、当該同居の親…れることはない。

041 □□□ 普通 H29.2-イ

法人に雇われ、その役職員の家庭において、その家族の指揮命令の下で家事一般に従事している者については、法人に使用される労働者であり労働基準法が適用される。

042 □□□ 易 R4.1-C

同居の親族のみを使用する事業において、一時的に親族以外の者が使用されている場合、この者は、労働基準法の労働者に該当しないこととされている。

16 LEC東京リーガルマインド 2025年版出る順社労士 一問一答過去10年問題集 ①労働基準法・労働安全衛生法・労働者災害補償保険法

学習項目を表示。

本書は、過去10年分の本試験問題を各選択肢ごとに掲載し、過去の本試験の出題実績は下記のように表記しています（法改正等により、問題として成立しなくなったものについては掲載しておりません）。
【例】H29.2-ア → 平成29年本試験において、問２のア肢として出題されています。

「正解チェック欄」をつけました。直前期の総復習に、有効活用してください。

３段階に難易度を表示！

- **難** 高得点で合格を目指す受験生には、正解したい問題
- **普通** 本試験に合格するためには、落とすことができない問題
- **易** 本試験を受験する上で、正解しなければならない問題

右ページ

解答・解説

○ **038** 必修基本書 労働科目……13～14p

（平11.3.31基発168号）本肢のとおりである。なお、場所的に分散している事業であっても、規模が非常に小さく、組織的関連や事務能力を勘案して一の事業という程度の独立性のないものについては、直近上位の機構と一括して一の事業として取り扱われる。

○ **039** 必修基本書 労働科目……1

（法9条）本肢のとおりである。本肢の友人は、「事業に使用される者」に該当しないため、労働基準法上の労働者に該当しないことから、労働基準法は適用されない。

× **040** 必修基本書……該当ページなし

（法116条2項、昭54.4.2基発153号）同居の親族は、原則として、労働基準法の労働者に該当しないが、常時同居の親族以外の労働者を使用する事業において一般事務又は現場作業等に従事し、かつ、次の①～③のいずれの要件も満たすものについては、一般に私生活面での相互協力関係とは別に独立した労働関係が成立しているとみられるため、「労働者として労働基準法の適用を受ける」。

①事業主の指揮命令に従っていることが明確であること

②労働時間等の管理、賃金の決定及び支払の方法等からみて、就労の実態が他の労働者と同様であること

③賃金が（他の労働者と同様の）就労の実態に応じて支払われていること

× **041** 必修基本書 労働科目……14

（法116条2項、平11.3.31基発168号）法人に雇われ、その役職員の家庭において、その家族の指揮命令の下で家事一般に従事している者は、「家事使用人に該当する」ため、労働基準法が適用されない。

× **042** 必修基本書 労働科目……14～15p

（法9条、法116条2項）本肢の場合、親族以外の者は「労働者に該当する」。

LEC東京リーガルマインド　2025年版出る順社労士 一問一答過去10年問題集 17
①労働基準法・労働安全衛生法・労働者災害補償保険法

○×は赤ゴシックで表示しました。付属の暗記シート（赤い下敷き）を使えば、選択肢ごとにスピードチェックができます。

ポイントを集約した解説。また、解説の重要なキーワードは赤字で強調しています。

出題箇所の復習を効率的に行うことができるよう、「2025年版出る順社労士 必修基本書」の該当ページを掲載しました。復習時に是非、お役立てください。
なお、該当ページの各略称は、以下の書籍に対応しています。

必修基本書 労働科目………2025年版出る順社労士 必修基本書 ①労働科目
必修基本書 社会保険科目…2025年版出る順社労士 必修基本書 ②社会保険科目

CONTENTS

第1編　労働基準法

第2編　労働安全衛生法

第3編　労働者災害補償保険法

参考　選択式問題・解答

法令名略語表

出る順社労士シリーズにおける法令名の記載については、以下の表に基づいた略称を原則使用しています。また、略称を使用している法律名にかかる施行令および施行規則についてもこれに準じ令または則と略しておりますので、あらかじめ確認のうえ学習を進めてください。

略　称	正式名称
労基法	労働基準法
預金令	労働基準法第18条4項の規定に基づき使用者が労働者の預金を受け入れる場合の利率を定める省令
寄宿舎規程	事業附属寄宿舎規程
年少則	年少者労働基準規則
女性則	女性労働基準規則
安衛法	労働安全衛生法
クレーン則	クレーン等安全規則
鉛則	鉛中毒予防規則
高圧則	高気圧作業安全衛生規則
ゴンドラ則	ゴンドラ安全規則
粉じん則	粉じん障害防止規則
ボイラー則	ボイラー及び圧力容器安全規則
有機則	有機溶剤中毒予防規則
特化則	特定化学物質障害予防規則
石綿則	石綿障害予防規則
労災保険法 （労災法）	労働者災害補償保険法
支給金則	労働者災害補償保険特別支給金支給規則
雇用法	雇用保険法
徴収法	労働保険の保険料の徴収等に関する法律
整備法	失業保険法及び労働者災害補償保険法の一部を改正する法律及び労働保険の保険料の徴収等に関する法律の施行に伴う関係法律の整備等に関する法律
報奨金令	労働保険事務組合に対する報奨金に関する政令
労審法	労働保険審査官及び労働保険審査会法
行審法	行政不服審査法
健保法	健康保険法
国年法	国民年金法
国年基金令	国民年金基金令
厚年法	厚生年金保険法
旧基金令	旧厚生年金基金令
沖縄措置法	沖縄の復帰に伴う特別措置に関する法律

略　称	正式名称
社審法	社会保険審査官及び社会保険審査会法
労働施策総合推進法	労働施策の総合的な推進並びに労働者の雇用の安定及び職業生活の充実等に関する法律
職安法	職業安定法
労働者派遣法（派遣法）	労働者派遣事業の適正な運営の確保及び派遣労働者の保護等に関する法律
高年齢者雇用安定法（高年齢者法）	高年齢者等の雇用の安定等に関する法律
障害者雇用促進法（障害者法）	障害者の雇用の促進等に関する法律
男女雇用機会均等法（均等法）	雇用の分野における男女の均等な機会及び待遇の確保等に関する法律
育児介護休業法（育介法）	育児休業、介護休業等育児又は家族介護を行う労働者の福祉に関する法律
個別労働紛争解決促進法（個紛法）	個別労働関係紛争の解決の促進に関する法律
ADR法	裁判外紛争解決手続の利用の促進に関する法律
パートタイム・有期雇用労働法	短時間労働者及び有期雇用労働者の雇用管理の改善等に関する法律
職能法	職業能力開発促進法
時改法	労働時間等の設定の改善に関する特別措置法
最賃法	最低賃金法
賃確法	賃金の支払の確保等に関する法律
中退金法	中小企業退職金共済法
財形法	勤労者財産形成促進法
労組法	労働組合法
労調法	労働関係調整法
出入国管理法	出入国管理及び難民認定法
国保法	国民健康保険法
高医法	高齢者の医療の確保に関する法律
介保法	介護保険法
船保法	船員保険法
児手法	児童手当法
確拠法	確定拠出年金法
確給法	確定給付企業年金法
社労士法	社会保険労務士法

労働基準法

■…選択式　●…択一式

出題項目＼年度	平成27年	平成28年	平成29年	平成30年	令和元年	令和2年	令和3年	令和4年	令和5年	令和6年
総則	●	●	●	●	●	■●	●	●	●	●
労働契約	●	■●	●	■●	●	●	■●	■●	●	●
賃金	●	●	●	●	■●	●	●	●	●	■●
労働時間	●	■●	●	●	●	●	●	●	■●	■●
休憩		●	●						●	
休日	●									
労働時間・休憩・休日の適用除外	●							●		●
時間外・休日労働	●	●	●	●	●	●	■●	●		●
みなし労働時間制	■				●					●
年次有給休暇	■	●	■		●	●	●	●	■	●
年少者			●	●	●		●		●	■
妊産婦等	■		■●	■	●	●	●		●	
就業規則	●	●		●	●	●	●			●
寄宿舎						■				●
監督機関					●	●				
雑則・罰則	●		●						■	

●LEC専任講師からのアドバイス

労働基準法については、ほぼ出題傾向が安定しており、総則、労働契約、賃金、労働時間、時間外・休日労働及び年次有給休暇、就業規則からの出題確率が高くなっている。そのため上記の項目をメインにした学習を進めることが得点力をアップする上で有効となるであろう。

また、近年通達や判例に関連する出題が増えているため、「出る順社労士 必修基本書」に掲載されている通達や判例については目を通しておく必要がある。

労働安全衛生法

■…選択式　●…択一式

出題項目＼年度	平成27年	平成28年	平成29年	平成30年	令和元年	令和2年	令和3年	令和4年	令和5年	令和6年
総則	■	●	●	■	■	●	●	■		
労働災害防止計画		●								
安全衛生管理体制	●	■	●		■●	●	●	●		●
労働者の危険又は健康障害を防止するための措置	●	●	■			■	■		■	
機械等並びに危険物及び有害物に関する規制				■●	●		●		●	■
労働者の就業に当たっての措置	■●	●				■●	■	■		
健康の保持増進のための措置	●	■	■	●	●	●			■●	●
安全衛生改善計画										
計画の届出等							●			●
報告等			●				●			■
罰則			●			●				
派遣労働者に係る労働安全衛生法の適用に関する特例	●			●						

●LEC専任講師からのアドバイス

労働安全衛生法については、択一式に関し細かな知識がなければ解くことのできない問題が出題されることもある。だが、これはほとんどの受験生が解けない問題と考えられるため、細かな知識の習得に多大な労力をかける必要はない。

労働安全衛生法において心がけるべきことは、多くの受験生が正解しうる問題を落とさないという姿勢である。そのためには、同法における基本事項を網羅的に学習しておくとともに、過去に最も多く問われている安全衛生管理体制及び健康の保持増進のための措置について繰り返し問題を解き慣れておくことが有効である。

労働者災害補償保険法

■…選択式　●…択一式

年度 出題項目	平成 27年	平成 28年	平成 29年	平成 30年	令和 元年	令和 2年	令和 3年	令和 4年	令和 5年	令和 6年
総則	●	●	●	●	■					
業務災害及び通勤災害	●	■●	●	●	●	■	●	●	●	●
給付基礎日額									●	●
保険給付の通則	●			●	●	●	■			■●
支給制限・費用徴収	●	■	●		■	●				●
第三者行為の災害	■		●							
療養補償給付	●	■●		●	●					
休業補償給付				●		●			■	●
傷病補償年金	●		●	●		●				
障害補償給付				●		●	●	■	●	■
介護補償給付				●		●				
遺族補償給付	●	●				●	■●		●	■●
葬祭料		●								
通勤災害に関する保険給付	●		●		●					
二次健康診断等給付				●						
他の制度との調整	■		●						●	
社会復帰促進等事業			●		●			●	■	
特別支給金	●	●			●	●				
費用の負担										
特別加入	■			■		●	●	■●		●
不服申立て			■						●	
雑則・罰則	●		■	●	●	●				

●LEC専任講師からのアドバイス

労働者災害補償保険法は、他の保険法と異なり、保険給付以外の項目からの出題も多いことが特徴である。その意味で、総則や、特別支給金、特別加入、雑則などについても、しっかりと学習していただきたい。

LECのホームページからアクセスする

「出る順社労士シリーズ」購入者のための

登録不要

インターネット情報提供サービス

本書で勉強する方のために、法改正等による書籍の記載内容の補正に関する情報提供ページをご用意しました。

ぜひアクセスして、今すぐ試験に役立つ最新情報を手にしてください。

閲覧方法

LEC社労士のホームページにアクセス

https://www.lec-jp.com/sharoushi

「書籍のご案内」をクリック

社労士とは　LECが選ばれる理由　講座案内　書籍案内　本試験最新情報

または下記にアクセス

https://www.lec-jp.com/sharoushi/book/

をクリック

すぐにご覧いただけます！

＜注意＞上記情報サービスは、2025年社労士本試験当日までとさせていただきます。
また、事前の予告なしに内容等を変更する場合がございます。予めご了承ください。

第1編

労働基準法

❶ 総　則

001 □□□ 易　　H27.1-A

労働基準法は、労働条件は、労働者が人たるに値する生活を営むための必要を充たすべきものでなければならないとしている。

002 □□□ 普通　　H28.1-ア

労働基準法第1条は、労働保護法たる労働基準法の基本理念を宣明したものであって、本法各条の解釈にあたり基本観念として常に考慮されなければならない。

003 □□□ 易　　R6.1-A

労働基準法第1条にいう、「人たるに値する生活」とは、社会の一般常識によって決まるものであるとされ、具体的には、「賃金の最低額を保障することによる最低限度の生活」をいう。

004 □□□ 易　　H30.4-ア

労働基準法第1条にいう「人たるに値する生活」には、労働者の標準家族の生活をも含めて考えることとされているが、この「標準家族」の範囲は、社会の一般通念にかかわらず、「配偶者、子、父母、孫及び祖父母のうち、当該労働者によって生計を維持しているもの」とされている。

005 □□□ 易　　R3.1-A

労働基準法第1条第2項にいう「この基準を理由として」とは、労働基準法に規定があることが決定的な理由となって、労働条件を低下させている場合をいうことから、社会経済情勢の変動等他に決定的な理由があれば、同条に抵触するものではない。

006 □□□ 普通　　R4.4-A

労働基準法第1条にいう「労働関係の当事者」には、使用者及び労働者のほかに、それぞれの団体である使用者団体と労働組合も含まれる。

007 □□□ 普通　　H28.1-イ

労働基準法第2条第1項により、「労働条件は、労働者と使用者が、対等の立場において決定すべきものである」ため、労働組合が組織されている事業場では、労働条件は必ず団体交渉によって決定しなければならない。

○ **001** 必修基本書 労働科目……7p

（法1条1項）本肢のとおりである。なお、本条の「人たるに値する生活」のなかには労働者本人のみでなく、その**標準家族**をも含めて考えるべきものである（昭22.9.13発基17号）。

○ **002** 必修基本書……該当ページなし

（法1条、昭22.9.13発基17号）本肢のとおりである。なお、法1条は訓示的規定であり、本条違反に対する罰則はない。

× **003** 必修基本書 労働科目……7p

（法1条1項）法1条にいう「人たるに値する生活」とは、「日本国憲法25条1項の**健康で文化的な生活**を内容とするものである」が、具体的には、「一般の社会通念」によって決まる。

× **004** 必修基本書 労働科目……7p

（法1条1項、昭22.11.27基発401号）本肢の「標準家族」の範囲は、「その時その**社会の一般通念**によって理解さるべきものである」ため、配偶者、子、父母、孫及び祖父母のうち労働者によって生計を維持されるものと定義づけられるものではない。本肢前段の記述は正しい。

○ **005** 必修基本書 労働科目……7～8p

（昭63.3.14基発150号）本肢のとおりである。なお、法1条2項は、訓示規定であるため、当該規定違反に対する罰則の適用はない。

○ **006** 必修基本書……該当ページなし

（法1条2項）本肢のとおりである。

× **007** 必修基本書 労働科目……8p

（法2条1項）労働条件は必ずしも団体交渉によって決定されなくてもよい。なお、労働者及び使用者は、労働協約、就業規則及び労働契約を遵守し、**誠実に各々その義務を履行**しなければならない。

008 □□□ 易 R5.4-A

労働基準法第2条により、「労働条件は、労働者と使用者が、対等の立場において決定すべきもの」であるが、個々の労働者と使用者の間では「対等の立場」は事実上困難であるため、同条は、使用者は労働者に労働組合の設立を促すように努めなければならないと定めている。

009 □□□ 普通 H29.5-ア

労働基準法第3条は、使用者は、労働者の国籍、信条、性別又は社会的身分を理由として、労働条件について差別的取扱をすることを禁じている。

010 □□□ 易 R4.4-B

労働基準法第3条にいう「信条」には、特定の宗教的信念のみならず、特定の政治的信念も含まれる。

011 □□□ 普通 R5.4-B

特定の思想、信条に従って行う行動が企業の秩序維持に対し重大な影響を及ぼす場合、その秩序違反行為そのものを理由として差別的取扱いをすることは、労働基準法第3条に違反するものではない。

012 □□□ 普通 R6.1-B

「労働基準法3条は労働者の信条によって賃金その他の労働条件につき差別することを禁じているが、特定の信条を有することを、雇入れを拒む理由として定めることも、右にいう労働条件に関する差別取扱として、右規定に違反するものと解される。」とするのが、最高裁判所の判例である。

013 □□□ 普通 H28.1-ウ

労働基準法第3条は、労働者の国籍、信条又は社会的身分を理由として、労働条件について差別することを禁じているが、これは雇入れ後における労働条件についての制限であって、雇入れそのものを制限する規定ではないとするのが、最高裁判所の判例である。

× **008** 必修基本書 労働科目……8p

（法2条）労働条件の決定等を定めた法2条では､「労働者及び使用者は、労働協約、就業規則及び労働契約を遵守し、誠実に各々その義務を履行しなければならない。」と規定されており、「使用者は、労働者に労働組合の設立を促すように努めなければならないとは規定されていない」。

× **009** 必修基本書 労働科目……9p

（法3条）法3条は、使用者は、労働者の国籍、信条又は社会的身分を理由として、賃金、労働時間その他の労働条件について、差別的取扱をすることを禁じている。「性別」については、規定していない。

○ **010** 必修基本書……該当ページなし

（昭22.9.13発基17号）本肢のとおりである。なお、法3条（均等待遇）は、日本国憲法14条1項（法の下の平等）を踏まえ、国籍、信条又は社会的身分を理由とする労働者の差別待遇を禁止したものである。

○ **011** 必修基本書……該当ページなし

（法3条）本肢のとおりである。法3条（均等待遇）の規定に違反した場合は、6月以下の懲役又は30万円以下の罰金に処される（法119条1号）。

× **012** 必修基本書 労働科目……9p

（昭48.12.12 最高裁大法廷判決 三菱樹脂事件）法3条は労働者の**信条**によって賃金その他の労働条件につき差別することを禁じているが、これは、雇入れ後における労働条件についての制限であって、「**雇入れ**そのものを制約する規定ではない」とするのが、最高裁判所の判例である。

○ **013** 必修基本書 労働科目……9p

（法3条、最高裁大法廷判決 昭48.12.12 三菱樹脂事件）本肢のとおりである。なお、法3条における「信条」とは、**特定の宗教的又は政治的信念**をいい、「社会的身分」とは、**生来の身分**をいう。

014 □□□ 普通 R2.4-A

労働基準法第3条に定める「国籍」を理由とする差別の禁止は、主として日本人労働者と日本国籍をもたない外国人労働者との取扱いに関するものであり、そこには無国籍者や二重国籍者も含まれる。

015 □□□ 易 H27.1-B

労働基準法第3条の禁止する「差別的取扱」とは、当該労働者を不利に取り扱うことをいい、有利に取り扱うことは含まない。

016 □□□ 易 R3.1-B

労働基準法第3条が禁止する「差別的取扱」をするとは、当該労働者を有利又は不利に取り扱うことをいう。

017 □□□ 易 H30.4-イ

労働基準法第3条にいう「賃金、労働時間その他の労働条件」について、解雇の意思表示そのものは労働条件とはいえないため、労働協約や就業規則等で解雇の理由が規定されていても、「労働条件」にはあたらない。

018 □□□ 易 H30.4-ウ

労働基準法第4条の禁止する賃金についての差別的取扱いとは、女性労働者の賃金を男性労働者と比較して不利に取り扱う場合だけでなく、有利に取り扱う場合も含まれる。

019 □□□ 易 H27.1-C

労働基準法第4条は、賃金について、女性であることを理由として、男性と差別的取扱いをすることを禁止しているが、賃金以外の労働条件についてはこれを禁止していない。

020 □□□ 易 R4.4-C

就業規則に労働者が女性であることを理由として、賃金について男性と差別的取扱いをする趣旨の規定がある場合、現実には男女差別待遇の事実がないとしても、当該規定は無効であり、かつ労働基準法第4条違反となる。

○ **014** 必修基本書……該当ページなし

（法3条）本肢のとおりである。なお、派遣中の労働者の派遣就業に関しては、派遣元の事業のみならず、派遣先の事業も、派遣中の労働者を使用する事業とみなして、法3条（均等待遇）を適用する（労働者派遣法44条1項）。

× **015** 必修基本書 労働科目……9p

（法3条）法3条（均等待遇）の禁止する「差別的取扱」とは、当該労働者を不利に取り扱うことのみならず、「**有利**に取り扱うことも差別的取扱いに含まれる」。

○ **016** 必修基本書 労働科目……9p

（法3条）本肢のとおりである。なお、法3条（均等待遇）は、労働者の国籍、信条又は社会的身分を理由とする差別的取扱いを禁止しているものであり、性別を理由とする差別的取扱いは、当該規定に含まれていない。

× **017** 必修基本書……該当ページなし

（法3条、昭23.6.16基収1365号）法3条にいう「労働条件」には、解雇に関する条件も含まれる。解雇の意思表示そのものは労働条件とは言えないが、労働協約、就業規則等で解雇の基準又は理由が規定されていれば、それは労働するに当たっての条件として法3条にいう「労働条件」となる。

○ **018** 必修基本書 労働科目……9～10p

（法4条、昭22.9.13発基17号）本肢のとおりである。なお、本肢の賃金についての差別的取扱いには、賃金の額そのものについて差別的取扱いをすることはもとより、**賃金体系**、**賃金形態等**について差別的取扱いをすることも含まれる。

○ **019** 必修基本書 労働科目……9～10p

（法4条）本肢のとおりである。なお、賃金以外の労働条件についての差別的取扱いについては男女雇用機会均等法において禁止されている。

× **020** 必修基本書 労働科目……9～10p

（平9.9.25基発648号）就業規則に法4条違反の規定があるが現実に行われておらず、**賃金の男女差別待遇**の事実がなければ、その規定は無効ではあるが、「法4条違反とはならない」。

021 □□□ 普通 R元.3-ア

労働基準法第4条が禁止する「女性であることを理由」とした賃金についての差別には、社会通念として女性労働者が一般的に勤続年数が短いことを理由として女性労働者の賃金に差別をつけることが含まれるが、当該事業場において実際に女性労働者が平均的に勤続年数が短いことを理由として女性労働者の賃金に差別をつけることは含まれない。

022 □□□ 普通 R6.1-C

事業場において女性労働者が平均的に能率が悪いこと、勤続年数が短いことが認められたため、男女間で異なる昇格基準を定めていることにより男女間で賃金格差が生じた場合には、労働基準法第4条違反とはならない。

023 □□□ 普通 R4.4-D

使用者の暴行があっても、労働の強制の目的がなく、単に「怠けたから」又は「態度が悪いから」殴ったというだけである場合、刑法の暴行罪が成立する可能性はあるとしても、労働基準法第5条違反とはならない。

024 □□□ 普通 R2.4-B

労働基準法第5条に定める「精神又は身体の自由を不当に拘束する手段」の「不当」とは、本条の目的に照らし、かつ、個々の場合において、具体的にその諸条件をも考慮し、社会通念上是認し難い程度の手段をいい、必ずしも「不法」なもののみに限られず、たとえ合法的であっても、「不当」なものとなることがある

025 □□□ 普通 R元.3-イ

労働基準法第5条は、使用者は、労働者の意思に反して労働を強制してはならない旨を定めているが、このときの使用者と労働者との労働関係は、必ずしも形式的な労働契約により成立していることを要求するものではなく、事実上の労働関係が存在していると認められる場合であれば足りる。

× **021** 必修基本書 労働科目……9～10p

（平9.9.25基発648号）「女性であることを理由として」とは、労働者が女性であることのみを理由として、あるいは**社会通念**として又は「当該事業場において」女性労働者が**一般的**又は「**平均的**に」**能率が悪い**こと、「**勤続年数が短い**こと」、**主たる生計の維持者**ではないこと等を理由とすることの意であり、これらを理由として、女性労働者に対し賃金に差別をつけることは「違法である」。

× **022** 必修基本書……該当ページなし

（平9.9.25基発648号）本肢の定めにより男女間で**賃金格差**が生じた場合には、男女同一賃金の原則を定めた法4条に「違反する」。

○ **023** 必修基本書 労働科目……10p

（法5条）本肢のとおりである。なお、法5条（強制労働の禁止）における「暴行」とは、刑法に規定する暴行であり、労働者の身体に対し不法な自然力を行使することをいい、殴る、蹴る、水をかける等は総て暴行であり、通常傷害を伴いやすいが、必ずしもその必要はない（昭22.9.13基発17号）。

○ **024** 必修基本書……該当ページなし

（昭63.3.14基発150号）本肢のとおりである。なお、「精神又は身体の自由を不当に拘束する手段」には、長期労働契約（法14条）、労働契約不履行に関する賠償額予定契約（法16条）、前借金相殺（法17条）、強制貯金（法18条）等が該当する。

○ **025** 必修基本書 労働科目……10p

（法5条）本肢のとおりである。なお、本肢の「意思に反して労働を強制する」とは、**意識ある意思**を抑圧して労働することを**強要**するであり、**詐欺**の手段によるものは必ずしもそれ自体としては、含まれない（昭23.3.2基発381号）。

026 □□□ 難 H27.1-D

強制労働を禁止する労働基準法第5条の構成要件に該当する行為が、同時に刑法の暴行罪、脅迫罪又は監禁罪の構成要件にも該当する場合があるが、労働基準法第5条違反と暴行罪等とは、法条競合の関係（吸収関係）にあると解される。

027 □□□ 普通 R3.1-C

労働基準法第5条に定める「脅迫」とは、労働者に恐怖心を生じさせる目的で本人又は本人の親族の生命、身体、自由、名誉又は財産に対して、脅迫者自ら又は第三者の手によって害を加えるべきことを通告することをいうが、必ずしも積極的言動によって示す必要はなく、暗示する程度でも足りる。

028 □□□ 普通 R5.4-C

労働基準法第5条に定める「監禁」とは、物質的障害をもって一定の区画された場所から脱出できない状態に置くことによって、労働者の身体を拘束することをいい、物質的障害がない場合には同条の「監禁」に該当することはない。

029 □□□ 普通 H29.5-イ

労働基準法第5条に定める強制労働の禁止に違反した使用者は、「1年以上10年以下の懲役又は20万円以上300万円以下の罰金」に処せられるが、これは労働基準法で最も重い刑罰を規定している。

030 □□□ 普通 R5.4-D

法人が業として他人の就業に介入して利益を得た場合、労働基準法第6条違反が成立するのは利益を得た法人に限定され、法人のために違反行為を計画し、かつ実行した従業員については、その者が現実に利益を得ていなければ同条違反は成立しない。

○ **026** 必修基本書……該当ページなし

(法5条ほか)本肢のとおりである。例えば、暴行を加えて強制的に労働させた場合、法5条違反が成立するのみならず刑法の暴行罪も成立する場合がある。このとき、法5条違反の罰則を科し、かつ、暴行罪を犯したことによる刑も同時に科せられるか、という問題が起きる（法条競合）が、これについては、暴行罪の罪は法5条違反の罪に吸収されている（吸収関係）と解されており、法5条違反の罪のみが成立し、暴行罪の罪は成立する余地はないものと解されている。

○ **027** 必修基本書……該当ページなし

(昭22.9.13発基17号ほか)本肢のとおりである。なお、法5条(強制労働の禁止)の規定の適用にあっては、脅迫についても、暴行と同様に労働者に**強制**して、**その意思**に反して労働させる程度のものであることを要する。

× **028** 必修基本書……該当ページなし

(昭22.9.13発基17号ほか) 強制労働の禁止を定めた法5条における「監禁」とは、刑法に規定する監禁であり、一定の区画された場所から脱出できない状態に置くことによって、労働者の身体の自由を拘束することをいい、「必ずしも物質的障害をもって手段とする必要はない」。したがって、暴行、脅迫、欺罔などにより労働者を一定の場所に伴い来たり、その身体を抑留し、後難をおそれて逃走できないようにすることは「監禁」に該当する。

○ **029** 必修基本書 労働科目……10p

(法117条) 本肢のとおりである。なお、法5条（強制労働の禁止）の規定は、我が国にかつてみられた暴行、脅迫などによって労働を強制する封建的な悪習を排除するために、憲法18条（奴隷的拘束及び苦役からの自由）を踏まえ、**精神又は身体の自由**を**不当に拘束する手段**をもって**労働者の意思**に反する労働を強制することを禁止し、労働者を厚く保護したものである。

× **030** 必修基本書 労働科目……11p

(昭34.2.16　33基収8770号) 本肢の場合、法人の従業員たる行為者について、中間搾取の排除を定めた法6条違反が成立する。

031 □□□ 普通 H28.1-エ

労働基準法第6条は、法律によって許されている場合のほか、業として他人の就業に介入して利益を得てはならないとしているが、その規制対象は、私人たる個人又は団体に限られ、公務員は規制対象とならない。

032 □□□ 普通 H29.5-ウ

労働基準法第6条は、法律によって許されている場合のほか、業として他人の就業に介入して利益を得てはならないとしているが、「業として利益を得る」とは、営利を目的として、同種の行為を反覆継続することをいい、反覆継続して利益を得る意思があっても1回の行為では規制対象とならない。

033 □□□ 普通 R2.4-C

労働基準法第6条に定める「何人も、法律に基いて許される場合の外、業として他人の就業に介入して利益を得てはならない。」の「利益」とは、手数料、報償金、金銭以外の財物等いかなる名称たるかを問わず、また有形無形かも問わない。

034 □□□ 普通 R2.4-D

使用者が、選挙権の行使を労働時間外に実施すべき旨を就業規則に定めており、これに基づいて、労働者が就業時間中に選挙権の行使を請求することを拒否した場合には、労働基準法第7条違反に当たらない。

035 □□□ 易 R元.3-ウ

労働基準法第7条に基づき「労働者が労働時間中に、選挙権その他公民としての権利を行使」した場合の給与に関しては、有給であろうと無給であろうと当事者の自由に委ねられている。

036 □□□ 易 R3.1-D

使用者は、労働者が労働時間中に、選挙権その他公民としての権利を行使し、又は公の職務を執行するために必要な時間を請求した場合に、これを拒むことはできないが、権利の行使又は公の職務の執行に妨げがない限り、請求された時刻を変更することは許される。

× **031** 必修基本書 労働科目……11p

（法6条、昭23.3.2基発381号）法6条は、法律に基づいて許される場合の外、**業として**他人の就業に介入して**利益を得てはならない**としているが、その規制対象は、法の適用を受ける事業主に限らず、個人、団体又は「公人」、私人を問わない。

× **032** 必修基本書 労働科目……11p

（法6条、昭23.3.2基発381号）「業として利益を得る」とは、**営利**を目的として、同種の行為を**反復継続**することをいい、「1回の行為であっても、反復継続する意思があれば、法6条に違反する」。本肢前段の記述は正しい。

○ **033** 必修基本書……該当ページなし

（昭23.3.2基発381号）本肢のとおりである。なお、被害労働者が1人であっても、その労働関係継続中に被疑者が十数回にわたり**反復継続的**に利益を得ていることは、法6条（中間搾取の排除）にいう業として利益を得たことになる（昭25.6.1基収1477号）。

× **034** 必修基本書 労働科目……12p

（昭23.10.30基発1575号）公民権の行使を労働時間外に実施すべき旨定めたことにより、労働者が就業時間中に選挙権の行使を請求することを拒否すれば法7条違反となる。

○ **035** 必修基本書 労働科目……13p

（法7条、昭22.11.27基発399号）本肢のとおりである。なお、就業規則等で公民権の行使を労働時間外に実施すべき旨を定めたことにより、労働者の就業時間中の選挙権行使請求を拒否すれば、本条違反となる（昭23.3.2基発381号）。

○ **036** 必修基本書 労働科目……12p

（法7条）本肢のとおりである。なお、法7条にいう「公の職務」とは、**法令**に根拠を有するものに限られるが、法令に基づく公の職務のすべてをいうものではなく、同条にいう「**公民としての権利**」の行使を実効あるものにするための公民としての義務の観点より行う公の職務が該当するものである。

037 □□□ 普通 H29.5-エ

労働者（従業員）が「公職に就任することが会社業務の逐行を著しく阻害する虞れのある場合においても、普通解雇に附するは格別、同条項〔当該会社の就業規則における従業員が会社の承認を得ないで公職に就任したときは懲戒解雇する旨の条項〕を適用して従業員を懲戒解雇に附することは、許されないものといわなければならない。」とするのが、最高裁判所の判例である。

○ **037** 必修基本書 労働科目……12p

（昭38.6.21 最高裁第二小法廷判決 十和田観光電鉄事件）本肢のとおりである。なお、労働者が選挙権その他公民としての権利を行使し、又は公の職務を執行するために必要な時間を請求した場合、使用者はこれを拒むことはできないが、権利の行使や公の職務の執行に妨げがない限り、請求された時刻を変更することは許される（法7条）。

❷ 適用事業・用語の定義

038 □□□ 普通 R6.2-ア

労働基準法において一の事業であるか否かは主として場所的観念によって決定するが、例えば工場内の診療所、食堂等の如く同一場所にあっても、著しく労働の態様を異にする部門が存する場合に、その部門が主たる部門との関連において従事労働者、労務管理等が明確に区別され、かつ、主たる部門と切り離して適用を定めることによって労働基準法がより適切に運用できる場合には、その部門を一の独立の事業とするとされている。

039 □□□ 普通 H29.2-ア

何ら事業を営むことのない大学生が自身の引っ越しの作業を友人に手伝ってもらい、その者に報酬を支払ったとしても、当該友人は労働基準法第9条に定める労働者に該当しないので、当該友人に労働基準法は適用されない。

040 □□□ 普通 H29.2-ウ

同居の親族は、事業主と居住及び生計を一にするものとされ、その就労の実態にかかわらず労働基準法第9条の労働者に該当することがないので、当該同居の親族に労働基準法が適用されることはない。

041 □□□ 普通 H29.2-イ

法人に雇われ、その役職員の家庭において、その家族の指揮命令の下で家事一般に従事している者については、法人に使用される労働者であり労働基準法が適用される。

042 □□□ 易 R4.1-C

同居の親族のみを使用する事業において、一時的に親族以外の者が使用されている場合、この者は、労働基準法の労働者に該当しないこととされている。

○ **038** 必修基本書 労働科目……13～14p

（平11.3.31基発168号）本肢のとおりである。なお、場所的に分散している事業であっても、規模が非常に小さく、組織的関連や事務能力を勘案して一の事業という程度の**独立性**のないものについては、直近上位の機構と一括して一の事業として取り扱われる。

○ **039** 必修基本書 労働科目……15p

（法9条）本肢のとおりである。本肢の友人は、「事業に使用される者」に該当しないため、労働基準法上の労働者に該当しないことから、労働基準法は適用されない。

× **040** 必修基本書……該当ページなし

（法116条2項、昭54.4.2基発153号）同居の親族は、原則として、労働基準法の労働者に該当しないが、常時**同居の親族以外**の労働者を使用する事業において一般事務又は現場作業等に従事し、かつ、次の①～③のいずれの要件も満たすものについては、一般に私生活面での相互協力関係とは別に独立した労働関係が成立しているとみられるため、「労働者として労働基準法の適用を受ける」。

①事業主の指揮命令に従っていることが明確であること

②労働時間等の管理、賃金の決定及び支払の方法等からみて、就労の実態が他の労働者と同様であること

③賃金が（他の労働者と同様の）就労の実態に応じて支払われていること

× **041** 必修基本書 労働科目……14p

（法116条2項、平11.3.31基発168号）法人に雇われ、その役職員の家庭において、その家族の**指揮命令**の下で家事一般に従事している者は、「家事使用人に該当する」ため、労働基準法が適用されない。

× **042** 必修基本書 労働科目……14～15p

（法9条、法116条2項）本肢の場合、親族以外の者は「労働者に該当する」。

043 □□□ 易 R4.1-A

労働基準法の労働者であった者は、失業しても、その後継続して求職活動をしている間は、労働基準法の労働者である。

044 □□□ 易 H27.1-E

形式上は請負契約のようなかたちをとっていても、その実体において使用従属関係が認められるときは、当該関係は労働関係であり、当該請負人は労働基準法第9条の「労働者」に当たる。

045 □□□ 普通 R4.1-B

労働基準法の労働者は、民法第623条に定める雇用契約により労働に従事する者がこれに該当し、形式上といえども請負契約の形式を採るものは、その実体において使用従属関係が認められる場合であっても、労働基準法の労働者に該当することはない。

046 □□□ 易 R4.1-E

明確な契約関係がなくても、事業に「使用」され、その対償として「賃金」が支払われる者であれば、労働基準法の労働者である。

047 □□□ 普通 H29.2-オ

工場が建物修理の為に大工を雇う場合、そのような工事は一般に請負契約によることが多く、また当該工事における労働は工場の事業本来の目的の為のものでもないから、当該大工が労働基準法第9条の労働者に該当することはなく、労働基準法が適用されることはない。

048 □□□ 普通 H29.2-エ

株式会社の取締役であっても業務執行権又は代表権を持たない者は、工場長、部長等の職にあって賃金を受ける場合には、その限りにおいて労働基準法第9条に規定する労働者として労働基準法の適用を受ける。

049 □□□ 易 R4.1-D

株式会社の代表取締役は、法人である会社に使用される者であり、原則として労働基準法の労働者になるとされている。

× **043** 必修基本書 労働科目……15p

（法9条）労働基準法における「労働者」とは、**職業の種類**を問わず、「**事業に使用される者**」で、賃金を支払われる者をいうため、失業中の者など現に使用されていない者は労働者とならない。

○ **044** 必修基本書 労働科目……15p

（法9条ほか）本肢のとおりである。共同経営事業の出資者であっても、当該組合又は法人との間に**使用従属関係**があり、**賃金を受けて**働いている場合には、法9条の**労働者である**（昭23.3.24基発498号）。

× **045** 必修基本書 労働科目……15p

（法9条）形式上は請負のような形式をとっていても、その実体において使用従属関係が認められるときは、当該関係は労働関係であり、当該請負人は「労働者に該当する」。

○ **046** 必修基本書 労働科目……15p

（法9条）本肢のとおりである。なお、個々の事業に対しての労働基準法を適用するに際しては、当該事業の名称又は経営主体等にかかわることなく、相関連して一体をなす労働の態様によって事業としての適用を定める（平11.3.31基発168号）。

× **047** 必修基本書 労働科目……15p

（法9条、平11.3.31基発168号）本肢の場合であっても、「事業主と大工の間に**使用従属**関係が認められれば、当該大工は労働者に該当し、労働基準法が適用される」。

○ **048** 必修基本書 労働科目……15p

（昭23.3.17基発461号）本肢のとおりである。なお、法人、団体、組合の代表者又は執行機関たる者の如く、事業主体との関係において**使用従属**の関係に立たない者は労働者ではない（昭23.1.9基発14号）。

× **049** 必修基本書 労働科目……15p

（昭23.1.9基発14号）株式会社の代表取締役などの法人の代表は、事業主体との関係において使用従属の関係に立たないため、「労働者に該当しない」。

050 □□□ 普通 H30.4-エ

いわゆるインターンシップにおける学生については、インターンシップにおいての実習が、見学や体験的なものであり使用者から業務に係る指揮命令を受けていると解されないなど使用従属関係が認められない場合でも、不測の事態における学生の生命、身体等の安全を確保する限りにおいて、労働基準法第9条に規定される労働者に該当するとされている。

051 □□□ 難 R元.3-エ

いわゆる芸能タレントは、「当人の提供する歌唱、演技等が基本的に他人によって代替できず、芸術性、人気等当人の個性が重要な要素となっている」「当人に対する報酬は、稼働時間に応じて定められるものではない」「リハーサル、出演時間等スケジュールの関係から時間が制約されることはあっても、プロダクション等との関係では時間的に拘束されることはない」「契約形態が雇用契約ではない」のいずれにも該当する場合には、労働基準法第9条の労働者には該当しない。

052 □□□ 普通 H29.5-オ

医科大学附属病院に勤務する研修医が、医師の資質の向上を図ることを目的とする臨床研修のプログラムに従い、臨床研修指導医の指導の下に医療行為等に従事することは、教育的な側面を強く有するものであるため、研修医は労働基準法第9条所定の労働者に当たることはないとするのが、最高裁判所の判例の趣旨である。

053 □□□ 易 R2.1-A

「事業主」とは、その事業の経営の経営主体をいい、個人企業にあってはその企業主個人、株式会社の場合は、その代表取締役をいう。

054 □□□ 普通 R2.1-B

事業における業務を行うための体制が、課及びその下部組織としての係で構成され、各組織の管理者として課長及び係長が配置されている場合、組織系列において係長は課長の配下になることから、係長に与えられている責任と権限の有無にかかわらず、係長が「使用者」になることはない。

× **050** 必修基本書 労働科目……15p

（平9.9.18基発636号）インターンシップにおいての実習が、見学や体験的なものであり、使用者から業務に係る**指揮命令**を受けていると解されないなど**使用従属関係**が認められない場合には、法9条に規定される「労働者に該当しない」。

○ **051** 必修基本書……該当ページなし

（昭63.7.30基収355号）本肢のとおりである。なお、労働基準法における「労働者」とは、**職業の種類**を問わず、事業又は事務所に使用される者で、**賃金を支払われる者**をいう（法9条）。

× **052** 必修基本書……該当ページなし

（平17.6.3 最高裁第二小法廷判決 関西医科大学付属病院事件）臨床研修は、医師の資質の向上を図ることを目的とするものであり、教育的な側面を有しているが、そのプログラムに従い、臨床研修指導医の指導の下に、研修医が医療行為等に従事することを予定している。そして、研修医がこのようにして医療行為等に従事する場合には、これらの行為等は病院の開設者のための「労務の遂行という側面を不可避的に有する」こととなるのであり、病院の開設者の指揮監督の下にこれを行ったと評価することができる限り、上記研修医は労働基準法9条所定の「労働者に当たる」ものというべきであるとするのが、最高裁判所の判例である。

× **053** 必修基本書 労働科目……16p

（法10条）「事業主」とは、その**事業の経営の主体**をいい、個人企業にあってはその**企業主個人**、株式会社などの会社その他の法人組織の場合は「**その法人そのもの**」をいう。

× **054** 必修基本書 労働科目……16p

（昭22.9.13発基17号）「使用者」とは、労働基準法各条の義務についての**履行の責任者**をいい、その認定は部長、課長等の形式にとらわれることなく各事業場において、同法各条の義務について**実質的**に一定の権限を与えられているか否かによるものとされている。したがって、本肢の係長に与えられている責任と権限によっては、「使用者になることがある」。

055 □□□ 普通 R2.1-C

事業における業務を行うための体制としていくつかの課が設置され、課が所掌する日常業務の大半が課長権限で行われていれば、課長がたまたま事業主等の上位者から権限外の事項について命令を受けて単にその命令を部下に伝達しただけであっても、その伝達は課長が使用者として行ったこととされる。

056 □□□ 普通 R5.4-E

労働基準法第10条にいう「使用者」は、企業内で比較的地位の高い者として一律に決まるものであるから、同法第9条にいう「労働者」に該当する者が、同時に同法第10条にいう「使用者」に該当することはない。

057 □□□ 普通 R4.4-E

法令の規定により事業主等に申請等が義務付けられている場合において、事務代理の委任を受けた社会保険労務士がその懈怠により当該申請等を行わなかった場合には、当該社会保険労務士は、労働基準法第10条にいう「使用者」に該当するので、当該申請等の義務違反の行為者として労働基準法の罰則規定に基づいてその責任を問われうる。

058 □□□ 普通 R2.1-E

派遣労働者が派遣先の指揮命令を受けて労働する場合、その派遣中の労働に関する派遣労働者の使用者は、当該派遣労働者を送り出した派遣元の管理責任者であって、当該派遣先における指揮命令権者は使用者にはならない。

059 □□□ 普通 R6.1-D

在籍型出向（出向元及び出向先双方と出向労働者との間に労働契約関係がある場合）の出向労働者については、出向元、出向先及び出向労働者三者間の取決めによって定められた権限と責任に応じて出向元の使用者又は出向先の使用者が、出向労働者について労働基準法等における使用者としての責任を負う。

× **055** 必修基本書 労働科目……16p

（昭22.9.13発基17号）「使用者」とは、労働基準法各条の義務についての**履行の責任者**をいい、その認定は部長、課長等の形式にとらわれることなく各事業場において、同法各条の義務について**実質的**に一定の権限を与えられているか否かによるが、かかる権限が与えられておらず、単に上司の命令の伝達者に過ぎぬ場合は、「使用者とならない」。

× **056** 必修基本書 労働科目……16p

（法9条、法10条）「単に地位の高低のみをもって一概に使用者となるかどうかは結論づけられるものではなく」、また、労働者に該当する者であっても、その者が同時にある事項について権限と責任をもっていれば、その事項については、その「労働者が使用者となる場合がある」。

○ **057** 必修基本書 労働科目……16p

（昭62.3.26基発169号）本肢のとおりである。なお、本肢の場合において、事業主等に対しては、事業主等が社会保険労務士に必要な情報を与える等申請等をし得る条件を整備していれば、通常は、必要な注意義務を尽くしているものと考えられるが、そのように必要な注意義務を尽くしてものと認められない場合には、各法令に規定されている両罰規定に基づき事業主等の責任をも問い得るものである。

× **058** 必修基本書 労働科目……17p

（労働者派遣法44条1項・2項）派遣労働者に係る均等待遇（法3条）や強制労働の禁止（法5条）などの規定の適用に当たっては、派遣元の事業のみならず、派遣先の事業もまた、派遣中の労働者を使用する事業とみなされる。また、公民権行使の保障（法7条）や法定労働時間（法32条）などの規定の適用に当たっては、派遣先の事業のみが、派遣中の労働者を使用する事業とみなされる。したがって、これらの場合には、派遣先における指揮命令権者が使用者となる場合がある。

○ **059** 必修基本書 労働科目……16～17p

（昭61.6.6基発333号）本肢のとおりである。なお、移籍型出向は、出向先との間にのみ労働契約関係がある形態であり、出向元と出向労働者との労働契約関係は終了しており、移籍型出向の出向労働者については、出向先とのみ労働契約があることから、出向先についてのみ労働基準法等の適用がある。

060 □□□ 普通 R2.1-D

下請負人が、その雇用する労働者の労働力を自ら直接利用するとともに、当該業務を自己の業務として相手方（注文主）から独立して処理するものである限り、注文主と請負関係にあると認められるから、自然人である下請負人が、たとえ作業に従事することがあっても、労働基準法第9条の労働者ではなく、同法第10条にいう事業主である。

061 □□□ 易 R6.2-イ

労働基準法において「使用者」とは、その使用する労働者に対して賃金を支払う者をいい、「賃金」とは、賃金、給料、手当、賞与その他名称の如何を問わず、労働の対償として使用者が労働者に支払うすべてのものをいう。

062 □□□ 普通 H28.1-オ

労働協約、就業規則、労働契約等によってあらかじめ支給条件が明確にされていても、労働者の吉凶禍福に対する使用者からの恩恵的な見舞金は、労働基準法第11条にいう「賃金」にはあたらない。

063 □□□ 普通 R3.1-E

労働者が法令により負担すべき所得税等（健康保険料、厚生年金保険料、雇用保険料等を含む。）を事業主が労働者に代わって負担する場合、当該代わって負担する部分は、労働者の福利厚生のために使用者が負担するものであるから、労働基準法第11条の賃金とは認められない。

064 □□□ 難 H30.4-オ

いわゆるストック・オプション制度では、権利付与を受けた労働者が権利行使を行うか否か、また、権利行使するとした場合において、その時期や株式売却時期をいつにするかを労働者が決定するものとしていることから、この制度から得られる利益は、それが発生する時期及び額ともに労働者の判断に委ねられているため、労働の対償ではなく、労働基準法第11条の賃金には当たらない。

065 □□□ 普通 R元.3-オ

私有自動車を社用に提供する者に対し、社用に用いた場合のガソリン代は走行距離に応じて支給される旨が就業規則等に定められている場合、当該ガソリン代は、労働基準法第11条にいう「賃金」に当たる。

○ **060** 必修基本書……該当ページなし

（昭63.3.14基発150号）本肢のとおりである。なお、社会保険労務士は、社会保険労務士法により労働基準法に基づく申請等について事務代理をすることができるが、事務代理の委任を受けた社会保険労務士がその懈怠（けたい）により当該申請等を行わなかった場合には、当該社会保険労務士は、法10条にいう使用者に該当するものであり、本法違反の責任を問われ得ることとなる（昭62.3.26基発169号）。

× **061** 必修基本書 労働科目……16､21p

（法10条、法11条）「使用者」とは、「事業主又は事業の経営担当者その他その事業の労働者に関する事項について、**事業主**のために行為をする**すべての者**」をいう。賃金の定義については正しい。本肢の使用者の定義は、労働契約法における使用者の定義である。

× **062** 必修基本書 労働科目……18p

（法11条、昭22.9.13発基17号）労働者の吉凶禍福に対する使用者からの恩恵的な見舞金は、原則として、法11条にいう**賃金に当たらない**が、それが労働協約、就業規則、労働契約等によって**あらかじめ支給条件が明確**にされていた場合は、法11条の「**賃金に当たる**」。

× **063** 必修基本書 労働科目……18～19p

（昭63.3.14基発150号）労働者が法令により負担すべき所得税等を使用者が労働者に代わって負担する場合は、これらの労働者が法律上当然生ずる義務を免れるのであるから、使用者が労働者に代わって負担する部分は「賃金とみなされる」。

○ **064** 必修基本書……該当ページなし

（平9.6.1基発412号）本肢のとおりである。したがって、本肢のストック・オプションの付与、行使等に当たり、それを就業規則等に定められた賃金の一部として取り扱うことは、法24条（賃金）の規定に違反することとなる。

× **065** 必修基本書 労働科目……18p

（昭63.3.14基発150号）私有自動車を社用に用いた場合の走行距離に応じて支給されるガソリン代は、実費弁償であり「賃金ではない」。

066 □□□ 難　R2.4-E

食事の供与（労働者が使用者の定める施設に住み込み1日に2食以上支給を受けるような特殊の場合のものを除く。）は、食事の支給のための代金を徴収すると否とを問わず、①食事の供与のために賃金の減額を伴わないこと、②食事の供与が就業規則、労働協約等に定められ、明確な労働条件の内容となっている場合でないこと、③食事の供与による利益の客観的評価額が、社会通念上、僅少なものと認められるものであること、の3つの条件を満たす限り、原則として、これを賃金として取り扱わず、福利厚生として取り扱う。

067 □□□ 普通　R6.1-E

労働者に支給される物又は利益にして、所定の貨幣賃金の代わりに支給するもの、即ち、その支給により貨幣賃金の減額を伴うものは労働基準法第11条にいう「賃金」とみなさない。

○ **066** 必修基本書 労働科目……18p

(昭30.10.10基発644号) 本肢のとおりである。なお、交通従業員の制服、工員の作業衣等業務上必要な被服は、作業備品であることから、賃金に該当しない(昭23.2.20基発297号)。

× **067** 必修基本書……該当ページなし

(昭22.9.13発基17号) 労働者に支給される物又は利益にして、所定貨幣賃金の代わりに支給するものは「賃金とみなされる」。

❸ 平均賃金

068 □□□ 普通　H27.2-C

労働災害により休業していた労働者がその災害による傷病が原因で死亡した場合、使用者が遺族補償を行うに当たり必要な平均賃金を算定すべき事由の発生日は、当該労働者が死亡した日である。

069 □□□ 普通　H30.7-D

労働基準法第91条による減給の制裁に関し平均賃金を算定すべき事由の発生した日は、制裁事由発生日（行為時）とされている。

070 □□□ 普通　H27.2-D

賃金締切日が毎月月末と定められていた場合において、例えば7月31日に算定事由が発生したときは、なお直前の賃金締切日である6月30日から遡った3か月が平均賃金の算定期間となる。

071 □□□ 普通　H27.2-E

賃金締切日が、基本給は毎月月末、時間外手当は毎月20日とされている事業場において、例えば6月25日に算定事由が発生したときは、平均賃金の起算に用いる直前の賃金締切日は、基本給、時間外手当ともに基本給の直前の締切日である5月31日とし、この日から遡った3か月が平均賃金の算定期間となる。

× **068** 必修基本書 労働科目……22p

(法12条、昭25.10.19基収2908号) 災害補償を行う場合の平均賃金算定の起算日（算定事由発生日）は、「**事故発生の日**又は**診断によって疾病の発生が確定した日**」である。

× **069** 必修基本書 労働科目……22p

(昭30.7.19 29基収5875号) 減給の制裁に関し、平均賃金を算定すべき事由の発生した日は、「**減給の制裁の意思表示が相手方に到達した日**」とされている。

○ **070** 必修基本書 労働科目……19p

(法12条2項) 本肢のとおりである。賃金締切日がある場合には直前の賃金締切日から起算した3か月間が平均賃金の算定期間となる。

× **071** 必修基本書……該当ページなし

(法12条2項、昭26.12.27基収5926号)。賃金ごとに賃金締切日が異なる場合、直前の賃金締切日は、「それぞれ各賃金ごとの賃金締切日を用いる」。したがって、本肢の場合、基本給は5月31日が起算日となり、時間外手当は6月20日が起算日となる。

072 □□□ 難　R元.1-A

次に示す条件で賃金を支払われてきた労働者について7月20日に、労働基準法第12条に定める平均賃金を算定すべき事由が発生した場合、3月26日から6月25日までを計算期間とする基本給、通勤手当及び職務手当の総額をその期間の暦日数92で除した金額と4月16日から7月15日までを計算期間とする時間外手当の総額をその期間の暦日数91で除した金額を加えた金額が平均賃金になる。

【条件】

賃金の構成：基本給、通勤手当、職務手当及び時間外手当
賃金の締切日：基本給、通勤手当及び職務手当については、毎月25日
　　　　　　　時間外手当については、毎月15日
賃金の支払日：賃金締切日の月末

073 □□□ 難　R元.1-B

次に示す条件で賃金を支払われてきた労働者について7月20日に、労働基準法第12条に定める平均賃金を算定すべき事由が発生した場合、4月、5月及び6月に支払われた賃金の総額をその計算期間の暦日数92で除した金額が平均賃金になる。

【条件】

賃金の構成：基本給、通勤手当、職務手当及び時間外手当
賃金の締切日：基本給、通勤手当及び職務手当については、毎月25日
　　　　　　　時間外手当については、毎月15日
賃金の支払日：賃金締切日の月末

○ **072** 必修基本書 労働科目……19～20p

（法12条1項・2項、昭26.12.27基収5926号）本肢のとおりである。賃金締切日がある場合における平均賃金は、直前の賃金締切日以前3箇月間にその労働者に対し支払われた賃金の総額を、その期間の総日数で除して算定する。また、賃金ごとに賃金締切日が異なる場合は、それぞれの賃金ごとの賃金締切日によって平均賃金を算定する。したがって、本問の場合、基本給、通勤手当及び職務手当については、算定事由発生日である7月20日の直前の賃金締切日に該当する6月25日以前3箇月の期間をもって平均賃金を算定し、時間外手当については、算定事由発生日である7月20日の直前の賃金締切日に該当する7月15日以前3箇月の期間をもって平均賃金を算定する。

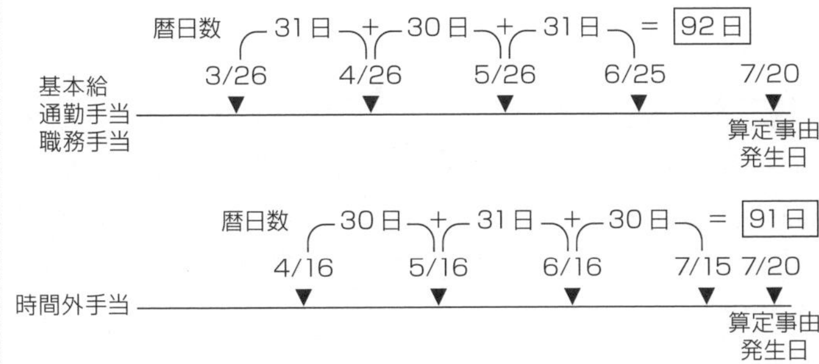

× **073** 必修基本書 労働科目……19～20p

（法12条1項・2項、昭26.12.27基収5926号）時間外手当については、5月、6月及び「7月」に支払われた賃金を基礎として平均賃金を算定する。

074 □□□ 難　R元.1-C

次に示す条件で賃金を支払われてきた労働者について7月20日に、労働基準法第12条に定める平均賃金を算定すべき事由が発生した場合、3月26日から6月25日までを計算期間とする基本給及び職務手当の総額をその期間の暦日数92で除した金額と4月16日から7月15日までを計算期間とする時間外手当の総額をその期間の暦日数91で除した金額を加えた金額が平均賃金になる。

【条件】

賃金の構成：基本給、通勤手当、職務手当及び時間外手当
賃金の締切日：基本給、通勤手当及び職務手当については、毎月25日
　　　　　　　時間外手当については、毎月15日
賃金の支払日：賃金締切日の月末

075 □□□ 難　R元.1-D

次に示す条件で賃金を支払われてきた労働者について7月20日に、労働基準法第12条に定める平均賃金を算定すべき事由が発生した場合、通勤手当を除いて、4月、5月及び6月に支払われた賃金の総額をその計算期間の暦日数92で除した金額が平均賃金になる。

【条件】

賃金の構成：基本給、通勤手当、職務手当及び時間外手当
賃金の締切日：基本給、通勤手当及び職務手当については、毎月25日
　　　　　　　時間外手当については、毎月15日
賃金の支払日：賃金締切日の月末

076 □□□ 難　R元.1-E

次に示す条件で賃金を支払われてきた労働者について7月20日に、労働基準法第12条に定める平均賃金を算定すべき事由が発生した場合、時間外手当を除いて、4月、5月及び6月に支払われた賃金の総額をその計算期間の暦日数92で除した金額が平均賃金になる。

【条件】

賃金の構成：基本給、通勤手当、職務手当及び時間外手当
賃金の締切日：基本給、通勤手当及び職務手当については、毎月25日
　　　　　　　時間外手当については、毎月15日
賃金の支払日：賃金締切日の月末

× **074** 必修基本書 労働科目……19～20p

（法1条1項、法11条、法12条1項・2項、昭26.12.27基収5926号）「通勤手当は、平均賃金算定の基礎に算入される」。

× **075** 必修基本書 労働科目……19～20p

（法12条1項・2項、昭26.12.27基収5926号）「通勤手当は、平均賃金算定の基礎に算入される」。また、時間外手当については、5月、6月及び「7月」に支払われた賃金を基礎として平均賃金を算定する。

× **076** 必修基本書 労働科目……19～20p

（法12条1項・2項、昭26.12.27基収5926号）「時間外手当は、平均賃金算定の基礎に算入される」。

077 □□□ 易 H27.2-B

平均賃金の計算において、労働者が労働基準法第7条に基づく公民権の行使により休業した期間は、その日数及びその期間中の賃金を労働基準法第12条第1項及び第2項に規定する期間及び賃金の総額から除外する。

078 □□□ 易 H27.2-A

平均賃金の計算の基礎となる賃金の総額には、3か月を超える期間ごとに支払われる賃金、通勤手当及び家族手当は含まれない。

079 □□□ 難 R4.6-ア

通貨以外のもので支払われる賃金も、原則として労働基準法第12条に定める平均賃金等の算定基礎に含まれるため、法令に別段の定めがある場合のほかは、労働協約で評価額を定めておかなければならない。

× **077** 必修基本書 労働科目……19～20p

（法12条）労働者が法7条に基づく**公民権の行使により休業した**期間について、その日数及びその期間中の賃金を平均賃金の計算から控除することとはされていない。

× **078** 必修基本書 労働科目……21p

（法12条、昭22.12.26基発573号）平均賃金の計算の基礎となる賃金の総額には、3か月を超える期間ごとに支払われる賃金は含まれないが、「通勤手当及び家族手当は含まれる」。

○ **079** 必修基本書……該当ページなし

（則2条2項）本肢のとおりである。なお、本肢の労働協約に定められた評価額が不適当と認められる場合又は当該評価額が法令若しくは労働協約に定められていない場合においては、都道府県労働局長は、則2条1項に規定する通貨以外のものの評価額を定めることができる（同条3項）。

❹ 労働契約の締結

080 □□□ 普通 R6.2-ウ

労働契約とは、本質的には民法第623条に規定する雇用契約や労働契約法第6条に規定する労働契約と基本的に異なるものではないが、民法上の雇用契約にのみ限定して解されるべきものではなく、委任契約、請負契約等、労務の提供を内容とする契約も労働契約として把握される可能性をもっている。

081 □□□ 易 H27.3-A

労働協約に定める基準に違反する労働契約の部分を無効とする労働組合法第16条とは異なり、労働基準法第13条は、労働基準法で定める基準に達しない労働条件を定める労働契約は、その部分については無効とすると定めている。

082 □□□ 普通 H27.3-B

契約期間の制限を定める労働基準法第14条の例外とされる「一定の事業の完了に必要な期間を定めるもの」とは、その事業が有期的事業であることが客観的に明らかな場合であり、その事業の終期までの期間を定める契約であることが必要である。

083 □□□ 普通 R3.2-A

労働基準法第14条にいう「一定の事業の完了に必要な期間を定める」労働契約については、3年（同条第1項の各号のいずれかに該当する労働契約にあっては、5年）を超える期間について締結することが可能であるが、その場合には、その事業が有期的事業であることが客観的に明らかであり、その事業の終期までの期間を定める契約であることが必要である。

084 □□□ 易 R2.5-ア

専門的な知識、技術又は経験（以下「専門的知識等」という。）であって高度のものとして厚生労働大臣が定める基準に該当する専門的知識等を有する労働者との間に締結される労働契約については、当該労働者の有する高度の専門的知識等を必要とする業務に就く場合に限って契約期間の上限を5年とする労働契約を締結することが可能となり、当該高度の専門的知識を必要とする業務に就いていない場合の契約期間の上限は3年である。

○ **080** 必修基本書……該当ページなし

（法13条ほか）本肢のとおりである。なお、労働契約に関する民事的なルールを規定した法律として、平成20年3月より、労働契約法が施行されている。

○ **081** 必修基本書 労働科目……24p

（法13条）本肢のとおりである。なお、法13条（労働基準法違反の契約）により無効とされた部分については法で定める基準によるものとされている。

○ **082** 必修基本書……該当ページなし

（法14条ほか）本肢のとおりである。なお、法70条（職業訓練に関する特例）により、職業訓練のための長期の訓練期間を要するものについても、一定の範囲内で契約期間の特例が認められている。

○ **083** 必修基本書 労働科目……25～26p

（法14条1項）本肢のとおりである。なお、法14条（契約期間等）違反に係る罰則は、**使用者**に対してのみ適用がある（昭22.12.15基発502号）。

○ **084** 必修基本書 労働科目……25～26p

（法14条1項）本肢のとおりである。なお、本肢の規定に違反した者は、**30**万円以下の罰金に処される（法120条1号）。

085 □□□ 易 H30.5-D

労働基準法第14条第1項第2号に基づく、満60歳以上の労働者との間に締結される労働契約（期間の定めがあり、かつ、一定の事業の完了に必要な期間を定めるものではない労働契約）について、同条に定める契約期間に違反した場合、同法第13条の規定を適用し、当該労働契約の期間は3年となる。

086 □□□ 易 R5.5-A

労働基準法第14条第1項に規定する期間を超える期間を定めた労働契約を締結した場合は、同条違反となり、当該労働契約は、期間の定めのない労働契約となる。

087 □□□ 易 H29.3-A

満60歳以上の労働者との間に締結される労働契約について、労働契約期間の上限は当該労働者が65歳に達するまでとされている。

088 □□□ 普通 H28.2-A

使用者は、労働者が高度の専門的知識等を有していても、当該労働者が高度の専門的知識等を必要とする業務に就いていない場合は、契約期間を５年とする労働契約を締結してはならない。

089 □□□ 普通 R4.5-A

社会保険労務士の国家資格を有する労働者について、労働基準法第14条に基づき契約期間の上限を5年とする労働契約を締結するためには、社会保険労務士の資格を有していることだけでは足りず、社会保険労務士の名称を用いて社会保険労務士の資格に係る業務を行うことが労働契約上認められている等が必要である。

090 □□□ 普通 R6.3-A

使用者は、労働基準法第14条第2項に基づき厚生労働大臣が定めた基準により、有期労働契約（当該契約を3回以上更新し、又は雇入れの日から起算して1年を超えて継続勤務している者に係るものに限り、あらかじめ当該契約を更新しない旨明示されているものを除く。）を更新しないこととしようとする場合には、少なくとも当該契約期間が満了する日の30日前までに、その予告をしなければならない。

× **085** 必修基本書 労働科目……25~26p

(平15.10.22基発1022001号) 労働契約の期間の上限が**5**年となる者との労働契約の締結について、法14条の契約期間の上限規定に違反した場合、法13条(労働基準法違反の契約) が適用され、当該労働契約の期間は「**5**年」となる。

× **086** 必修基本書 労働科目……25~26p

(平15.10.22基発1022001号) 法14条1項に定める契約期間の上限を超えた期間を定めた労働契約は無効となり、当該労働契約は「3年(一定の場合には5年)」の期間を定めた労働契約となる。

× **087** 必修基本書 労働科目……25~26p

(法14条1項) 満**60**歳以上の労働者との間に締結される労働契約の期間は、原則として、「**5**年を超えてはならない」。

○ **088** 必修基本書 労働科目……25~26p

(法14条1項) 本肢のとおりである。高度の専門的知識等を有する労働者とは、公認会計士、医師、弁護士、税理士、社会保険労務士及びシステムエンジニアの業務に就こうとする一定の者であって年収が**1,075**万円以上の者等とされている。

○ **089** 必修基本書 労働科目……25~26p

(法14条1項、平15.10.22基発1022001号) 本肢のとおりである。社会保険労務士は、法14条2項に規定されている「専門的知識等であって高度のものとして厚生労働大臣が定める基準」に含まれている。

○ **090** 必修基本書 労働科目……28p

(平15.10.22厚労告357号) 本肢のとおりである。なお、使用者は、有期労働契約の締結後、当該有期労働契約の変更又は更新に際して、通算契約期間又は有期労働契約の更新回数について、上限を定め、又はこれを引き下げようとするときは、あらかじめ、その理由を労働者に説明しなければならない。

❺ 労働条件の明示

091 □□□ 普通　H27.3-C

労働基準法第15条は、使用者が労働契約の締結に際し労働者に明示した労働条件が実際の労働条件と相違することを、同法第120条に定める罰則付きで禁止している。

092 □□□ 易　R元.4-A

労働契約の期間に関する事項は、書面等により明示しなければならないが、期間の定めをしない場合においては期間の明示のしようがないので、この場合においては何ら明示しなくてもよい。

093 □□□ 普通　R6.3-B

使用者は、労働基準法第15条第1項の規定により、労働者に対して労働契約の締結と有期労働契約（期間の定めのある労働契約）の更新のタイミングごとに、「就業の場所及び従事すべき業務に関する事項」に加え、「就業の場所及び従事すべき業務の変更の範囲」についても明示しなければならない。

094 □□□ 普通　H29.3-E

派遣労働者に対する労働条件の明示は、労働者派遣法における労働基準法の適用に関する特例により派遣先の事業のみを派遣中の労働者を使用する事業とみなして適用することとされている労働時間、休憩、休日等については、派遣先の使用者がその義務を負う。

095 □□□ 普通　R5.5-B

社宅が単なる福利厚生施設とみなされる場合においては、社宅を供与すべき旨の条件は労働基準法第15条第1項の「労働条件」に含まれないから、労働契約の締結に当たり同旨の条件を付していたにもかかわらず、社宅を供与しなかったときでも、同条第2項による労働契約の解除権を行使することはできない。

× **091** 必修基本書 労働科目……29p

(法15条1項) 法15条(労働条件の明示)は、使用者が労働契約の締結に際し賃金、労働時間その他の労働条件を「**明示**すること」を規定している。なお、当該規定に違反した場合、**30**万円以下の罰金に処せられる(法120条1号)。

× **092** 必修基本書 労働科目……30p

(法15条1項、則5条1項) **労働契約の期間**に関する事項は、いわゆる**絶対的明示事項**であるため、期間の定めの有無にかかわらず、これを「明示しなければならない」(「労働契約の期間の定めはない」等の明示をしなければならない)

○ **093** 必修基本書 労働科目……30p

(則5条1項) 本肢のとおりである。なお、労働者が情報通信技術を利用して行う事業場外勤務(テレワーク)については、労働者がテレワークを行うことが通常想定されている場合には、テレワークを行う場所が本肢の就業の場所の変更の範囲に含まれる(令5.10.12基発1012第2号)。

× **094** 必修基本書 労働科目……30p

(法15条1項、昭61.6.6基発333号) 派遣労働者に対する労働条件の明示義務を負うのは「**派遣元**の使用者」である。労働者派遣法の特例により自己が義務を負わない労働時間、休憩及び休日等を含めて**派遣元**の使用者が明示する義務を負う。

○ **095** 必修基本書 労働科目……30〜31p

(昭23.11.27基収3514号)本肢のとおりである。なお、法15条1項の規定によって明示された労働条件が事実と相違する場合においては、労働者は、即時に労働契約を解除することができる(法15条2項)。

096 □□□ 普通　R3.2-B

労働契約の締結の際に、使用者が労働者に書面により明示すべき「就業の場所及び従事すべき業務に関する事項」について、労働者にとって予期せぬ不利益を避けるため、将来就業する可能性のある場所や、将来従事させる可能性のある業務を併せ、網羅的に明示しなければならない。なお、本問において、臨時的な他部門への応援業務や出張、研修等、就業の場所及び従事すべき業務が一時的に変更される場合の当該一時的な変更先の場所及び業務は含まないものとする。

097 □□□ 普通　R2.5-イ

労働契約の締結の際に、使用者が労働者に書面により明示すべき賃金に関する事項及び書面について、交付すべき書面の内容としては、労働者の採用時に交付される辞令等であって、就業規則等（労働者への周知措置を講じたもの）に規定されている賃金等級が表示されたものでもよい。

098 □□□ 普通　H28.2-B

労働契約の締結に際し明示された労働条件が事実と相違しているため、労働者が労働契約を解除した場合、当該解除により労働契約の効力は遡及的に消滅し、契約が締結されなかったのと同一の法律効果が生じる。

099 □□□ 普通　R4.5-B

労働基準法第15条第3項にいう「契約解除の日から14日以内」であるとは、解除当日から数えて14日をいい、例えば、9月1日に労働契約を解除した場合は、9月1日から9月14日までをいう。

100 □□□ 難　H29.3-B

明示された労働条件と異なるために労働契約を解除し帰郷する労働者について、労働基準法第15条第3項に基づいて使用者が負担しなければならない旅費は労働者本人の分であって、家族の分は含まれない。

○ **096** 必修基本書 労働科目……30p

（令5.10.12基発1012第2号）本肢のとおりである。本肢の「就業の場所及び従事すべき業務に関する事項」には、就業の場所及び従事すべき業務の変更の範囲が含まれており、当該変更の範囲とは、今後の見込みも含め、当該労働契約の期間中における就業の場所及び従事すべき業務の変更の範囲をいう。したがって、本肢の将来就業する可能性のある場所や、将来従事させる可能性のある業務についても明示する必要がある。なお、当該「就業の場所及び従事すべき業務」には、臨時的な他部門への応援業務や出張、研修等、就業の場所及び従事すべき業務が一時的に変更される場合の当該一時的な変更先の場所及び業務は含まれない。

○ **097** 必修基本書……該当ページなし

（平11.3.31基発168号）本肢のとおりである。なお、本肢の場合であっても、就業規則等を労働者に周知させる措置が必要である。

× **098** 必修基本書……該当ページなし

（法15条2項、民法630条）本肢の場合、労働契約の効力は、「**将来に向かって**」、消滅することとなる。なお、本肢の場合、就業のために住居を変更した労働者が、契約解除の日から**14日**以内に帰郷する場合においては、使用者は、必要な**旅費**を負担しなければならない。

× **099** 必修基本書……該当ページなし

（法15条3項）本肢の日数の計算は、民法の期間計算の原則によるものと解されるため、初日不算入の原則から、契約解除の日の「翌日」から起算する。したがって、本肢の場合の14日以内とは、「9月15日」までをいう。

× **100** 必修基本書 労働科目……31p

（法15条3項、昭23.7.20基収2483号）法15条3項の使用者が負担する帰郷旅費は労働者本人の分のみならず、「**家族**の分も含まれる」。

⑥ 不当な身柄拘束の禁止

101 □□□ 普通 H28.2-C

使用者は、労働者の身元保証人に対して、当該労働者の労働契約の不履行について違約金又は損害賠償額を予定する保証契約を締結することができる。

102 □□□ 普通 H30.5-B

債務不履行によって使用者が損害を被った場合、現実に生じた損害について賠償を請求する旨を労働契約の締結に当たり約定することは、労働基準法第16条により禁止されている。

103 □□□ 普通 R4.5-C

労働基準法第16条のいわゆる「賠償予定の禁止」については、違約金又はあらかじめ定めた損害賠償額を現実に徴収したときにはじめて違反が成立する。

104 □□□ 普通 R6.3-C

使用者が労働者に対して損害賠償の金額をあらかじめ約定せず、現実に生じた損害について賠償を請求することは、労働基準法第16条が禁止するところではないから、労働契約の締結に当たり、債務不履行によって使用者が損害を被った場合はその実損害額に応じて賠償を請求する旨の約定をしても、労働基準法第16条に抵触するものではない。

105 □□□ 普通 H27.3-D

労働基準法第17条は、前借金その他労働することを条件とする前貸の債権と賃金とを相殺することを禁止し、金銭貸借関係と労働関係とを完全に分離することにより金銭貸借に基づく身分的拘束の発生を防止することを目的としたものである。

106 □□□ 普通 R4.5-D

「前借金」とは、労働契約の締結の際又はその後に、労働することを条件として使用者から借り入れ、将来の賃金により弁済することを約する金銭をいい、労働基準法第17条は前借金そのものを全面的に禁止している。

× **101** 必修基本書 労働科目……32p

（法16条ほか）使用者は、労働契約の不履行について**違約金**を定め、又は**損害賠償額**を**予定**する契約をしてはならないが、このような契約は、労働者本人のみならず、「労働者の**親権者**や**身元保証人**とも締結してはならない」。

× **102** 必修基本書 労働科目……32p

（法16条、昭22.9.13発基17号）法16条は、**違約金**又は**損害賠償の額を予定すること**を禁止するのであって、「**現実に生じた損害**について賠償を請求することを禁止する趣旨ではない」。

× **103** 必修基本書 労働科目……32p

（法16条）法16条は、違約金又はあらかじめ定めた損害賠償額を現実に徴収したときに違反が成立するのではなく、そのような「**契約を締結した**ときに違反が成立する」。

○ **104** 必修基本書 労働科目……32p

（昭22.9.13発基17号）本肢のとおりである。民法では**契約自由の原則**に基づき、かかる違約金を定めることを認めているが、労働関係においては労働者の足留め策に利用され、身分的拘束を伴うこととなることから、これを民法の特別法として法16条（賠償予定の禁止）で禁止している。

○ **105** 必修基本書 労働科目……32p

（法17条ほか）本肢のとおりである。なお、本条は「相殺してはならない」のであって、前借金の貸し付けを禁じたものではなく、単に**賃金と前借金を相殺**することを禁止している。ただし、前借金制度によって**労働を強制**することは法5条に違反する。

× **106** 必修基本書 労働科目……32〜33p

（法17条）法17条は、前借金その他労働することを条件とする前貸の債権と賃金を「相殺してはならない」旨を定めているのであり、前借金そのものは禁止していない。本肢前段の記述は正しい。

107 □□□ 普通　R3.2-C

労働基準法第17条にいう「労働することを条件とする前貸の債権」には、労働者が使用者から人的信用に基づいて受ける金融や賃金の前払いのような弁済期の繰上げ等で明らかに身分的拘束を伴わないものも含まれる。

108 □□□ 普通　R5.5-C

使用者が労働者からの申出に基づき、生活必需品の購入等のための生活資金を貸付け、その後この貸付金を賃金から分割控除する場合においても、その貸付の原因、期間、金額、金利の有無等を総合的に判断して労働することが条件となっていないことが極めて明白な場合には、労働基準法第17条の規定は適用されない。

109 □□□ 普通　H28.2-D

労働者が、実質的にみて使用者の強制はなく、真意から相殺の意思表示をした場合でも、前借金その他労働することを条件とする前貸の債権と賃金を相殺してはならない。

110 □□□ 難　R元.4-B

中小企業等において行われている退職積立金制度のうち、使用者以外の第三者たる商店会又はその連合会等が労働者の毎月受けるべき賃金の一部を積み立てたものと使用者の積み立てたものを財源として行っているものについては、労働者がその意思に反してもこのような退職積立金制度に加入せざるを得ない場合でも、労働基準法第18条の禁止する強制貯蓄には該当しない。

111 □□□ 易　R3.2-D

使用者は、当該事業場に、労働者の過半数で組織する労働組合がある場合においてはその労働組合、労働者の過半数で組織する労働組合がない場合においては労働者の過半数を代表する者の意見聴取をした上で、就業規則に、労働契約に附随することなく、労働者の任意になす貯蓄金をその委託を受けて管理する契約をすることができる旨を記載し、当該就業規則を行政官庁に届け出ることにより、労働契約に附随することなく、労働者の任意になす貯蓄金をその委託を受けて管理する契約をすることができる。

× **107** 必修基本書……該当ページなし

（昭22.9.13発基17号）労働者が使用者から人的信用に基づいて受ける金融、弁済期の繰上げ等で明らかに**身分的拘束**を伴わないものは、「労働することを条件とする前貸の債権」には「含まれない」。

○ **108** 必修基本書 労働科目……33p

（昭23.10.15基発1510号）本肢のとおりである。なお、労働者からの相殺の意思表示がなされたような形式がとられている場合であっても、実質的にみて使用者の強制によるものと認められるときは、本条違反が成立する。

× **109** 必修基本書 労働科目……32～33p

（法17条ほか）法17条は、「使用者は、前借金その他労働することを条件とする**前貸の債権と賃金を相殺**してはならない」と規定しており、「**労働者側からの相殺**は禁止されていない」ため、実質的にみて使用者の強制による相殺の意思表示等でなければ、前貸の債権と賃金とを相殺することができる。

× **110** 必修基本書……該当ページなし

（昭25.9.28基収2048号）労働者がその意思に反しても本肢のような退職積立金制度に加入せざるを得ないようになっている場合は、労働契約に**付随**する貯蓄の契約となり、法18条の禁止する「**強制貯蓄**に該当する」。

× **111** 必修基本書 労働科目……33p

（法18条2項）使用者は、労働者の貯蓄金をその委託を受けて管理しようとする場合においては、「**労使協定**を締結し、その**労使協定**を」行政官庁に届け出なければならない。

112 □□□ 普通 R6.3-D

使用者は、労働者の貯蓄金をその委託を受けて管理する場合において、貯蓄金の管理が労働者の預金の受入であるときは、利子をつけなければならない。

113 □□□ 普通 H28.2-E

労働基準法第18条第5項は、「使用者は、労働者の貯蓄金をその委託を受けて管理する場合において、労働者がその返還を請求したときは、4週間以内に、これを返還しなければならない」と定めている。

○ **112** 必修基本書 労働科目……34p

（法18条4項）本肢のとおりである。なお、使用者は、労働者の貯蓄金をその委託を受けて管理する場合においては、貯蓄金の管理に関する規程を定め、これを労働者に**周知**させるため作業場に備え付ける等の措置をとらなければならない（同条3項）。

× **113** 必修基本書 労働科目……34p

（法18条5項）本肢の規定は、「使用者は、労働者の貯蓄金をその委託を受けて管理する場合において、労働者がその返還を請求したときは、**『遅滞なく』**、これを返還しなければならない」と定めている。

❼ 解雇制限期間・解雇の予告

114 □□□ 易　H29.3-D

使用者は、労働者が業務上の傷病により治療中であっても、休業しないで就労している場合は、労働基準法第19条による解雇制限を受けない。

115 □□□ 易　H27.3-E

使用者は、労働者が業務上負傷し、又は疾病にかかり療養のために休業する期間及びその後の30日間は、労働基準法第81条の規定によって打切補償を支払う場合、又は天災事変その他やむを得ない事由のために事業の継続が不可能となりその事由について行政官庁の認定を受けた場合を除き、労働者を解雇してはならない。

116 □□□ 普通　H30.5-C

使用者は、税金の滞納処分を受け事業廃止に至った場合には、「やむを得ない事由のために事業の継続が不可能となった場合」として、労働基準法第65条の規定によって休業する産前産後の女性労働者であっても解雇することができる。

117 □□□ 普通　R元.4-C

使用者は、女性労働者が出産予定日より6週間（多胎妊娠の場合にあっては、14週間）前以内であっても、当該労働者が労働基準法第65条に基づく産前の休業を請求しないで就労している場合は、労働基準法第19条による解雇制限を受けない。

118 □□□ 普通　R5.3-C

6週間以内に出産する予定の女性労働者が休業を請求せず引き続き就業している場合は、労働基準法第19条の解雇制限期間にはならないが、その期間中は女性労働者を解雇することのないよう行政指導を行うこととされている。

○ **114** 必修基本書 労働科目……36～37p

(法19条) 本肢のとおりである。業務上の傷病により治療中であっても、**休業せずに出勤している場合**には、**解雇制限の規定**は**適用されない**。したがって、業務上の傷病により療養していた労働者が、完全に治ゆしたのではないが、労働し得る状態になったため出勤し、元の職場で平常通りに労働していた場合において、使用者が就業後**30**日を経過してこの労働者に解雇予告手当を支給して即時解雇した場合、本条に違反しない (昭24.4.12基収1134号)。

○ **115** 必修基本書 労働科目……36～37p

(法19条) 本肢のとおりである。なお、本肢の規定 (解雇制限) は、使用者は、労働者が業務上負傷し、又は疾病にかかり療養のために休業する期間及びその後**30**日間並びに産前産後の女性が法65条の規定によって休業する期間及びその後**30**日間は、解雇してはならない。ただし、使用者が、法81条の規定によって打切補償を支払う場合又は天災事変その他やむを得ない事由のために事業の継続が不可能となった場合においては、この限りでないとされている。

× **116** 必修基本書 労働科目……36～37p

(法19条1項、昭63.3.14基発150号) 税金の滞納処分を受け事業廃止に至った場合は、解雇制限を定める法19条1項の「やむを得ない事由」に「該当しない」ため、産前産後休業中の女性労働者については、解雇制限が適用され、「解雇することができない」。

○ **117** 必修基本書 労働科目……36～37p

(法19条1項) 本肢のとおりである。

○ **118** 必修基本書 労働科目……36～37p

(昭25.6.16基収1526号) 本肢のとおりである。なお、**育児休業**又は**介護休業**をする期間及びその後30日間については、解雇は**制限されない**。

119 □□□ 普通 R2.5-エ

使用者は、労働者を解雇しようとする場合において、「天災事変その他やむを得ない事由のために事業の継続が不可能となった場合」には解雇の予告を除外されるが、「天災事変その他やむを得ない事由」には、使用者の重過失による火災で事業場が焼失した場合も含まれる。

120 □□□ 普通 R5.5-E

従来の取引事業場が休業状態となり、発注品がないために事業が金融難に陥った場合には、労働基準法第19条及び第20条にいう「やむを得ない事由のために事業の継続が不可能となつた場合」に該当しない。

121 □□□ 易 R元.4-D

使用者は、労働者を解雇しようとする場合においては、少なくとも30日前にその予告をしなければならないが、予告期間の計算は労働日で計算されるので、休業日は当該予告期間には含まれない。

122 □□□ 普通 R2.5-ウ

使用者の行った解雇予告の意思表示は、一般的には取り消すことができないが、労働者が具体的事情の下に自由な判断によって同意を与えた場合には、取り消すことができる。

123 □□□ 普通 H30.2-エ

労働基準法では、使用者は、労働者が業務上負傷し、又は疾病にかかり療養のために休業する期間及びその後30日間は、解雇してはならないと規定しているが、解雇予告期間中に業務上負傷し又は疾病にかかりその療養のために休業した場合には、この解雇制限はかからないものと解されている。

124 □□□ 易 H30.2-オ

労働基準法第20条に定める解雇予告手当は、解雇の意思表示に際して支払わなければ解雇の効力を生じないものと解されており、一般には解雇予告手当については時効の問題は生じないとされている。

× **119** 必修基本書 労働科目……36〜37p

（昭63.3.14基発150号）事業主の重過失に基づく火災により事業場が焼失した場合は、解雇予告の除外事由である「天災事変その他やむを得ない事由」には、「含まれない」。

○ **120** 必修基本書 労働科目……37p

（昭63.3.14基発150号）本肢のとおりである。本肢の「やむを得ない事由」とは、天災事変に準ずる程度に不可抗力に基づき、かつ、突発的な事由の意であり、事業の経営者として、社会通念上採るべき必要な措置を講じても通常如何ともなし難いような状況にある場合をいう。

× **121** 必修基本書 労働科目……37〜39p

（法20条1項）解雇予告の予告期間の計算は「**暦日**」で計算されるため、「休業日も予告期間に含まれる」。本肢前段の記述は正しい。

○ **122** 必修基本書 労働科目……39p

（昭33.2.13基発90号）本肢のとおりである。なお、解雇の予告を受けた労働者が解雇予告期間中に他の使用者と労働契約を結ぶことはできるが、自ら当該契約を解除した場合を除き、予告期間満了までは従来の使用者のもとで勤務する義務がある。

× **123** 必修基本書 労働科目……39p

（昭26.6.25基収2609号）業務上負傷し、又は疾病にかかり、その療養のため休業した場合は、たとえそれが解雇予告期間中であっても「解雇制限は適用される」。

○ **124** 必修基本書……該当ページなし

（昭27.5.17基収1906号）本肢のとおりである。なお、即時解雇の場合における解雇予告手当の支払時期については、**解雇の申渡しと同時**であるべきとされている（昭23.3.17基発464号）。

8 退職時等の証明

125 □□□ 易 R元.4-E

使用者は、労働者が自己の都合により退職した場合には、使用期間、業務の種類、その事業における地位、賃金又は退職の事由について、労働者が証明書を請求したとしても、これを交付する義務はない。

126 □□□ 易 R4.5-E

労働基準法第22条第１項に基づいて交付される証明書は、労働者が同項に定める法定記載事項の一部のみが記入された証明書を請求した場合でも、法定記載事項をすべて記入しなければならない。

127 □□□ 易 H30.5-E

労働基準法第22条第4項は、「使用者は、あらかじめ第三者と謀り、労働者の就業を妨げることを目的として、労働者の国籍、信条、社会的身分若しくは労働組合運動に関する通信」をしてはならないと定めているが、禁じられている通信の内容として掲げられている事項は、例示列挙であり、これ以外の事項でも当該労働者の就業を妨害する事項は禁止される。

128 □□□ 普通 R5.5-D

労働者が、労働基準法第22条に基づく退職時の証明を求める回数については制限はない。

129 □□□ 普通 H29.3-C

使用者は、労働者が退職から1年後に、使用期間、業務の種類、その事業における地位、賃金又は退職の事由について証明書を請求した場合は、これを交付する義務はない。

130 □□□ 易 R2.5-オ

使用者は、労働者の死亡又は退職の場合において、権利者の請求があった場合においては、7日以内に賃金を支払い、労働者の権利に属する金品を返還しなければならないが、この賃金又は金品に関して争いがある場合においては、使用者は、異議のない部分を、7日以内に支払い、又は返還しなければならない。

× **125** 必修基本書 労働科目……41〜43p

（法22条1項）労働者が、退職の場合において、使用期間、業務の種類、その事業における地位、賃金又は退職の事由（退職の事由が解雇の場合にあっては、その理由を含む）について証明書を請求した場合においては、使用者は、遅滞なくこれを「交付しなければならない」。

× **126** 必修基本書 労働科目……41〜43p

（法22条3項）本肢の証明書には、「**労働者の請求しない**事項を記入してはならない」。

× **127** 必修基本書 労働科目……41〜43p

（法22条4項、昭22.12.15基発502号）法22条4項において禁じられている通信の内容として掲げられている事項は、「**制限列挙**であって、例示列挙ではない」から、これら以外の事項についての通信をした場合であっても、法22条4項違反とはならない。本肢前段の記述は正しい。

○ **128** 必修基本書……該当ページなし

（平11.3.31基発169号）本肢のとおりである。法22条（退職時等の証明）は、解雇や退職をめぐる紛争を防止し、労働者の再就職活動に資するため、退職の事由（退職の事由が解雇の場合にあっては、その理由を含む）を退職時に証明すべき事項として追加した規定である。

× **129** 必修基本書 労働科目……43p

（法22条1項、法115条、平11.3.31基発169号）退職時の証明書の請求権の時効消滅の期間は「**2年**」とされているため、本肢の場合、使用者は、本肢の証明書を交付しなければならない。

○ **130** 必修基本書 労働科目……43〜44p

（法23条）本肢のとおりである。なお、「権利者」とは、一般には、労働者が退職した場合にはその**労働者本人**であり、労働者が死亡した場合にはその労働者の**遺産相続人**であって、**一般債権者**は含まれない（昭22.9.13発基17号）。

131 □□□ 易　　H30.5-A

労働基準法第20条第1項の解雇予告手当は、同法第23条に定める、労働者の退職の際、その請求に応じて7日以内に支払うべき労働者の権利に属する金品にはあたらない。

132 □□□ 易　　R6.3-E

労働基準法第23条は、労働の対価が完全かつ確実に退職労働者又は死亡労働者の遺族の手に渡るように配慮したものであるが、就業規則において労働者の退職又は死亡の場合の賃金支払期日を通常の賃金と同一日に支払うことを規定しているときには、権利者からの請求があっても、7日以内に賃金を支払う必要はない。

○ **131** 必修基本書 労働科目……43～44p

（法23条、昭23.8.18基収2520号）本肢のとおりである。金品の返還を定めた法23条にいう「賃金」は、法11条（賃金の定義）に規定するすべての賃金をいう。解雇予告手当は賃金に該当しないため、法23条の適用を受けない。

× **132** 必修基本書 労働科目……43p

（法23条、昭63.3.14基発150号）就業規則において労働者の退職又は死亡の場合の賃金の支払期日を通常の賃金と同一日に支払うこととなっている場合であっても、権利者から請求があれば、使用者は7日以内に賃金（退職手当を除く）を「支払わなければならない」。

❾ 賃金の支払の５原則

133 □□□ 普通　H29.6-A

労働協約の定めによって通貨以外のもので賃金を支払うことが許されるのは、その労働協約の適用を受ける労働者に限られる。

134 □□□ 易　R元.5-A

労働基準法第24条第1項は、賃金は、「法令に別段の定めがある場合又は当該事業場の労働者の過半数で組織する労働組合があるときはその労働組合、労働者の過半数で組織する労働組合がないときは労働者の過半数を代表する者との書面による協定がある場合においては、通貨以外のもので支払うことができる。」と定めている。

135 □□□ 普通　H28.3-A

使用者は、労働者の同意を得た場合には、賃金の支払について当該労働者が指定する銀行口座への振込みによることができるが、「指定」とは、労働者が賃金の振込み対象として銀行その他の金融機関に対する当該労働者本人名義の預貯金口座を指定するとの意味であって、この指定が行われれば同意が特段の事情のない限り得られているものと解されている。

136 □□□ 易　R3.3-ア

使用者は、退職手当の支払については、現金の保管、持ち運び等に伴う危険を回避するため、労働者の同意を得なくても、当該労働者の預金又は貯金への振込みによることができるほか、銀行その他の金融機関が支払保証をした小切手を当該労働者に交付することによることができる。

137 □□□ 普通　R3.3-イ

賃金を通貨以外のもので支払うことができる旨の労働協約の定めがある場合には、当該労働協約の適用を受けない労働者を含め当該事業場のすべての労働者について、賃金を通貨以外のもので支払うことができる。

○ 133　必修基本書 労働科目……46p

（法24条1項）本肢のとおりである。労使協定では、通貨払の原則の例外を適用することはできない。「**労働協約**」を締結することが必要である。したがって、労働組合が組織されていない事業場においては、**労働協約**による通貨払の例外を制度化することができない。

× 134　必修基本書 労働科目……46p

（法24条1項）賃金は、法令若しくは「**労働協約**に別段の定めがある場合」又は「厚生労働省令で定める賃金について確実な支払の方法で厚生労働省令で定めるものによる場合」においては、通貨以外のもので支払うことができる。

○ 135　必修基本書 労働科目……46p

（法24条1項、昭63.1.1基発1号）本肢のとおりである。なお、労働者の同意については、必ず**個々の労働者の同意**（形式不問）を得なければならず、**労使協定や労働協約**をもって代えることはできない。

× 136　必修基本書 労働科目……46～47p

（則7条の2第2項）使用者は、退職手当の支払について、「**労働者の同意**を得た場合」は、当該労働者の預金又は貯金への振込みや行その他の金融機関が支払保証をした小切手を当該労働者に交付することによることができる。

× 137　必修基本書 労働科目……46p

（昭63.3.14基発150号）労働協約の定めによって通貨以外のもので支払うことが許されるのは、その「**労働協約の適用を受ける労働者**に限られる」。

138 □□□ 難 R6.4-A

使用者は、労働者の同意を得た場合には、賃金の支払方法として、労働基準法施行規則第7条の2第1項第3号に掲げる要件を満たすものとして厚生労働大臣の指定を受けた資金移動業者（指定資金移動業者）のうち労働者が指定するものの第二種資金移動業に係る口座への資金移動によることができる（いわゆる賃金のデジタル払い）が、「賃金の支払に係る資金移動を行う口座（以下本問において「口座」という。）について、労働者に対して負担する為替取引に関する債務の額が500万円を超えることがないようにするための措置又は当該額が500万円を超えた場合に当該額を速やかに500万円以下とするための措置を講じていること」は、労働基準法施行規則第7条の2第1項第3号に定められている。

139 □□□ 難 R6.4-B

使用者は、労働者の同意を得た場合には、賃金の支払方法として、労働基準法施行規則第7条の2第1項第3号に掲げる要件を満たすものとして厚生労働大臣の指定を受けた資金移動業者（指定資金移動業者）のうち労働者が指定するものの第二種資金移動業に係る口座への資金移動によることができる（いわゆる賃金のデジタル払い）が、「破産手続開始の申立てを行ったときその他為替取引に関し負担する債務の履行が困難となったときに、口座について、労働者に対して負担する為替取引に関する債務の全額を速やかに当該労働者に弁済することを保証する仕組みを有していること」は、労働基準法施行規則第7条の2第1項第3号に定められている。

140 □□□ 難 R6.4-C

使用者は、労働者の同意を得た場合には、賃金の支払方法として、労働基準法施行規則第7条の2第1項第3号に掲げる要件を満たすものとして厚生労働大臣の指定を受けた資金移動業者（指定資金移動業者）のうち労働者が指定するものの第二種資金移動業に係る口座への資金移動によることができる（いわゆる賃金のデジタル払い）が、「口座について、労働者の意に反する不正な為替取引その他の当該労働者の責めに帰することができない理由で当該労働者に対して負担する為替取引に関する債務を履行することが困難となったことにより当該債務について当該労働者に損失が生じたときに、当該損失を補償する仕組みを有していること」は、労働基準法施行規則第7条の2第1項第3号に定められている。

×　**138**　必修基本書……該当ページなし

（則7条の2第1項）指定資金移動業者としての厚生労働大臣の指定を受けるためには、口座について、労働者に対して負担する為替取引に関する債務の額が「100万円」を超えることがないようにするための措置又は当該額が「100万円」を超えた場合に当該額を速やかに「100万円以下」とするための措置を講じていることが必要である。

○　**139**　必修基本書……該当ページなし

（則7条の2第1項）本肢のとおりである。なお、本肢の「速やかに」とは、指定資金移動業者に係る破産手続開始の申立て等が行われた上で、労働者が指定資金移動業者又は保証機関に弁済を請求してから6営業日以内であることをいう。ただし、労働者からの請求を要さずに弁済が行われる場合には、指定資金移動業者に係る破産手続開始の申立て等が行われてから6営業日以内であることをいう（令4.11.28基発1128第3号）。

○　**140**　必修基本書……該当ページなし

（則7条の2第1項）本肢のとおりである。なお、本肢の「当該損失を補償する仕組みを有していること」とは、指定資金移動業者の利用規約等により、労働者に過失が無い場合には損失額全額を補償することとしており、また、労働者に過失がある場合には個別対応を妨げるものではないが、損失を一律に補償しないといった取扱いとはしていない（令4.11.28基発1128第3号）。

141 □□□ 難 R6.4-D

使用者は、労働者の同意を得た場合には、賃金の支払方法として、労働基準法施行規則第7条の2第1項第3号に掲げる要件を満たすものとして厚生労働大臣の指定を受けた資金移動業者（指定資金移動業者）のうち労働者が指定するものの第二種資金移動業に係る口座への資金移動によることができる（いわゆる賃金のデジタル払い）が、「口座について、特段の事情がない限り、当該口座に係る資金移動が最後にあった日から少なくとも10年間は、労働者に対して負担する為替取引に関する債務を履行することができるための措置を講じていること」は、労働基準法施行規則第7条の2第1項第3号に定められている。

142 □□□ 難 R6.4-E

使用者は、労働者の同意を得た場合には、賃金の支払方法として、労働基準法施行規則第7条の2第1項第3号に掲げる要件を満たすものとして厚生労働大臣の指定を受けた資金移動業者（指定資金移動業者）のうち労働者が指定するものの第二種資金移動業に係る口座への資金移動によることができる（いわゆる賃金のデジタル払い）が、「口座への資金移動に係る額の受取について、現金自動支払機を利用する方法その他の通貨による受取ができる方法により1円単位で当該受取ができるための措置及び少なくとも毎月1回は当該方法に係る手数料その他の費用を負担することなく当該受取ができるための措置を講じていること」は、労働基準法施行規則第7条の2第1項第3号に定められている。

143 □□□ 普通 H28.3-B

労働者が賃金の支払を受ける前に賃金債権を他に譲渡した場合でも、使用者は当該賃金債権の譲受人に対してではなく、直接労働者に対し賃金を支払わなければならないとするのが、最高裁判所の判例である。

○ **141** 必修基本書……該当ページなし

（則7条の2第1項）本肢のとおりである。なお、本肢の「特段の事情」とは、警察からの要請により口座の凍結等が行われる場合が該当し得る（令4.11.28基発1128第3号）。

○ **142** 必修基本書……該当ページなし

（則7条の2第1項）本肢のとおりである。なお、本肢の「少なくとも毎月1回は当該方法に係る手数料その他の費用を負担することなく当該受取ができるための措置」とは、少なくとも毎月1回は、労働者に手数料負担が生じることなく指定資金移動業者口座から払出をすることができることをいう（令4.11.28基発1128第3号）。

○ **143** 必修基本書……該当ページなし

（最高裁第三小法廷判決 昭43.3.12 小倉電話局事件）本肢のとおりである。なお、派遣中の労働者の賃金を派遣先の使用者を通じて支払うことについては、派遣先の使用者が派遣中の労働者本人に対して、派遣元の使用者からの賃金を手渡すことだけであれば、直接払の原則には違反しない。

144 □□□ 難 R4.6-エ

「労働者が賃金の支払を受ける前に賃金債権を他に譲渡した場合においても、その支払についてはなお同条〔労働基準法第24条〕が適用され、使用者は直接労働者に対し賃金を支払わなければならず、したがつて、右賃金債権の譲受人は自ら使用者に対してその支払を求めることは許されないが、国家公務員等退職手当法〔現在の国家公務員退職手当法〕による退職手当の給付を受ける権利については、その譲渡を禁止する規定がない以上、退職手当の支給前にその受給権が他に適法に譲渡された場合においては、国または公社はもはや退職者に直接これを支払うことを要せず、したがつて、その譲受人から国または公社に対しその支払を求めることが許される」とするのが、最高裁判所の判例である。

145 □□□ 易 R5.6-A

労働基準法第24条第1項に定めるいわゆる直接払の原則は、労働者と無関係の第三者に賃金を支払うことを禁止するものであるから、労働者の親権者その他法定代理人に支払うことは直接払の原則に違反しないが、労働者の委任を受けた任意代理人に支払うことは直接払の原則に違反する。

146 □□□ 普通 H30.6-A

派遣先の使用者が、派遣中の労働者本人に対して、派遣元の使用者からの賃金を手渡すことだけであれば、労働基準法第24条第1項のいわゆる賃金直接払の原則に違反しない。

147 □□□ 普通 H27.4-A

労働基準法第24条第1項に定めるいわゆる賃金直接払の原則は、例外のない原則であり、行政官庁が国税徴収法の規定に基づいて行った差押処分に従って、使用者が労働者の賃金を控除のうえ当該行政官庁に納付することも、同条違反となる。

148 □□□ 普通 H29.6-C

1か月の賃金支払額（賃金の一部を控除して支払う場合には控除した額。）に100円未満の端数が生じた場合、50円未満の端数を切り捨て、それ以上を100円に切り上げて支払う事務処理方法は、労働基準法第24条違反としては取り扱わないこととされている。

× **144** 必修基本書……該当ページなし

（最高裁第三小法廷判決 昭43.3.12 小倉電報電話局事件）賃金債権の譲受人は自ら使用者に対してその支払を求めることは許されないものと解するのが相当である。そして、退職手当法による退職手当もまた賃金に該当し、直接払の原則の適用があると解する以上、退職手当の支給前にその受給権が他に適法に譲渡された場合においても、国又は公社はなお退職者に直接これを支払わなければならず、したがって、「その譲受人から国又は公社に対しその支払を求めることは許されない」。本肢前段の記述は正しい。

× **145** 必修基本書 労働科目……47p

（昭63.3.14基発150号）直接払の原則を定める法24条1項は、「労働者本人以外の者」に賃金を支払うことを禁止するものであるから、労働者の親権者その他の法定代理人に支払うこと、「労働者の委任を受けた任意代理人に支払うことは、いずれも同条違反となる」。

○ **146** 必修基本書 労働科目……47p

（昭61.6.6基発333号）本肢のとおりである。なお、本肢の規定は、**労働者本人以外の者**に賃金を支払うことを禁止するものであるから、労働者の親権者その他の法定代理人に支払うこと、労働者の委任を受けた任意代理人に支払うことは、いずれも本肢の規定違反となる（昭63.3.14基発150号）。

× **147** 必修基本書……該当ページなし

（法24条1項ほか）行政官庁が国税徴収法の規定に基づいて行った差押処分に従って、使用者が労働者の賃金を控除のうえ当該行政官庁に納付することは、「直接払の原則に違反しない」。

○ **148** 必修基本書 労働科目……48p

（昭63.3.14基発150号）本肢のとおりである。なお、1か月の賃金支払額に生じた1,000円未満の端数を翌月の賃金支払日に繰り越して支払う事務処理方法についても、法24条違反としては取り扱わないこととされている。

149 □□□ 普通　H28.3-C

1か月における時間外労働の時間数の合計に1時間未満の端数がある場合に、30分未満の端数を切り捨て、それ以上を1時間に切り上げる事務処理方法は、労働基準法第24条及び第37条違反としては取り扱わないこととされている。

150 □□□ 普通　H27.4-B

過払いした賃金を精算ないし調整するため、後に支払われるべき賃金から控除することは、その金額が少額である限り、労働者の経済生活の安定をおびやかすおそれがないため、労働基準法第24条第1項に違反するものではないとするのが、最高裁判所の判例である。

151 □□□ 普通　R3.3-エ

労働基準法第24条第1項の禁止するところではないと解するのが相当と解される「許さるべき相殺は、過払のあつた時期と賃金の清算調整の実を失わない程度に合理的に接着した時期においてされ、また、あらかじめ労働者にそのことが予告されるとか、その額が多額にわたらないとか、要は労働者の経済生活の安定をおびやかすおそれのない場合でなければならない」とするのが、最高裁判所の判例である。

152 □□□ 普通　H29.6-D

賃金の過払を精算ないし調整するため、後に支払われるべき賃金から控除することは、「その額が多額にわたるものではなく、しかもあらかじめ労働者にそのことを予告している限り、過払のあつた時期と合理的に接着した時期においてされていなくても労働基準法24条1項の規定に違反するものではない。」とするのが、最高裁判所の判例である。

153 □□□ 普通　H30.6-B

使用者が労働者の同意を得て労働者の退職金債権に対してする相殺は、当該同意が「労働者の自由な意思に基づいてされたものであると認めるに足りる合理的な理由が客観的に存在するときは」、労働基準法第24条第1項のいわゆる賃金全額払の原則に違反するものとはいえないとするのが、最高裁判所の判例である。

○ **149** 必修基本書 労働科目……48p

(昭63.3.14基発150号) 本肢のとおりである。なお、割増賃金の計算において、**1時間**当たりの賃金額及び割増賃金額に円未満の端数が生じた場合、**50銭未満の端数を切り捨て、それ以上を1円に切り上げる**事務処理方法についても、法24条及び法37条**違反としては取り扱わない**こととされている。

× **150** 必修基本書 労働科目……48p

(最高裁第一小法廷判決 昭44.12.18 福島県教組事件) 過払いした賃金を精算ないし調整するため**後に支払わるべき賃金から控除することが認められるのは**、「過払いのあった時期と賃金の清算調整の実を失わない程度に合理的に接着した時期においてされ、また、あらかじめ労働者にそのことが予告されるとか、その額が多額にわたらないとか」、要は**労働者の経済生活の安定**をおびやかすおそれのない場合でなければならないものと解せられるとするのが、最高裁判所の判例である。

○ **151** 必修基本書 労働科目……48p

(最高裁第一小法廷判決 昭44.12.18 福島県教組事件) 本肢のとおりである。本判決はおよそ賃金債権に対する一切の相殺が認められないとは判断しておらず、賃金支給には過誤や違算が生じることもあることを踏まえて、支給金額調整のために翌月以降の賃金と過払金債権を相殺することは、清算調整の実を失わない程度に合理的に接着した時期においてされ、予め労働者に予告がされるとか、額が多額にわたらないとか、**労働者の経済生活の安定**をおびやかすおそれのない場合であれば、法24条1項に違反しないと判示している。

× **152** 必修基本書……該当ページなし

(昭44.12.18 最高裁第二小法廷判決 福島県教組事件) 賃金の過払を精算ないし調整するため、後に支払われるべき賃金から控除することは「『過払のあった時期と賃金の清算調整の実を失わない程度に合理的に接着した時期においてされ』、また、あらかじめ労働者にそのことが予告されるとか、その額が多額にわたらないとか、要は**労働者の経済生活の安定**をおびやかすおそれのない場合でなければならないものと解せられる」とするのが、最高裁判所の判例である。

○ **153** 必修基本書……該当ページなし

(最高裁第二小法廷判決 平2.11.26 日新製鋼事件) 本肢のとおりである。

154 □□□ 普通 R3.3-ウ

使用者が労働者に対して有する債権をもって労働者の賃金債権と相殺することに、労働者がその自由な意思に基づき同意した場合においては、「右同意が労働者の自由な意思に基づいてされたものであると認めるに足りる合理的な理由が客観的に存在するときは、右同意を得てした相殺は右規定〔労働基準法第24条第1項のいわゆる賃金全額払の原則〕に違反するものとはいえないものと解するのが相当である」が、「右同意が労働者の自由な意思に基づくものであるとの認定判断は、厳格かつ慎重に行われなければならない」とするのが、最高裁判所の判例である。

155 □□□ 普通 H27.4-C

退職金は労働者の老後の生活のための大切な資金であり、労働者が見返りなくこれを放棄することは通常考えられないことであるから、労働者が退職金債権を放棄する旨の意思表示は、それが労働者の自由な意思に基づくものであるか否かにかかわらず、労働基準法第24条第1項の賃金全額払の原則の趣旨に反し無効であるとするのが、最高裁判所の判例である。

156 □□□ 普通 R元.5-B

賃金にあたる退職金債権放棄の効力について、労働者が賃金にあたる退職金債権を放棄する旨の意思表示をした場合、それが労働者の自由な意思に基づくものであると認めるに足りる合理的な理由が客観的に存在するときは、当該意思表示は有効であるとするのが、最高裁判所の判例である。

157 □□□ 普通 H30.6-D

ストライキの場合における家族手当の削減が就業規則（賃金規則）や社員賃金規則細部取扱の規定に定められ異議なく行われてきている場合に、「ストライキ期間中の賃金削減の対象となる部分の存否及びその部分と賃金削減の対象とならない部分の区別は、当該労働協約等の定め又は労働慣行の趣旨に照らし個別的に判断するのを相当」とし、家族手当の削減が労働慣行として成立していると判断できる以上、当該家族手当の削減は違法ではないとするのが、最高裁判所の判例である。

○ **154** **必修基本書……該当ページなし**

（最高裁第二小法廷判決 平2.11.26 日新製鋼事件）本肢のとおりである。法24条（賃金）の規定では、使用者は法令に別段の定めがある場合、又は労働者の過半数で組織する労働組合（労働者の過半数で組織する労働組合が無い場合には労働者の過半数を代表する者）との間の書面による協定がある場合には、賃金の一部を控除して支払うことができるとしている。しかし、本肢の判決はこのような協定が無い場合であっても、労働者が**自由な意思**に基づいて控除に**個別の合意**を与えた場合には、法24条違反にならないと判示している点に意義があるといえる。

× **155** **必修基本書……該当ページなし**

（最高裁第二小法廷判決 昭48.1.19 シンガー・ソーイング・メシーン事件）労働者が**退職金債権を放棄する**旨の意思表示は、「それが**労働者の自由な意思**に基づくものであれば」、その**効力は肯定**されるとするのが、最高裁判所の判例である。

○ **156** **必修基本書……該当ページなし**

（最高裁第二小法廷判決 昭48.1.19 シンガー・ソーイング・メシーン事件）本肢のとおりである。本肢の判例は、**合意**による**自由な意思表示**に基づく場合であれば、労働者からの賃金債権放棄は法24条1項に反せず、**有効**であると判示している。但し、判例は全額払の原則の趣旨とするところなどに鑑み、右意思表示の効力を肯定するにはそれが**労働者の自由な意思**に基づくものであることが**明確**でなければならないとして、労働者保護のための一定の留保を付している点には注意が必要である。

○ **157** **必修基本書……該当ページなし**

（最高裁第二小法廷 昭56.9.18 三菱重工業長崎造船所事件）本肢のとおりである。

158 □□□ 普通 H27.4-D

労働協約、就業規則、労働契約等によってあらかじめ支給条件が明確である場合の退職手当は、労働基準法第11条に定める賃金であり、同法第24条第2項の「臨時に支払われる賃金」に当たる。

159 □□□ 普通 H27.4-E

労働基準法第24条第2項に定める一定期日払の原則は、期日が特定され、周期的に到来することを求めるものであるため、期日を「15日」等と暦日で指定する必要があり、例えば「月の末日」とすることは許されない。

160 □□□ 易 R元.5-C

労働基準法第24条第2項にいう「一定の期日」の支払については、「毎月15日」等と暦日を指定することは必ずしも必要ではなく、「毎月第2土曜日」のような定めをすることも許される。

161 □□□ 普通 R4.6-イ

賃金の支払期限について、必ずしもある月の労働に対する賃金をその月中に支払うことを要せず、不当に長い期間でない限り、賃金の締切後ある程度の期間を経てから支払う定めをすることも差し支えない。

162 □□□ 易 H30.6-C

労働基準法では、年俸制をとる労働者についても、賃金は、毎月一回以上、一定の期日を定めて支払わなければならないが、各月の支払いを一定額とする（各月で等分して支払う）ことは求められていない。

163 □□□ 普通 R5.6-C

賃金の所定支払日が休日に当たる場合に、その支払日を繰り上げることを定めることだけでなく、その支払日を繰り下げることを定めることも労働基準法第24条第2項に定めるいわゆる一定期日払に違反しない。

164 □□□ 普通 H28.3-D

使用者は、労働者が出産、疾病、災害等非常の場合の費用に充てるために請求する場合には、いまだ労務の提供のない期間も含めて支払期日前に賃金を支払わなければならない。

○ **158** 必修基本書 労働科目……49p

(法11条、法24条2項、昭22.9.13発基17号) 本肢のとおりである。本肢の「臨時に支払われる賃金」とは、臨時的、突発的事由に基づいて支払われるもの、結婚手当等支給条件はあらかじめ確定されているが、支給事由の発生が不確定であり、かつ、非常に稀に発生するものをいう。

× **159** 必修基本書……該当ページなし

(法24条2項ほか) 一定期日払の原則は、期日が**特定**され、**周期的に到来する**ことを求めるものであるが、必ずしも期日を「15日」等と**暦日で指定する**必要はなく、「月の末日とすることも許される」。

× **160** 必修基本書 労働科目……49p

(法24条2項) 賃金の一定の期日の支払については、暦日を指定することは必ずしも必要ではないが「毎月第2土曜日」のように月7日の範囲で変動するような期日の定めをすることは「許されない」。

○ **161** 必修基本書 労働科目……49p

(法24条2項) 本肢のとおりである。なお、法24条2項に規定する「毎月」とは、暦月をいうため、毎月1日から月末までの間に少なくとも1回は賃金を支払わなければならない。

○ **162** 必修基本書 労働科目……49p

(法24条2項) 本肢のとおりである。なお、本肢の一定の期日とは、期日が**特定される**とともに、その期日が**周期的に到来する**ものでなければならない。

○ **163** 必修基本書 労働科目……49p

(法24条2項) 本肢のとおりである。なお、賃金の支払日は、毎月1回以上払の原則又は労働協約に反しない限り、労働協約又は就業規則によって自由に定め、又は変更することができることから、使用者が事前に労働基準法に規定する手続きに従って支払日が変更されたとしても、法24条2項違反とはならない。

× **164** 必修基本書 労働科目……49p

(法25条) 使用者は、労働者が出産、疾病、災害その他厚生労働省令で定める非常の場合の費用に充てるために請求する場合においては、**支払期日前**であっても、「**既往の労働**」に対する賃金を支払わなければならないとされているため、**いまだ労務の提供のない期間**に係る賃金については、必ずしも支払う必要はない。

165 □□□ 普通 R5.6-D

使用者は、労働者が出産、疾病、災害その他厚生労働省令で定める非常の場合の費用に充てるために請求する場合においては、支払期日前であっても、既往の労働に対する賃金を支払わなければならないが、その支払いには労働基準法第24条第1項の規定は適用されない。

166 □□□ 普通 R元.5-D

労働基準法第25条により労働者が非常時払を請求しうる事由のうち、「疾病」とは、業務上の疾病、負傷をいい、業務外のいわゆる私傷病は含まれない。

167 □□□ 易 R4.6-ウ

労働基準法第25条により労働者が非常時払を請求しうる事由の1つである「疾病」とは、業務上の疾病、負傷であると業務外のいわゆる私傷病であるとを問わない。

168 □□□ 易 H29.6-B

労働基準法第25条により労働者が非常時払を請求しうる事由は、労働者本人に係る出産、疾病、災害に限られず、その労働者の収入によって生計を維持する者に係る出産、疾病、災害も含まれる。

169 □□□ 普通 R3.3-オ

労働基準法第25条により労働者が非常時払を請求しうる事由には、「労働者の収入によって生計を維持する者」の出産、疾病、災害も含まれるが、「労働者の収入によって生計を維持する者」とは、労働者が扶養の義務を負っている親族のみに限らず、労働者の収入で生計を営む者であれば、親族でなく同居人であっても差し支えない。

× **165** 必修基本書 労働科目……49～50p

（法25条）非常時払による賃金の支払についても、通貨払、直接払及び全額払の原則を定めた法24条1項の規定が適用される。

× **166** 必修基本書 労働科目……49～50p

（法25条）非常時払の請求ができる事由である「疾病」には、業務上の疾病のみならず、「業務外のいわゆる私傷病も含まれる」。

○ **167** 必修基本書 労働科目……49～50p

（法25条）本肢のとおりである。なお、法25条（非常時払）は、賃金を主要な収入源とする労働者に不測の出費がかさむようなときにはその賃金の繰上払を請求することができることとして、一定期日払の原則によっても救い得ない労働者の不便を補ったものである。

○ **168** 必修基本書 労働科目……49～50p

（法25条、則9条）本肢のとおりである。なお、本肢の規定は、使用者が結果的に過払いとなって被るリスクを防ぐため、労働者が請求できるのは、「**既往の労働**」に対する賃金に限定している。

○ **169** 必修基本書……該当ページなし

（法25条）本肢のとおりである。なお、法25条（非常時払）に違反した使用者は、**30**万円以下の罰金に処される（法120条1号）。

⑩ 休業手当

170 □□□ 普通 R3.4-A

労働基準法第26条（休業手当）は、債権者の責に帰すべき事由によって債務を履行することができない場合、債務者は反対給付を受ける権利を失わないとする民法の一般原則では労働者の生活保障について不十分である事実にかんがみ、強行法規で平均賃金の100分の60までを保障しようとする趣旨の規定であるが、賃金債権を全額確保しうる民法の規定を排除する点において、労働者にとって不利なものになっている。

171 □□□ 普通 R3.4-C

就業規則で「会社の業務の都合によって必要と認めたときは本人を休職扱いとすることがある」と規定し、更に当該休職者に対しその休職期間中の賃金は月額の2分の1を支給する旨規定することは違法ではないので、その規定に従って賃金を支給する限りにおいては、使用者に労働基準法第26条の休業手当の支払義務は生じない。

172 □□□ 普通 R3.4-D

親会社からのみ資材資金の供給を受けて事業を営む下請工場において、現下の経済情勢から親会社自体が経営難のため資材資金の獲得に支障を来し、下請工場が所要の供給を受けることができず、しかも他よりの獲得もできないため休業した場合、その事由は労働基準法第26条（休業手当）の「使用者の責に帰すべき事由」とはならない。

173 □□□ 普通 R3.4-E

新規学卒者のいわゆる採用内定について、就労の始期が確定し、一定の事由による解約権を留保した労働契約が成立したとみられる場合、企業の都合によって就業の始期を繰り下げる、いわゆる自宅待機の措置をとるときは、その繰り下げられた期間について、労働基準法第26条に定める休業手当を支給すべきものと解されている。

174 □□□ 普通 H30.6-E

労働安全衛生法第66条による健康診断の結果、私傷病のため医師の証明に基づいて使用者が労働者に休業を命じた場合、使用者は、休業期間中当該労働者に、その平均賃金の100分の60以上の手当を支払わなければならない。

× **170** 必修基本書……該当ページなし

(昭22.12.15基発502号) 法26条は民法の一般原則が労働者の最低生活保障について不十分である事実に鑑み、強行法規で平均賃金の100分の60までを保障せんとする趣旨の規定であって、賃金債権を全額確保しうる民法の規定を「排除するものではない」から、民法の規定に比して「不利ではない」。

× **171** 必修基本書……該当ページなし

(昭23.7.12基発1031号) 就業規則中の規定にかかわらず、使用者の責に帰すべき事由による休業をした労働者に対しては、使用者は平均賃金の100分の60以上の休業手当を支払わなければならない。したがって、本肢の「会社の業務の都合」が使用者の責に帰すべき事由による休業に該当する場合において、就業規則に平均賃金の100分の60に満たない額の賃金を支給することを規定しても無効であり、使用者に休業手当の支払義務は「生じる」。

× **172** 必修基本書 労働科目……51p

(昭23.6.11基収1998号) 本肢の事由は、使用者の責に帰すべき事由に「該当する」。

○ **173** 必修基本書……該当ページなし

(昭63.3.14基発150号) 本肢のとおりである。なお、使用者の争議行為たる工場閉鎖のための休業は、その工場閉鎖が争議行為として社会通念上正当と判断される限り、使用者の責に帰すべき事由とはみられない (昭23.6.17基収第1953号)。

× **174** 必修基本書 労働科目……51p

(昭23.10.21基発1529号) 労働安全衛生法に規定する**健康診断の結果**に基づいて、使用者が労働者に休業を命じた場合には、「**休業手当を支払う必要はない**」。

175 □□□ 易　R元.5-E

労働基準法第26条に定める休業手当は、賃金とは性質を異にする特別の手当であり、その支払については労働基準法第24条の規定は適用されない。

176 □□□ 易　H29.6-E

労働基準法第26条に定める休業手当は、同条に係る休業期間中において、労働協約、就業規則又は労働契約により休日と定められている日については、支給する義務は生じない。

177 □□□ 普通　R3.4-B

使用者が労働基準法第26条によって休業手当を支払わなければならないのは、使用者の責に帰すべき事由によって休業した日から休業した最終の日までであり、その期間における同法第35条の休日及び労働協約、就業規則又は労働契約によって定められた同法第35条によらない休日を含むものと解されている。

178 □□□ 普通　R5.6-E

会社に法令違反の疑いがあったことから、労働組合がその改善を要求して部分ストライキを行った場合に、同社がストライキに先立ち、労働組合の要求を一部受け入れ、一応首肯しうる改善案を発表したのに対し、労働組合がもっぱら自らの判断によって当初からの要求の貫徹を目指してストライキを決行したという事情があるとしても、法令違反の疑いによって本件ストライキの発生を招いた点及びストライキを長期化させた点について使用者側に過失があり、同社が労働組合所属のストライキ不参加労働者の労働が社会観念上無価値となったため同労働者に対して命じた休業は、労働基準法第26条の「使用者の責に帰すべき事由」によるものであるとして、同労働者は同条に定める休業手当を請求することができるとするのが、最高裁判所の判例である。

× **175** 必修基本書 労働科目……51～52p

（昭63.3.14基発150号）「休業手当は賃金と解される」ため、その支払についても、賃金の支払を定めた「法24条の規定が適用される」。

○ **176** 必修基本書 労働科目……51～52p

（法26条）本肢のとおりである。なお、本肢の規定（休業手当）は、使用者の責に帰すべき事由による休業の場合においては、使用者は、休業期間中当該労働者に、その平均賃金の**100分の60**以上の手当を支払わなければならないとされている。

× **177** 必修基本書 労働科目……51～52p

（昭24.3.22基収4077号）労働協約、就業規則又は労働契約により「休日と定められている日については、休業手当を支給する義務は生じない」。

× **178** 必修基本書……該当ページなし

（最高裁第二小法廷判決 昭62.7.17 ノースウエスト航空事件）「使用者の責に帰すべき事由」とは、取引における一般原則たる過失責任主義とは異なる観点をも踏まえた概念というべきであって、民法536条2項の「債権者の責に帰すべき事由」よりも広く、使用者側に起因する経営、管理上の障害を含むものと解するのが相当であるところ、会社に法令違反の疑いがあったことから、労働組合がその改善を要求して部分ストライキを行った場合に、使用者がストライキに先立ち、労働組合の要求を一部受け入れ、一応首肯しうる改善案を発表したのに対し、労働組合がもっぱら自らの判断によって当初からの要求の貫徹を目指してストライキを決行したことに対して、使用者がストライキ不参加労働者らに対して休業を命じた期間においては、当該ストライキ不参加労働者らの就労を必要としなくなったというのであるから、その間当該ストライキ不参加労働者らが労働をすることは社会観念上無価値となったといわなければならない。そうすると、当該部分ストライキの結果、使用者が部分ストライキ不参加労働者らに命じた休業は、使用者側に起因する経営、管理上の障害によるものということはできないから、使用者の責に帰すべき事由によるものということはできず、当該部分ストライキ不参加労働者らは当該休業につき使用者に対し「休業手当を請求することはできない」とするのが、最高裁判所の判例である。

179 □□□ 易　H27.5-A

以下の労働者の労働条件において、使用者の責に帰すべき事由によって、水曜日から次の週の火曜日まで1週間休業させた場合、使用者は、7日分の休業手当を支払わなければならない。

【労働条件】

所定労働日：毎週月曜日から金曜日
所定休日：毎週土曜日及び日曜日
所定労働時間：1日8時間
賃金：日給15,000円
計算された平均賃金：10,000円

180 □□□ 普通　H27.5-B

以下の労働者の労働条件において、使用者の責に帰すべき事由により労働時間が4時間に短縮されたが、その日の賃金として7,500円の支払がなされると、この場合にあっては、使用者は、その賃金の支払に加えて休業手当を支払わなくても違法とならない。

【労働条件】

所定労働日：毎週月曜日から金曜日
所定休日：毎週土曜日及び日曜日
所定労働時間：1日8時間
賃金：日給15,000円
計算された平均賃金：10,000円

181 □□□ 普通　R5.1-A

下記のとおり賃金を支払われている労働者が使用者の責に帰すべき事由により半日休業した場合、使用者は、以下の算式により2,000円の休業手当を支払わなければならない。

7,000円 − 5,000円 = 2,000円
賃金：日給　1日10,000円
　　　半日休業とした日の賃金は、半日分の5,000円が支払われた。
平均賃金：7,000円

× **179** 必修基本書 労働科目……51～52p

（昭24.3.22基収4077号）「**休日とされている日**については休業手当を支給する義務は生じない」ため、本肢の場合、水曜日、木曜日、金曜日、月曜日及び火曜日の「5日分」の休業手当を支払わなければならない。

○ **180** 必修基本書 労働科目……51～52p

（昭27.8.7基収3445号）本肢のとおりである。1日の所定労働時間の一部のみ使用者の責に帰すべき事由による休業が行われた場合、その日について**平均賃金の100分の60以上**の金額が支払われていれば、**休業手当を支払う必要はない**。本肢の場合、10,000円×60/100＝6,000円以上の金額（7,500円）が支払われているため、休業手当を支払わなくとも違法とならない。

× **181** 必修基本書 労働科目……51～52p

（法26条、昭27.8.7基収3445号）1労働日の一部を休業し、労働をした時間について賃金が支払われた場合において、その日につき、実際に支払われた賃金の額が平均賃金の100分60に達していないときは、使用者は、その差額以上の金額を休業手当として支払う必要がある。本問の場合、平均賃金7,000円の100分の60に相当する額である4,200円を休業手当として支払うべきところ、実際に労働した時間について5,000円の賃金が支払われているため、使用者は、「休業手当を支払う必要はない」。

182 □□□ 普通 R5.1-B

下記のとおり賃金を支払われている労働者が使用者の責に帰すべき事由により半日休業した場合、半日は出勤し労働に従事させており、労働基準法第26条の休業には該当しないから、使用者は同条の休業手当ではなく通常の1日分の賃金10,000円を支払わなければならない。

賃金：日給　1日10,000円

半日休業とした日の賃金は、半日分の5,000円が支払われた。

平均賃金：7,000円

183 □□□ 普通 R5.1-C

下記のとおり賃金を支払われている労働者が使用者の責に帰すべき事由により半日休業した場合、使用者は、以下の算式により1,000円の休業手当を支払わなければならない。

10,000円 × 0.6 − 5,000円 = 1,000円

賃金：日給　1日10,000円

半日休業とした日の賃金は、半日分の5,000円が支払われた。

平均賃金：7,000円

184 □□□ 普通 R5.1-D

下記のとおり賃金を支払われている労働者が使用者の責に帰すべき事由により半日休業した場合、使用者は、以下の算式により1,200円の休業手当を支払わなければならない。

（7,000円 − 5,000円）× 0.6 = 1,200円

賃金：日給　1日10,000円

半日休業とした日の賃金は、半日分の5,000円が支払われた。

平均賃金：7,000円

185 □□□ 普通 R5.1-E

下記のとおり賃金を支払われている労働者が使用者の責に帰すべき事由により半日休業した場合、使用者が休業手当として支払うべき金額は発生しない。

賃金：日給　1日10,000円

半日休業とした日の賃金は、半日分の5,000円が支払われた。

平均賃金：7,000円

× **182** 必修基本書 労働科目……51～52p

（法26条）休業手当を支払うべき「使用者の責に帰すべき事由による休業」は、休業は全1日の休業である必要はなく、1日の一部を休業した場合も含まれる。したがって、本問の休業は休業手当を支払うべき「休業に該当する」（ただし、「R5.1-A」の解説のとおり、休業手当の額以上の賃金が支払われているため、実際には休業手当を支払う必要はない）。また、通常の1日分の賃金を支払う必要はない。

× **183** 必修基本書 労働科目……51～52p

（法26条、昭27.8.7基収3445号）本肢の場合、休業手当を支払う必要はない（前記「R5.1-A」の解説参照）。

× **184** 必修基本書 労働科目……51～52p

（法26条、昭27.8.7基収3445号）本肢の場合、休業手当を支払う必要はない（前記「R5.1-A」の解説参照）。

○ **185** 必修基本書 労働科目……51～52p

（法26条、昭27.8.7基収3445号）本肢のとおりである。なお、1週間中で、例えば土曜日の所定労働時間が4時間というように短く定められていても、使用者は、その日の休業手当として平均賃金の100分の60に相当する金額を支払わなければならない（昭27.8.7基収3445号）。

186 □□□ 普通　H27.5-C

以下の労働者の労働条件において、就業規則の定めに則り、日曜日の休日を事業の都合によってあらかじめ振り替えて水曜日を休日とした場合、当該水曜日に休ませても使用者に休業手当を支払う義務は生じない。

【労働条件】

所定労働日：毎週月曜日から金曜日
所定休日：毎週土曜日及び日曜日
所定労働時間：1日8時間
賃金：日給15,000円
計算された平均賃金：10,000円

187 □□□ 普通　H27.5-D

休業手当の支払義務の対象となる「休業」とは、労働者が労働契約に従って労働の用意をなし、しかも労働の意思をもっているにもかかわらず、その給付の実現が拒否され、又は不可能となった場合をいうから、この「休業」には、事業の全部又は一部が停止される場合にとどまらず、使用者が特定の労働者に対して、その意思に反して、就業を拒否する場合も含まれる。

188 □□□ 難　H27.5-E

休電による休業については、原則として労働基準法第26条の使用者の責に帰すべき事由による休業に該当しない。

189 □□□ 易　H28.3-E

労働基準法第27条に定める出来高払制の保障給は、労働時間に応じた一定額のものでなければならず、労働者の実労働時間の長短と関係なく1か月について一定額を保障するものは、本条の保障給ではない。

190 □□□ 普通　R4.6-オ

労働基準法第27条に定める出来高払制の保障給について、同種の労働を行っている労働者が多数ある場合に、個々の労働者の技量、経験、年齢等に応じて、その保障給額に差を設けることは差し支えない。

○ **186** 必修基本書……該当ページなし

(昭63.3.14基発150号) 本肢のとおりである。なお、休業手当は法11条の賃金であるから、その支払については法24条 (賃金の支払の5原則) の規定が適用される。

○ **187** 必修基本書 労働科目……50~51p

(法26条ほか) 本肢のとおりである。なお、休業手当は「休業期間」に対して支払われるが、労働協約、就業規則又は労働契約により休日と定めている日については、休業手当を支給する義務は生じない。

○ **188** 必修基本書……該当ページなし

(昭26.10.11基発696号) 本肢のとおりである。なお、休電とは、電力不足により電力の供給が止められることをいう。

○ **189** 必修基本書 労働科目……52p

(法27条ほか) 本肢のとおりである。なお、**労働者の責め**に基づく事由により、労働者が就業しなかった場合には、使用者は**賃金支払の義務**はないので、本条の保障給も当然支払う必要はない。逆に、使用者の責めに帰すべき事由により休業する場合においては、法26条により「**休業手当**」の支払義務が使用者にある。

○ **190** 必修基本書 労働科目……52p

(法27条) 本肢のとおりである。なお、法27条 (出来高払制の保障給) の規定に違反して、賃金の保障をしない使用者は、30万円以下の罰金に処せられる (法120条1号)。

⑪ 労働時間

191 □□□ 易 H30.1-オ

労働基準法第32条第1項は、「使用者は、労働者に、休憩時間を除き1週間について40時間を超えて、労働させてはならない。」と定めているが、ここにいう1週間は、例えば、日曜から土曜までと限定されたものではなく、何曜から始まる1週間とするかについては、就業規則等で別に定めることが認められている。

192 □□□ 易 R元.6-A

労働基準法第32条第2項にいう「1日」とは、午前0時から午後12時までのいわゆる暦日をいい、継続勤務が2暦日にわたる場合には、たとえ暦日を異にする場合でも1勤務として取り扱い、当該勤務は始業時刻の属する日の労働として、当該日の「1日」の労働とする。

193 □□□ 普通 R5.7-C

労働基準法に定められた労働時間規制が適用される労働者が事業主を異にする複数の事業場で労働する場合、労働基準法第38条第1項により、当該労働者に係る同法第32条・第40条に定める法定労働時間及び同法第34条に定める休憩に関する規定の適用については、労働時間を通算することとされている。

194 □□□ 普通 H29.4-D

1日の所定労働時間が8時間の事業場において、1時間遅刻をした労働者に所定の終業時刻を1時間繰り下げて労働させることは、時間外労働に従事させたことにはならないので、労働基準法第36条に規定する協定がない場合でも、労働基準法第32条違反ではない。

195 □□□ 易 R2.6-A

運転手が2名乗り込んで、1名が往路を全部運転し、もう1名が復路を全部運転することとする場合に、運転しない者が助手席で休息し又は仮眠している時間は労働時間に当たる。

196 □□□ 易 H30.1-イ

貨物自動車に運転手が二人乗り込んで交替で運転に当たる場合において、運転しない者については、助手席において仮眠している間は労働時間としないことが認められている。

○ **191** 必修基本書 労働科目……54p

（法32条1項、昭63.1.1基発1号）本肢のとおりである。なお、使用者は、1週間の各日については、労働者に、**休憩時間**を除き1日について8時間を超えて、労働させてはならないとされており、「1日」とは原則として、**午前0時から午後12時**までのいわゆる暦日をいう。

○ **192** 必修基本書 労働科目……54p

（昭63.1.1基発1号）本肢のとおりである。なお、本肢の法32条2項は、使用者は、1週間の各日については、労働者に、休憩時間を除き1日について8時間を超えて、労働させてはならないとされている。

× **193** 必修基本書……該当ページなし

（令2.9.1基発0901第3号）休憩、休日及び年次有給休暇については、労働時間に関する規定ではないため、その適用において自らの事業場における労働時間及び他の使用者の事業場における労働時間は「通算されない」。

○ **194** 必修基本書……該当ページなし

（法32条2項、平11.3.31基発168号）本肢のとおりである。本肢の場合、実際の労働時間が1日の法定労働時間である8時間を超えていないため、法32条（法定労働時間）違反とならない。

○ **195** 必修基本書……該当ページなし

（昭33.10.11基収6286号）本肢のとおりである。なお、事業場に火災が発生した場合、すでに帰宅している所属労働者が任意に事業場に出勤し、消火作業に従事した時間は、労働時間と解することができる（昭63.3.14基発150号）。

× **196** 必修基本書……該当ページなし

（昭33.10.11基収6286号）本肢の助手席において仮眠している間は「労働時間に該当する」。

197 □□□ 普通 R4.2-B

定期路線トラック業者の運転手が、路線運転業務の他、貨物の積込を行うため、小口の貨物が逐次持ち込まれるのを待機する意味でトラック出発時刻の数時間前に出勤を命ぜられている場合、現実に貨物の積込を行う以外の全く労働の提供がない時間は、労働時間と解されていない。

198 □□□ 普通 R4.2-C

労働安全衛生法第59条等に基づく安全衛生教育については、所定労働時間内に行うことが原則とされているが、使用者が自由意思によって行う教育であって、労働者が使用者の実施する教育に参加することについて就業規則上の制裁等の不利益取扱による出席の強制がなく自由参加とされているものについても、労働者の技術水準向上のための教育の場合は所定労働時間内に行うことが原則であり、当該教育が所定労働時間外に行われるときは、当該時間は時間外労働時間として取り扱うこととされている。

199 □□□ 普通 R4.2-A

労働安全衛生法により事業者に義務付けられている健康診断の実施に要する時間は、労働安全衛生規則第44条の定めによる定期健康診断、同規則第45条の定めによる特定業務従事者の健康診断等その種類にかかわらず、すべて労働時間として取り扱うものとされている。

200 □□□ 難 R4.2-D

事業場に火災が発生した場合、既に帰宅している所属労働者が任意に事業場に出勤し消火作業に従事した場合は、一般に労働時間としないと解されている。

201 □□□ 易 H28.4-A

労働基準法第32条の労働時間とは、「労働者が使用者の指揮命令下に置かれている時間をいい、右の労働時間に該当するか否かは、労働者の行為が使用者の指揮命令下に置かれたものと評価することができるか否かにより客観的に定まる」とするのが、最高裁判所の判例である。

× **197** 必修基本書 労働科目……55p

（昭33.10.11基収6286号）本肢の労働の提供がない時間は、「労働時間となる」。

× **198** 必修基本書 労働科目……55p

（昭26.1.20基収2875号）労働者が使用者の実施する教育に参加することについて、就業規則上の制裁等の不利益取扱いによる出席の強制がなく、自由参加のものであれば、「時間外労働にはならない」。

× **199** 必修基本書 労働科目……55p

（昭47.9.18基発602号）特殊健康診断に要する時間は労働時間となるが、「一般健康診断に要する時間は労働時間とならない」。

× **200** 必修基本書……該当ページなし

（昭23.10.23基収3141号）本肢の消火作業に従事した時間は、「労働時間となる」。

○ **201** 必修基本書 労働科目……55p

（最高裁第一小法廷判決 平12.3.9 三菱重工業長崎造船所事件）本肢のとおりである。なお、トラック運転手に貨物の積込を行わせることとし、その貨物が持ち込まれるのを待機している場合において、全く労働の提供はなくとも、出勤を命ぜられ、一定の場所に拘束されている時間については、労働時間となる。

202 □□□ 普通 H27.6-ア

労働者が、就業を命じられた業務の準備行為等を事業所内において行うことを義務付けられ、又はこれを余儀なくされたときであっても、当該行為を所定労働時間外において行うものとされている場合には、当該行為に要した時間は、労働基準法上の労働時間に該当しないとするのが、最高裁判所の判例である。

203 □□□ 普通 R4.2-E

警備員が実作業に従事しない仮眠時間について、当該警備員が労働契約に基づき仮眠室における待機と警報や電話等に対して直ちに対応することが義務付けられており、そのような対応をすることが皆無に等しいなど実質的に上記義務付けがされていないと認めることができるような事情が存しないなどの事実関係の下においては、実作業に従事していない時間も含め全体として警備員が使用者の指揮命令下に置かれているものであり、労働基準法第32条の労働時間に当たるとするのが、最高裁判所の判例である。

204 □□□ 難 R5.7-E

使用者は、労働時間の適正な把握を行うべき労働者の労働日ごとの始業・終業時刻を確認し、これを記録することとされているが、その方法としては、原則として「使用者が、自ら現認することにより確認し、適正に記録すること」、「タイムカード、ICカード、パソコンの使用時間の記録等の客観的な記録を基礎として確認し、適正に記録すること」のいずれかの方法によることとされている。

205 □□□ 易 R4.7-A

使用者は、労働基準法別表第1第8号（物品の販売、配給、保管若しくは賃貸又は理容の事業）、第10号のうち映画の製作の事業を除くもの（映画の映写、演劇その他興行の事業）、第13号（病者又は虚弱者の治療、看護その他保健衛生の事業）及び第14号（旅館、料理店、飲食店、接客業又は娯楽場の事業）に掲げる事業のうち常時10人未満の労働者を使用するものについては、労働基準法第32条の規定にかかわらず、1週間について48時間、1日について10時間まで労働させることができる。

× **202** 必修基本書 労働科目……55p

（最高裁第一小法廷判決 平12.3.9 三菱重工業長崎造船所事件）労働者が、**就業を命じられた業務の準備行為**等を事業所内において行うことを**使用者から義務付けられ**、又はこれを余儀なくされたときは、当該行為を**所定労働時間外**において**行うもの**とされている場合であっても、当該行為は、特段の事情のない限り、**使用者の指揮命令下**に置かれたものと評価することができ、当該行為に要した時間は、それが**社会通念上必要**と認められるものである限り、労働基準法上の「**労働時間に該当する**」と解されるとするのが最高裁判所の判例である。

○ **203** 必修基本書 労働科目……55p

（最高裁第一小法廷判決 平14.2.28 大星ビル管理事件）本肢のとおりである。本肢の判例は、「労働からの解放の保障」という基準により、使用者の指揮命令下に置かれているか否かの判断基準を採用した判例である。

○ **204** 必修基本書……該当ページなし

（平29.1.20基発0120第3号）本肢のとおりである。なお、本肢の方法によることなく、自己申告制によりこれを行わざるを得ない場合、使用者は、①自己申告した労働時間を超えて事業場内にいる時間について、その理由等を労働者に報告させる場合には、当該報告が適正に行われているかについて確認すること及び②労働者が自己申告できる時間外労働の時間数に上限を設け、上限を超える申告を認めない等、労働者による労働時間の適正な申告を阻害する措置を講じてはならないこと等をしなければならない。

× **205** 必修基本書 労働科目……55p

（則25条の2第1項）本肢の事業のうち常時10人未満の労働者を使用するものについては、1週間について「**44時間**」、1日について「**8時間**」まで労働させることができる。

206 □□□ 普通 H30.1-ウ

常時10人未満の労働者を使用する小売業では、1週間の労働時間を44時間とする労働時間の特例が認められているが、事業場規模を決める場合の労働者数を算定するに当たっては、例えば週に2日勤務する労働者であっても、継続的に当該事業場で労働している者はその数に入るとされている。

○ **206** 必修基本書 労働科目……55p

（法40条、則25条の2第1項、昭63.3.14基発150号）本肢のとおりである。なお、本肢の特例の下に、**1箇月単位の変形労働時間制**及び**フレックスタイム制**を採用することはできるが、**1年単位の変形労働時間制**及び**1週間単位の非定型的変形労働時間制**を採用する場合には、本肢の特例の適用はないものとされる（平11.3.31基発170号）。

⑫ 変形労働時間制

207 □□□ 易 R6.5-ア

労働基準法第32条の2に定めるいわゆる1か月単位の変形労働時間制を適用するに当たっては、常時10人未満の労働者を使用する使用者であっても必ず就業規則を作成し、1か月以内の一定の期間を平均し1週間当たりの労働時間が40時間を超えない定めをしなければならない。

208 □□□ 易 R元.2-D

1か月単位の変形労働時間制は、就業規則その他これに準ずるものによる定めだけでは足りず、例えば当該事業場に労働者の過半数で組織する労働組合がある場合においてはその労働組合と書面により協定し、かつ、当該協定を所轄労働基準監督署長に届け出ることによって、採用することができる。

209 □□□ 普通 R3.5-B

使用者は、当該事業場に、労働者の過半数で組織する労働組合がある場合においてはその労働組合、労働者の過半数で組織する労働組合がない場合においては労働者の過半数を代表する者との書面による協定により、1か月以内の一定の期間を平均し1週間当たりの労働時間が労働基準法第32条第1項の労働時間を超えない定めをしたときは、同条の規定にかかわらず、その定めにより、特定された週において同項の労働時間又は特定された日において同条第2項の労働時間を超えて、労働させることができるが、この協定の効力は、所轄労働基準監督署長に届け出ることにより認められる。

210 □□□ 普通 R4.7-B

労働基準法第32条の2に定めるいわゆる1か月単位の変形労働時間制を労使協定を締結することにより採用する場合、当該労使協定を所轄労働基準監督署長に届け出ないときは1か月単位の変形労働時間制の効力が発生しない。

211 □□□ 易 R元.2-E

1か月単位の変形労働時間制においては、1日の労働時間の限度は16時間、1週間の労働時間の限度は60時間の範囲内で各労働日の労働時間を定めなければならない。

× **207** 必修基本書 労働科目……57p

（法32条の2第1項）1か月単位の変形労働時間制を採用するに当たっては、「労使協定」により、又は就業規則その他「これに準ずるもの」により、1か月以内の一定の期間を平均し1週間当たりの労働時間が原則40時間を超えない定めをしなければならない。

× **208** 必修基本書 労働科目……56～57p

（法32条の2第1項）1か月単位の変形労働時間制は、**労使協定**又は「**就業規則**その他これに準ずるもの」により所定の定めをすることにより採用することができる。

× **209** 必修基本書 労働科目……56～57p

（法32条の2第1項）労使協定において、1箇月以内の一定の期間を平均し1週間当たりの労働時間が法定労働時間を超えない定めをしていれば、「行政官庁に届出をしていなくても、当該労使協定の効力は認められる」。

× **210** 必修基本書 労働科目……56～57p

（法32条の2）1か月単位の変形労働時間制に係る労使協定は、所轄労働基準監督署長に届け出なければならないが、この届出は労使協定の効力発生要件とはされていないため、労使協定を届け出ない場合であっても、「効力は発生する」（ただし、届け出なかったことによる罰則は適用される）。

× **211** 必修基本書 労働科目……56～57p

（法32条の2第1項）1か月単位の変形労働時間制においては、変形期間を平均し、1週間当たりの労働時間が週法定労働時間を超えない範囲であれば、「1日及び1週間の労働時間の限度はない」。

212 □□□ 普通 R元.2-A

1か月単位の変形労働時間制により労働者に労働させる場合にはその期間の起算日を定める必要があるが、その期間を1か月とする場合は、毎月1日から月末までの暦月による。

213 □□□ 難 H27.6-イ

労働基準法第32条の2に定めるいわゆる1か月単位の変形労働時間制が適用されるためには、単位期間内の各週、各日の所定労働時間を就業規則等において特定する必要があり、労働協約又は就業規則において、業務の都合により4週間ないし1か月を通じ、1週平均38時間以内の範囲内で就業させることがある旨が定められていることをもって、直ちに1か月単位の変形労働時間制を適用する要件が具備されているものと解することは相当ではないとするのが、最高裁判所の判例である。

214 □□□ 普通 R元.2-C

1か月単位の変形労働時間制により所定労働時間が、1日6時間とされていた日の労働時間を当日の業務の都合により8時間まで延長したが、その同一週内の1日10時間とされていた日の労働を8時間に短縮した。この場合、1日6時間とされていた日に延長した2時間の労働は時間外労働にはならない。

215 □□□ 普通 H29.1-A

1か月単位の変形労働時間制により、毎週日曜を起算日とする1週間について、各週の月曜、火曜、木曜、金曜を所定労働日とし、その所定労働時間をそれぞれ9時間、計36時間としている事業場において、その各所定労働日に9時間を超えて労働時間を延長すれば、その延長した時間は法定労働時間を超えた労働となるが、日曜から金曜までの間において所定どおり労働した後の土曜に6時間の労働をさせた場合は、そのうちの2時間が法定労働時間を超えた労働になる。

× **212** 必修基本書 労働科目……56～57p

（則12条の2第1項）本肢後段のような規定はない。変形期間を1か月とする場合は、必ずしも毎月1日から月末までの暦月とする必要なく、就業規則等に定めた変形期間の起算日から1か月の期間を変形期間とすることができる。

○ **213** 必修基本書……該当ページなし

（最高裁第一小法廷判決 平14.2.28 大星ビル管理事件）本肢のとおりである。なお、1か月単位の変形労働時間制を採用する場合には、**労使協定**による定め又は就業規則その他これに準ずるものにより、**変形期間における各日、各週の労働時間**を具体的に定めることを要し、変形期間を平均し週40時間の範囲内であっても使用者が**業務の都合によって任意に**労働時間を変更するような制度はこれに**該当しない**（平11.3.31基発168号）。

○ **214** 必修基本書 労働科目……57～58p

（平6.3.31基発181号）本肢のとおりである。1か月単位の変形労働時間制において、1日について時間外労働となる時間は、就業規則等により8時間を超える時間を定めた日はその時間を、それ以外の日は8時間を超えて労働した時間が時間外労働となる。本肢の場合、所定労働時間が6時間とされていた日の労働時間の延長のため、その日の労働時間が8時間を超えた場合に、その超えた時間が時間外労働時間となる。そして、延長の結果、労働時間が8時間を超えていないことから、時間外労働となる時間はない。なお、同一週内の他の日について労働時間を2時間短縮しているため、1週間についても時間外労働となる時間はない。

○ **215** 必修基本書 労働科目……57～58p

（平6.3.31基発181号）本肢のとおりである。1箇月単位の変形労働時間制を採用している場合において、1日について、8時間を超える時間を所定労働時間として定めたときは、その定めた時間を超える時間が時間外労働となるため、本肢の月曜から金曜の各日について時間外労働は発生しない。また、週法定労働時間を超えない時間を週の所定労働時間として定めている場合、週法定労働時間を超える時間が時間外労働となる。本肢の場合、土曜の労働によって週の労働時間が42時間となるため、40時間を超える2時間が時間外労働となる。

216 □□□ 普通 H29.1-B

1か月単位の変形労働時間制により、毎週日曜を起算日とする1週間について、各週の月曜、火曜、木曜、金曜を所定労働日とし、その所定労働時間をそれぞれ9時間、計36時間としている事業場において、あらかじめ水曜の休日を前日の火曜に、火曜の労働時間をその水曜に振り替えて9時間の労働をさせたときは、水曜の労働はすべて法定労働時間内の労働になる。

217 □□□ 易 H30.2-ア

常時10人以上の労働者を使用する使用者が労働基準法第32条の3に定めるいわゆるフレックスタイム制により労働者を労働させる場合は、就業規則により、その労働者に係る始業及び終業の時刻をその労働者の決定に委ねることとしておかなければならない。

218 □□□ 易 H28.4-B

労働基準法第32条の3に定めるいわゆるフレックスタイム制は、始業及び終業の時刻の両方を労働者の決定に委ねることを要件としており、始業時刻又は終業時刻の一方についてのみ労働者の決定に委ねるものは本条に含まれない。

219 □□□ 普通 R3.5-E

労働基準法第32条の3に定めるいわゆるフレックスタイム制を導入している場合の同法第36条による時間外労働に関する協定における1日の延長時間については、1日8時間を超えて行われる労働時間のうち最も長い時間数を定めなければならない。

220 □□□ 普通 R5.7-A

労働基準法第32条の3に定めるフレックスタイム制において同法第36条第1項の協定（以下本問において「時間外・休日労働協定」という。）を締結する際、1日について延長することができる時間を協定する必要はなく、1か月及び1年について協定すれば足りる。

221 □□□ 易 R2.6-B

労働基準法第32条の3に定めるいわゆるフレックスタイム制を実施する際には、清算期間の長さにかかわらず、同条に掲げる事項を定めた労使協定を行政官庁（所轄労働基準監督署長）に届け出なければならない。

× **216** 必修基本書 労働科目……57～58p

（平6.3.31基発181号）本肢の場合、水曜は所定労働日とされていないため、水曜に労働した場合、法定労働時間（8時間）を超える時間が時間外労働となる。したがって、水曜について1時間の時間外労働が発生する。

○ **217** 必修基本書 労働科目……58～59p

（法32条の3、法89条）本肢のとおりである。なお、フレックスタイム制は、一定の期間の総労働時間を定めておき、労働者がその範囲内で各日の**始業及び終業の時刻**を選択して働くことにより、労働者がその**生活と業務との調和**を図りながら、**効率的に働く**ことを可能とし、労働時間を**短縮**しようとする制度である（平11.3.31基発168号）。

○ **218** 必修基本書 労働科目……58～59p

（法32条の3第1項、平11.3.31基発168号）本肢のとおりである。なお、フレックスタイム制は、「**育児を行う者**等に対する配慮義務」の対象とはされていない。

× **219** 必修基本書 労働科目……58～59p

（平30.12.28基発1228第15号）フレックスタイム制の適用を受ける場合の36協定においては「1日について延長することができる時間を協定する必要はない」。

○ **220** 必修基本書 労働科目……58～59p

（平30.12.28基発1228第15号）本肢のとおりである。

× **221** 必修基本書 労働科目……60p

（法32条の3第4項）フレックスタイム制に係る労使協定は、「清算期間が1箇月を超える」場合に限り、行政官庁への届出義務が生じる。

222 □□□ 普通 R元.6-B

労働基準法第32条の3に定めるいわゆるフレックスタイム制について、清算期間が1か月を超える場合において、清算期間を1か月ごとに区分した各期間を平均して1週間当たり50時間を超えて労働させた場合は時間外労働に該当するため、労働基準法第36条第1項の協定の締結及び届出が必要となり、清算期間の途中であっても、当該各期間に対応した賃金支払日に割増賃金を支払わなければならない。

223 □□□ 普通 H30.1-ア

労働基準法第32条の3に定めるいわゆるフレックスタイム制において、実際に労働した時間が清算期間における総労働時間として定められた時間に比べて過剰であった場合、総労働時間として定められた時間分はその期間の賃金支払日に支払い、総労働時間を超えて労働した時間分は次の清算期間中の総労働時間の一部に充当してもよい。

224 □□□ 易 H28.4-C

労働基準法第32条の4に定めるいわゆる一年単位の変形労働時間制の対象期間は、1か月を超え1年以内であれば、3か月や6か月でもよい。

225 □□□ 普通 H30.2-ウ

いわゆる一年単位の変形労働時間制においては、その労働日について、例えば7月から9月を対象期間の最初の期間とした場合において、この間の総休日数を40日と定めた上で、30日の休日はあらかじめ特定するが、残る10日については、「7月から9月までの間に労働者の指定する10日間について休日を与える。」として特定しないことは認められていない。

○ **222** 必修基本書 労働科目……60～61p

(法32条の3第2項、平30.12.28基発1228第15号)本肢のとおりである。なお、フレックスタイム制において時間外・休日労働協定（36協定）を締結する際、1日について延長することを協定する必要はなく、1箇月及び1年について協定すれば足りる。

× **223** 必修基本書 労働科目……60～61p

（昭63.1.1基発1号）清算期間における実際の労働時間に過剰があった場合において、その過剰労働時間分を次の清算期間中の総労働時間の一部に充当する本肢の取扱いは、「賃金の全額払の原則に反し、許されない」。

○ **224** 必修基本書 労働科目……61～62p

（法32条の4第1項）本肢のとおりである。なお、1年単位の変形労働時間制に係る労使協定において、労働日を特定するということは、反面、休日を特定することとなり、変形期間開始後にしか休日を特定することができない場合には、労働日が特定されたこととはならない。

○ **225** 必修基本書……該当ページなし

（法32条の4第1項、平6.5.31基発330号）本肢のとおりである。対象期間を1箇月以上の期間ごとに区分することとした場合においては、当該区分による各期間のうち当該対象期間の初日の属する期間における労働日及び当該労働日ごとの労働時間並びに当該最初の期間を除く各期間における労働日数及び総労働時間を協定することとされている。この「対象期間の初日の属する期間」は、本肢では7月から9月までの期間が該当するため、本肢の7月から9月までの対象期間については、労働日及び当該労働日ごとの労働時間を具体的に特定しなければならない。しかし、本肢の総休日数40日のうち10日の休日が特定されていない。これは、換言すれば労働日が特定されていないということとなるので、本肢のような取扱いは認められない。

226 □□□ 普通 H30.2-イ

いわゆる一年単位の変形労働時間制においては、隔日勤務のタクシー運転者等暫定措置の対象とされているものを除き、1日の労働時間の限度は10時間、1週間の労働時間の限度は54時間とされている。

227 □□□ 易 H28.4-D

労働基準法第32条の5に定めるいわゆる一週間単位の非定型的変形労働時間制は、小売業、旅館、料理店若しくは飲食店の事業の事業場、又は、常時使用する労働者の数が30人未満の事業場、のいずれか1つに該当する事業場であれば採用することができる。

× **226** 必修基本書 労働科目……63~64p

（則12条の4第4項）1年単位の変形労働時間制においては、隔日勤務のタクシー運転者等暫定措置の対象とされているものを除き、1日の労働時間の限度は**10**時間、1週間の労働時間の限度は「**52時間**」とされている。

× **227** 必修基本書 労働科目……64p

（法32条の5第1項、則12条の5第1項・2項）1週間単位の非定型的変形労働時間制が採用できる事業場は、**小売業**、**旅館**、**料理店**又は**飲食店**の事業の事業場であって、「**かつ**」、常時使用する労働者の数が**30**人未満であるものである。

⑬ 休憩・休日

228 □□□ 易 R5.2-エ

労働基準法第34条第1項に定める「6時間を超える場合においては少くとも45分」とは、一勤務の実労働時間の総計が6時間を超え8時間までの場合は、その労働時間の途中に少なくとも45分の休憩を与えなければならないという意味であり、休憩時間の置かれる位置は問わない。

229 □□□ 易 R5.2-オ

工場の事務所において、昼食休憩時間に来客当番として待機させた場合、結果的に来客が1人もなかったとしても、休憩時間を与えたことにはならない。

230 □□□ 易 H29.1-C

労働基準法第34条に定める休憩時間は、労働基準監督署長の許可を受けた場合に限り、一斉に与えなくてもよい。

231 □□□ 易 R5.2-ア

休憩時間は、労働基準法第34条第2項により原則として一斉に与えなければならないとされているが、道路による貨物の運送の事業、倉庫における貨物の取扱いの事業には、この規定は適用されない。

232 □□□ 易 R5.2-ウ

休憩時間中の外出について所属長の許可を受けさせるのは、事業場内において自由に休息し得る場合には必ずしも労働基準法第34条第3項（休憩時間の自由利用）に違反しない。

233 □□□ 普通 H28.4-E

労働基準法第34条に定める休憩時間は、労働者が自由に利用することが認められているが、休憩時間中に企業施設内でビラ配布を行うことについて、就業規則で施設の管理責任者の事前の許可を受けなければならない旨を定めることは、使用者の企業施設管理権の行使として認められる範囲内の合理的な制約であるとするのが、最高裁判所の判例である。

○ **228** 必修基本書 労働科目……65p

(法34条1項) 本肢のとおりである。なお、8時間を超える時間が何時間であっても1時間の休憩を与えれば法34条1項違反とはならない。

○ **229** 必修基本書 労働科目……65p

(平11.3.31基発168号) 本肢のとおりである。本肢の待機させた時間は労働時間に該当するため、休憩時間を与えたことにはならない。

× **230** 必修基本書 労働科目……66p

(法34条2項、法40条) 休憩時間は、一斉付与の適用除外に関する「**労使協定**」があるときは、一斉に与えなくてもよい。このほか、一定の業種に属する事業についても、休憩時間を一斉に与えなくてもよい。

× **231** 必修基本書 労働科目……66p

(法34条、則31条) 道路による貨物の運送の事業については、休憩の一斉付与の規定は適用されないが、「倉庫における貨物の取扱いの事業については、原則として、休憩の一斉付与の規定は適用される」。

○ **232** 必修基本書 労働科目……66p

(昭23.10.30基発1575号) 本肢のとおりである。なお、休憩時間の利用について事業場の規律保持上必要な制限を加えることは、休憩の目的を害わない限り差し支えない (昭22.9.13発基17号)。

○ **233** 必修基本書 労働科目……66p

(最高裁第三小法廷判決 昭52.12.13 目黒電報電話局事件) 本肢のとおりである。なお、休憩時間中の外出について所属長の許可を受けさせることは、事業場内において自由に休憩し得る場合には、必ずしも違法とはならない。

234 □□□ 普通　　R5.2-イ

一昼夜交替制勤務は労働時間の延長ではなく二日間の所定労働時間を継続して勤務する場合であるから、労働基準法第34条の条文の解釈（一日の労働時間に対する休憩と解する）により一日の所定労働時間に対して1時間以上の休憩を与えるべきものと解して、2時間以上の休憩時間を労働時間の途中に与えなければならないとされている。

235 □□□ 普通　　H29.1-D

労働基準法第35条に定める「一回の休日」は、24時間継続して労働義務から解放するものであれば、起算時点は問わないのが原則である。

× **234** 必修基本書……該当ページなし

（昭23.5.10基収1582号）一昼夜交替制による勤務についても、一勤務が8時間を超える場合には1時間以上の休憩を与えればよいため、本肢の場合、「1時間以上」の休憩時間を労働時間の途中に与えなければならない。

× **235** 必修基本書 労働科目……67p

（昭23.4.5基発535号）「一回の休日」は、原則として、「1暦日すなわち午前0時から午後12時まで」の24時間継続して労働義務から解放するものをいう。

⑭ 時間外、休日労働

236 □□□ 易　R6.5-イ

使用者は、労働基準法第33条の「災害その他避けることのできない事由」に該当する場合であっても、同法第34条の休憩時間を与えなければならない。

237 □□□ 普通　R4.3-D

就業規則に所定労働時間を1日7時間、1週35時間と定めたときは、1週35時間を超え1週間の法定労働時間まで労働時間を延長する場合、各日の労働時間が8時間を超えずかつ休日労働を行わせない限り、時間外及び休日の労働に係る労働基準法第36条第1項の協定をする必要はない。

238 □□□ 普通　R5.7-B

労使当事者は、時間外・休日労働協定において労働時間を延長し、又は休日に労働させることができる業務の種類について定めるに当たっては、業務の区分を細分化することにより当該業務の範囲を明確にしなければならない。

239 □□□ 普通　R5.6-B

いかなる事業場であれ、労働基準法に規定する協定等をする者を選出することを明らかにして実施される投票、挙手等の方法による手続により選出された者であって、使用者の意向に基づき選出された者でないこと、という要件さえ満たせば、労働基準法第24条第1項ただし書に規定する当該事業場の「労働者の過半数を代表する者」に該当する。

240 □□□ 普通　R4.3-E

時間外及び休日の労働に係る労働基準法第36条第1項の協定は、事業場ごとに締結するよう規定されているが、本社において社長と当該会社の労働組合本部の長とが締結した当該協定に基づき、支店又は出張所がそれぞれ当該事業場の業務の種類、労働者数、所定労働時間等所要事項のみ記入して所轄労働基準監督署長に届け出た場合、当該組合が各事業場ごとにその事業場の労働者の過半数で組織されている限り、その取扱いが認められる。

○ **236** 必修基本書 労働科目……69～70p

（法34条1項）本肢のとおりである。なお、本肢の「災害」とは、事業場において通常発生する事故は含まれず、天災地変その他これに準ずるものとされ、「その他避けることのできない事由」とは、業務運営上通常予想し得ない事由がある場合をいうものと解される。

○ **237** 必修基本書 労働科目……73p

（法36条1項）本肢のとおりである。なお、36協定の効力は、届出により生ずるため、36協定を締結した場合であっても届出をしない限り免罰的効力は発生しない。

○ **238** 必修基本書……該当ページなし

（平30.9.7厚労告323号）本肢のとおりである。なお、本肢の通達は、**業務の区分を細分化**することにより当該業務の種類ごとの時間外労働時間をきめ細かに協定するものとしたものであり、労使当事者は、時間外・休日労働協定の締結に当たり各事業場における業務の実態に即し、業務の種類を具体的に区分しなければならない。

× **239** 必修基本書 労働科目……48､72p

（則6条の2第1項）労使協定の締結当事者である「過半数代表者」は、次の①及び②のいずれにも該当する者（監督又は管理の地位にある者がいない事業場にあっては、②に該当する者）とされている。

① 「監督又は管理の地位にある者でないこと」
②労使協定等をする者を選出することを明らかにして実施される投票、挙手等の方法による手続により選出された者であって、使用者の意向に基づき選出されたものでないこと。

○ **240** 必修基本書……該当ページなし

（昭24.2.9基収4234号）本肢のとおりである。なお、使用者は、過半数代表者が労働基準法に規定する協定等に関する事務を円滑に遂行することができるよう必要な配慮を行わなければならない（則6条の2第4項）。

241 □□□ 普通 H29.4-E

本社、支店及び営業所の全てにおいてその事業場の労働者の過半数で組織する単一の労働組合がある会社において、本社において社長と当該単一労働組合の本部の長とが締結した労働基準法第36条に係る協定書に基づき、支店又は営業所がそれぞれ当該事業場の業務の種類、労働者数、所定労働時間等所要事項のみ記入して、所轄労働基準監督署長に届け出た場合、有効なものとして取り扱うこととされている。

242 □□□ 普通 R4.3-C

労働者が遅刻をし、その時間だけ通常の終業時刻を繰り下げて労働させる場合に、一日の実労働時間を通算すれば労働基準法第32条又は第40条の労働時間を超えないときは、時間外及び休日の労働に係る労働基準法第36条第1項に基づく協定及び労働基準法第37条に基づく割増賃金支払の必要はない。

243 □□□ 普通 R3.5-A

令和5年4月1日から令和6年3月31日までを有効期間とする書面による時間外及び休日労働に関する協定を締結し、これを令和5年4月7日に厚生労働省令で定めるところにより所轄労働基準監督署長に届け出た場合、令和5年4月1日から令和5年4月6日までに行われた法定労働時間を超える労働は、適法なものとはならない。

244 □□□ 普通 R2.6-C

労働基準法第36条第3項に定める「労働時間を延長して労働させることができる時間」に関する「限度時間」は、1か月について45時間及び1年について360時間（労働基準法第32条の4第1項第2号の対象期間として3か月を超える期間を定めて同条の規定により労働させる場合にあっては、1か月について42時間及び1年について320時間）とされている。

245 □□□ 普通 H29.4-C

坑内労働等の労働時間の延長は、1日について2時間を超えてはならないと規定されているが、休日においては、10時間を超えて休日労働をさせることを禁止する法意であると解されている。

○ **241** 必修基本書……該当ページなし

（平15.2.15基発0215002号）本肢のとおりである。なお、労使協定は、その適用の対象となる労働者の過半数の意思を問うためものではなく、その事業場に使用されているすべての労働者の過半数の意思を問うためものである。したがって、その労働者側の締結当事者である「労働者の過半数を代表する者」は、労使協定の適用を受けることのない者（労使協定の有効期間中に出勤し得ない者、36協定による時間外労働の適用が除外される監督又は管理の地位にある者等）を含めた労働者の過半数を代表する者でなければならない（平11.3.31基発168号）。

○ **242** 必修基本書……該当ページなし

（昭29.12.1基収6143号）本肢のとおりである。なお、交通機関の早朝ストライキ等1日のうちの一部の時間帯のストライキによる交通事情等のため、始業就業時刻を繰下げたり、繰上げることは、実働8時間の範囲である限り、時間外労働の問題は生じない（昭63.3.14基発150号）。

○ **243** 必修基本書……該当ページなし

（法36条1項）本肢のとおりである。36協定は、行政官庁へ届出をすることにより初めてその効力が生ずるものであるから、届出が行われた日前の時間外・休日労働は、災害等により臨時の必要がある場合を除き、違法なものとなる。

○ **244** 必修基本書 労働科目……73p

（法36条4項）本肢のとおりである。なお、本肢の限度時間は、労働基準法において定められた要件であり、この要件を満たしていない（限度時間を超える時間を協定している）36協定は、全体として**無効**となる（平30.12.28基発1228第15号）。

○ **245** 必修基本書 労働科目……74p

（法36条６項、平11.3.31基発168号）本肢のとおりである。なお、**坑内労働**については、労働者が**坑口に入った**時刻から**坑口を出た**時刻までの時間が、**休憩時間**を含め労働時間とみなされ、休憩時間の**一斉付与及び自由利用**に関する規定は適用されない。

246 □□□ 普通 H29.4-B

坑内労働その他厚生労働省令で定める健康上特に有害な業務（以下本問において「坑内労働等」という。）の労働時間の延長は、1日について2時間を超えてはならないと規定されているが、坑内労働等とその他の労働が同一の日に行われる場合、例えば、坑内労働等に8時間従事した後にその他の労働に2時間を超えて従事させることは、労働基準法第36条による協定の限度内であっても本条に抵触する。

247 □□□ 普通 R4.3-B

小売業の事業場で経理業務のみに従事する労働者について、対象期間を令和6年1月1日から同年12月31日までの1年間とする時間外及び休日の労働に係る労働基準法第36条第1項の協定をし、いわゆる特別条項により、1か月について95時間、1年について700時間の時間外労働を可能としている事業場においては、同年の1月に90時間、2月に70時間、3月に85時間、4月に75時間、5月に80時間の時間外労働をさせることができる。

×　**246**　必修基本書 労働科目……74p

（法36条6項、平11.3.31基発168号）法36条1項ただし書に規定する坑内労働等の延長時間の制限は、坑内労働等に係る延長時間は2時間を超えてはならない旨規定しているものであるため、本肢のように、坑内労働等に8時間従事した後にその他の労働に2時間を超えて従事させることは、坑内労働等に係る延長時間が2時間以内である（坑内労働等に係る延長時間がない）ことから、同条ただし書の規定に抵触しない。

×　**247**　必修基本書 労働科目……75p

（法36条6項3号）36協定に定めるところによって労働させる場合であっても、対象期間の初日から1箇月ごとに区分した各期間に当該各期間の直前の1箇月、2箇月、3箇月、4箇月及び5箇月の期間を加えたそれぞれの期間における労働時間を延長して労働させ、及び休日において労働させた時間の1箇月当たりの平均時間は80時間を超えてはならないとされている。本肢の場合、3月を終えた時点での当該平均時間が、（90時間＋70時間＋85時間）／3＝81.666…時間となり80時間を超えているため、本肢に示すような時間外労働はさせることはできない。

⑮ 割増賃金

248 □□□ 普通 H30.3-E

労働基準法第35条に定めるいわゆる法定休日を日曜とし、月曜から土曜までを労働日として、休日及び労働時間が次のように定められている製造業の事業場において、日曜から水曜までは所定どおりの勤務であったが、木曜から土曜までの3日間の勤務が延長されてそれぞれ10時間ずつ労働したために当該1週間の労働時間が48時間になった場合、土曜における10時間労働の内8時間が割増賃金支払い義務の対象労働になる。

日	月	火	水	木	金	土
休	6	6	6	6	6	6

労働日における労働時間は全て

始業時刻：午前10時、終業時刻：午後5時、休憩：午後1時から1時間

249 □□□ 普通 R2.6-D

労働基準法第37条は、「使用者が、第33条又は前条第1項の規定により労働時間を延長し、又は休日に労働させた場合」における割増賃金の支払について定めているが、労働基準法第33条又は第36条所定の条件を充足していない違法な時間外労働ないしは休日労働に対しても、使用者は同法第37条第1項により割増賃金の支払義務があり、その義務を履行しないときは同法第119条第1号の罰則の適用を免れないとするのが、最高裁判所の判例である。

250 □□□ 普通 R4.7-C

医療法人と医師との間の雇用契約において労働基準法第37条に定める時間外労働等に対する割増賃金を年俸に含める旨の合意がされていた場合、「本件合意は、上告人の医師としての業務の特質に照らして合理性があり、上告人が労務の提供について自らの裁量で律することができたことや上告人の給与額が相当高額であったこと等からも、労働者としての保護に欠けるおそれはないから、上告人の当該年俸のうち時間外労働等に対する割増賃金に当たる部分が明らかにされておらず、通常の労働時間の賃金に当たる部分と割増賃金に当たる部分とを判別することができないからといって不都合はなく、当該年俸の支払により、時間外労働等に対する割増賃金が支払われたということができる」とするのが、最高裁判所の判例である。

× **248** 必修基本書 労働科目……77～79p

（法32条、法37条）本肢の場合、木曜、金曜及び土曜において1日8時間を超えて労働しているため、2時間（＝10時間－8時間）がそれぞれ時間外労働となる。これらの時間外労働時間を合計すると6時間であり、週法定労働時間を超えている時間が2時間（＝48時間－40時間－6時間）あるため、この2時間も土曜における時間外労働となる。したがって、「土曜の労働時間のうち、時間外労働となるのは4時間」（＝日の時間外労働時間2時間＋週の時間外労働時間2時間）である。

○ **249** 必修基本書 労働科目……77～79p

（最高裁第一小法廷判決 昭35.7.14 小島撚糸事件）本肢のとおりである。なお、使用者の明白な超過勤務の指示により、又は使用者の具体的に指示した仕事が、客観的にみて正規の勤務時間内ではなされ得ないと認められる場合の如く、超過勤務の黙示の指示によって、法定労働時間を超えて勤務した場合には、時間外労働となり、使用者は法37条の割増賃金を支払わなければならない（昭25.9.14基収2983号）。

× **250** 必修基本書……該当ページなし

（最高裁第二小法廷判決 平29.7.7 医療法人康心会事件）割増賃金をあらかじめ基本給等に含める方法で支払う場合においては労働契約における基本給等の定めにつき、「通常の労働時間の賃金に当たる部分と割増賃金に当たる部分とを判別することができることが必要である」。したがって、本肢の年俸の支払により上告人（労働者）の時間外労働及び深夜労働に対する「割増賃金が支払われたということはできない」。

251 □□□ 普通　H30.3-A

労働基準法第35条に定めるいわゆる法定休日を日曜とし、月曜から土曜までを労働日として、休日及び労働時間が次のように定められている製造業の事業場において、日曜に10時間の労働があると、休日割増賃金の対象になるのは8時間で、8時間を超えた2時間は休日労働に加えて時間外労働も行われたことになるので、割増賃金は、休日労働に対する割増率に時間外労働に対する割増率を加算する必要がある。

日	月	火	水	木	金	土
休	6	6	6	6	6	6

労働日における労働時間は全て
始業時刻：午前10時、終業時刻：午後5時、休憩：午後1時から1時間

252 □□□ 普通　H30.3-B

労働基準法第35条に定めるいわゆる法定休日を日曜とし、月曜から土曜までを労働日として、休日及び労働時間が次のように定められている製造業の事業場において、日曜の午後8時から月曜の午前3時まで勤務した場合、その間の労働は全てが休日割増賃金対象の労働になる。

日	月	火	水	木	金	土
休	6	6	6	6	6	6

労働日における労働時間は全て
始業時刻：午前10時、終業時刻：午後5時、休憩：午後1時から1時間

253 □□□ 普通　H30.3-C

労働基準法第35条に定めるいわゆる法定休日を日曜とし、月曜から土曜までを労働日として、休日及び労働時間が次のように定められている製造業の事業場において、月曜の時間外労働が火曜の午前3時まで及んだ場合、火曜の午前3時までの労働は、月曜の勤務における1日の労働として取り扱われる。

日	月	火	水	木	金	土
休	6	6	6	6	6	6

労働日における労働時間は全て
始業時刻：午前10時、終業時刻：午後5時、休憩：午後1時から1時間

× **251** 必修基本書 労働科目……77～79p

（平11.3.31基発168号）本肢の場合、10時間すべてが休日労働となり、時間外労働は生じない。したがって、休日割増賃金の対象となる時間は10時間であり、「時間外労働に対する割増率を加算する必要はない」。

× **252** 必修基本書 労働科目……77～79p

（平6.5.31基発331号）休日については暦日休日制を採用しているため、休日割増賃金の対象となる休日労働となるのは日曜の午後8時から午後12時までであり、「月曜の午前0時から午前3時までの労働については休日労働とならない」。

○ **253** 必修基本書 労働科目……55､77～79p

（平11.3.31基発168号）本肢のとおりである。継続勤務が2暦日にわたる場合であっても、当該勤務は始業時刻の属する日の労働として1日の労働として時間外労働時間が把握される。

254 □□□ 普通 H30.3-D

労働基準法第35条に定めるいわゆる法定休日を日曜とし、月曜から土曜までを労働日として、休日及び労働時間が次のように定められている製造業の事業場において、土曜の時間外労働が日曜の午前3時まで及んだ場合、日曜の午前3時までの労働に対する割増賃金は、土曜の勤務における時間外労働時間として計算される。

日	月	火	水	木	金	土
休	6	6	6	6	6	6

労働日における労働時間は全て

始業時刻：午前10時、終業時刻：午後5時、休憩：午後1時から1時間

255 □□□ 難 R元.6-D

「いわゆる定額残業代の支払を法定の時間外手当の全部又は一部の支払とみなすことができるのは、定額残業代を上回る金額の時間外手当が法律上発生した場合にその事実を労働者が認識して直ちに支払を請求することができる仕組み（発生していない場合にはそのことを労働者が認識することができる仕組み）が備わっており、これらの仕組みが雇用主により誠実に実行されているほか、基本給と定額残業代の金額のバランスが適切であり、その他法定の時間外手当の不払や長時間労働による健康状態の悪化など労働者の福祉を損なう出来事の温床となる要因がない場合に限られる。」とするのが、最高裁判所の判例である。

256 □□□ 易 H29.1-E

休日労働が、8時間を超え、深夜業に該当しない場合の割増賃金は、休日労働と時間外労働の割増率を合算しなければならない。

257 □□□ 難 R4.7-D

労働基準法第37条第3項に基づくいわゆる代替休暇を与えることができる期間は、同法第33条又は同法第36条第1項の規定によって延長して労働させた時間が1か月について60時間を超えた当該1か月の末日の翌日から2か月以内の範囲内で、労使協定で定めた期間とされている。

× **254** 必修基本書 労働科目……77～79p

（平6.5.31基発331号）本肢の場合、「日曜の午前0時から午前3時までの労働は休日労働時間」として計算される。

× **255** 必修基本書……該当ページなし

（最高裁第一小法廷判決 平30.7.19 日本ケミカル事件）法37条や他の労働関係法令が、ある手当の支払によって割増賃金の全部又は一部を支払ったものといえるために、「本肢のような事情が認められることを必須のものとしているとは解されない」。

× **256** 必修基本書 労働科目……77～79p

（平11.3.31基発168号）休日労働が8時間を超え、深夜業に該当しない場合の割増賃金は、「休日労働に係る割増賃金率」である**3割5分**以上の率で計算した額となる。休日労働に係る日においては時間外労働は発生しない。

○ **257** 必修基本書 労働科目……81p

（則19条の2第1項）本肢のとおりである。なお、使用者は、１箇月60時間を超える時間外労働に対する割増賃金の支払に代える有給の休暇（代替休暇）を付与するための協定をする場合には、厚生労働省令で定められた①代替休暇として与えることができる時間の時間数の算定方法、②代替休暇の単位（1日又は半日とする）、③代替休暇を与えることができる期間（時間外労働をさせた時間が1箇月について60時間を超えた当該1箇月の末日の翌日から2箇月以内とする）について協定しなければならない。

258 □□□ 普通　H28.6-A

労働基準法第37条に定める時間外、休日及び深夜の割増賃金を計算するについて、労働基準法施行規則第19条に定める割増賃金の基礎となる賃金の定めに従えば、以下の労働者の労働条件においては、通常の労働時間1時間当たりの賃金額を求める計算式は「300,000円÷（21×7)」となる。

【労働条件】

賃金：基本給のみ　月額300,000円
年間所定労働日数：240日
計算の対象となる月の所定労働日数：21日
計算の対象となる月の暦日数：30日
所定労働時間：午前9時から午後5時まで
休憩時間：正午から1時間

259 □□□ 普通　H28.6-B

労働基準法第37条に定める時間外、休日及び深夜の割増賃金を計算するについて、労働基準法施行規則第19条に定める割増賃金の基礎となる賃金の定めに従えば、以下の労働者の労働条件においては、通常の労働時間1時間当たりの賃金額を求める計算式は「300,000円÷（21×8)」となる。

【労働条件】

賃金：基本給のみ　月額300,000円
年間所定労働日数：240日
計算の対象となる月の所定労働日数：21日
計算の対象となる月の暦日数：30日
所定労働時間：午前9時から午後5時まで
休憩時間：正午から1時間

× **258** 必修基本書……該当ページなし

（則19条）本問の者のように、月によって賃金が定められている場合、割増賃金の基礎となる通常の労働時間1時間当たりの賃金額は、賃金額を月における所定労働時間数（月によって所定労働時間数が異なる場合には、1年間における1月平均所定労働時間数）で除した金額とされている。
本問の場合、年間所定労働日数が240日であり、計算の対象となる月の所定労働日数が21日であることから、月によって所定労働時間数が異なっているのが分かる（21日×12月＝252日≠240日）。
したがって、通常の労働時間1時間当たりの賃金額は、賃金額を1年間における1月平均所定労働時間数で除した金額となることから、その計算式は「300,000円÷（240×7÷12)」となる。

× **259** 必修基本書……該当ページなし

（則19条）本問の者における通常の労働時間1時間当たりの賃金額は、賃金額を1年間における1月平均所定労働時間数で除した金額となることから、その計算式は「300,000円÷(240×7÷12)」となる。

260 □□□ 普通 H28.6-C

労働基準法第37条に定める時間外、休日及び深夜の割増賃金を計算するについて、労働基準法施行規則第19条に定める割増賃金の基礎となる賃金の定めに従えば、以下の労働者の労働条件においては、通常の労働時間1時間当たりの賃金額を求める計算式は「300,000円÷（30÷7×40)」となる。

【労働条件】

賃金：基本給のみ　月額300,000円

年間所定労働日数：240日

計算の対象となる月の所定労働日数：21日

計算の対象となる月の暦日数：30日

所定労働時間：午前9時から午後5時まで

休憩時間：正午から1時間

261 □□□ 普通 H28.6-D

労働基準法第37条に定める時間外、休日及び深夜の割増賃金を計算するについて、労働基準法施行規則第19条に定める割増賃金の基礎となる賃金の定めに従えば、以下の労働者の労働条件においては、通常の労働時間1時間当たりの賃金額を求める計算式は「300,000円÷（240×7÷12)」となる。

【労働条件】

賃金：基本給のみ　月額300,000円

年間所定労働日数：240日

計算の対象となる月の所定労働日数：21日

計算の対象となる月の暦日数：30日

所定労働時間：午前9時から午後5時まで

休憩時間：正午から1時間

× **260** 必修基本書……該当ページなし

(則19条) 本問の者における通常の労働時間1時間当たりの賃金額は、賃金額を1年間における1月平均所定労働時間数で除した金額となることから、その計算式は「300,000円÷(240×7÷12)」となる。なお、日によって定められた賃金の場合における割増賃金の計算の基礎となる「通常の労働時間又は通常の労働日の賃金の計算額」とは、その金額を1日の所定労働時間数（変形労働時間制をとる場合等によって、日によって所定労働時間数が異なる場合には、1週間における1日平均所定労働時間数）で除した金額に時間外労働、休日労働又は深夜労働の時間数を乗じて得た金額とされている。

○ **261** 必修基本書……該当ページなし

(則19条) 本肢のとおりである。なお、週によって定められた賃金の場合における割増賃金の計算の基礎となる「通常の労働時間又は通常の労働日の賃金の計算額」とは、その金額を週における所定労働時間数（週によって所定労働時間数が異なる場合には、4週間における1週間平均所定労働時間数）で除した金額に時間外労働、休日労働又は深夜労働の時間数を乗じて得た金額とされている。

262 □□□ 普通　H28.6-E

労働基準法第37条に定める時間外、休日及び深夜の割増賃金を計算するについて、労働基準法施行規則第19条に定める割増賃金の基礎となる賃金の定めに従えば、以下の労働者の労働条件においては、通常の労働時間1時間当たりの賃金額を求める計算式は「300,000円÷（365÷7×40÷12)」となる。

【労働条件】

賃金：基本給のみ　月額300,000円

年間所定労働日数：240日

計算の対象となる月の所定労働日数：21日

計算の対象となる月の暦日数：30日

所定労働時間：午前9時から午後5時まで

休憩時間：正午から1時間

× **262** 必修基本書……該当ページなし

（則19条）本問の者における通常の労働時間1時間当たりの賃金額は、賃金額を1年間における1月平均所定労働時間数で除した金額となることから、その計算式は「300,000円÷(240×7÷12)」となる。なお、時間によって定められた賃金の場合における割増賃金の計算の基礎となる「通常の労働時間又は通常の労働日の賃金の計算額」とは、その金額に時間外労働、休日労働又は深夜労働の時間数を乗じて得た金額とされている。

⑯ みなし労働時間制

263 □□□ 普通　R6.5-ウ

労働者が情報通信技術を利用して行う事業場外勤務（テレワーク）においては、「情報通信機器が、使用者の指示により常時通信可能な状態におくこととされていないこと」さえ満たせば、労働基準法第38条の2に定めるいわゆる事業場外みなし労働時間制を適用することができる。

264 □□□ 易　R元.6-C

労働基準法第38条の2に定めるいわゆる事業場外労働のみなし労働時間制に関する労使協定で定める時間が法定労働時間以下である場合には、当該労使協定を所轄労働基準監督署長に届け出る必要はない。

265 □□□ 普通　R6.5-エ

使用者は、労働基準法第38条の3に定めるいわゆる専門業務型裁量労働制を適用するに当たっては、当該事業場に、労働者の過半数で組織する労働組合があるときはその労働組合、労働者の過半数で組織する労働組合がないときは労働者の過半数を代表する者との書面による協定により、専門業務型裁量労働制を適用することについて「当該労働者の同意を得なければならないこと及び当該同意をしなかった当該労働者に対して解雇その他不利益な取扱いをしてはならないこと。」を定めなければならない。

266 □□□ 普通　H29.4-A

労働時間等の設定の改善に関する特別措置法第7条により労働時間等設定改善委員会が設置されている事業場においては、その委員の5分の4以上の多数による議決により決議が行われたときは、当該決議を労働基準法第36条に規定する労使協定に代えることができるが、当該決議は、所轄労働基準監督署長への届出は免除されていない。

× **263** 必修基本書……該当ページなし

（令3.3.25基発0325第2号）テレワークにおいて、次の「①及び②のいずれも満たす場合」には、事業場外のみなし労働時間制を適用することができる。
①情報通信機器が、使用者の指示により**常時通信可能な状態**におくこととされていないこと
②随時使用者の具体的な指示に基づいて**業務を行っていないこと**

○ **264** 必修基本書 労働科目……83p

（則24条の2第3項）本肢のとおりである。なお、本肢の労使協定（労働協約である場合を除く）には、有効期間を定めることとされている（則24条の2第2項）。

○ **265** 必修基本書 労働科目……85p

（則24条の2の2第3項）本肢のとおりである。なお、法38条2項に規定する専門業務型裁量労働制に係る届出義務に違反した使用者は、30万円以下の罰金に処せられる（法130条1号）。

○ **266** 必修基本書……該当ページなし

（法36条1項、労働時間設定改善法7条1項）本肢のとおりである。なお、労働時間設定改善委員会の決議のほか、労使委員会の決議を本肢の労使協定に代えることができるが、本肢の労使協定は届出が効力の発生要件となっているため、労働時間設定改善委員会の決議と同様に所轄労働基準監督署長へ届出をする必要がある。

⑰ 労働時間、休息、休日の適用除外

267 □□□ 普通 H27.6-エ

労働基準法第41条第2号により、労働時間等に関する規定が適用除外される「機密の事務を取り扱う者」とは、必ずしも秘密書類を取り扱う者を意味するものでなく、秘書その他職務が経営者又は監督若しくは管理の地位にある者の活動と一体不可分であって、厳格な労働時間管理になじまない者をいう。

268 □□□ 普通 H27.6-オ

医師、看護師の病院での宿直業務は、医療法によって義務づけられるものであるから、労働基準法第41条第3号に定める「監視又は断続的労働に従事する者」として、労働時間等に関する規定の適用はないものとされている。

269 □□□ 普通 R4.3-A

使用者が労働基準法施行規則第23条によって日直を断続的勤務として許可を受けた場合には、時間外及び休日の労働に係る労働基準法第36条第1項の協定がなくとも、休日に日直をさせることができる。

270 □□□ 普通 R6.5-オ

労働基準法第41条の2に定めるいわゆる高度プロフェッショナル制度は、同条に定める委員会の決議が単に行われただけでは足りず、使用者が、厚生労働省令で定めるところにより当該決議を所轄労働基準監督署長に届け出ることによって、この制度を導入することができる。

○ **267** 必修基本書 労働科目……90p

(昭22.9.13発基17号) 本肢のとおりである。労働基準法第41条第2号に規定される「機密の事務を取り扱う者」及び「監督又は監督の地位にある者」は、労働基準監督署長の許可を要せずに、労働時間等に関する規定が適用除外される。

× **268** 必修基本書……該当ページなし

(昭24.3.22基発352号) 医療法によって義務付けられている**医師等の病院での宿直業務**は、法41条3号に定める「監視又は断続的労働に従事する者」として、「**所轄労働基準監督署長の許可**を受ける限り」、労働時間等に関する規定の適用はない。

○ **269** 必修基本書 労働科目……90p

(法41条、則23条) 本肢のとおりである。なお、宿日直勤務に係る許可を受けた場合は、その宿日直の勤務については、**監視又は断続的労働に従事する者**と同様に、労働時間、休憩及び休日に関する規定は適用されない (昭23.1.13基発33号)。

○ **270** 必修基本書 労働科目……92p

(法41条の2第1項) 本肢のとおりである。なお、本肢の高度プロフェッショナル制度の「対象業務」とは、**高度の専門的知識等**を必要とし、その性質上従事した時間と従事して得た成果との**関連性が通常高くない**と認められるものとして厚生労働省令で定める業務 (一定の金融商品開発業務、資産運用業務、新たな技術・商品・役務の研究開発業務など) のうち、労働者に就かせることとする業務をいう (則34条の2第3項)。

⑱ 年次有給休暇

271 □□□ 普通 H28.7-A

休職発令により従来配属されていた所属を離れ、以後は単に会社に籍があるにとどまり、会社に対して全く労働の義務が免除されることとなる場合において、休職発令された者が年次有給休暇を請求したときは、労働義務がない日について年次有給休暇を請求する余地がないことから、これらの休職者は年次有給休暇請求権の行使ができないと解されている。

272 □□□ 易 H28.7-B

全労働日と出勤率を計算するに当たり、法定休日を上回る所定の休日に労働させた場合におけるその日は、全労働日に含まれる。

273 □□□ 普通 R6.6--E

産前産後の女性が労働基準法第65条の規定によって休業した期間及び生理日の就業が著しく困難な女性が同法第68条の規定によって就業しなかった期間は、労働基準法第39条第1項「使用者は、その雇入れの日から起算して6か月間継続勤務し全労働日の8割以上出勤した労働者に対して、継続し、又は分割した10労働日の有給休暇を与えなければならない。」の適用においては、これを出勤したものとみなす。

274 □□□ 易 H28.7-C

年次有給休暇を取得した日は、出勤率の計算においては、出勤したものとして取り扱う。

275 □□□ 普通 R4.7-E

年次有給休暇の権利は、「労基法39条1、2項の要件が充足されることによつて法律上当然に労働者に生ずる権利ということはできず、労働者の請求をまつて始めて生ずるものと解すべき」であり、「年次〔有給〕休暇の成立要件として、労働者による『休暇の請求』や、これに対する使用者の『承認』を要する」とするのが、最高裁判所の判例である。

○ **271** 必修基本書……該当ページなし

(昭24.12.28基発1456号)本肢のとおりである。なお、年次有給休暇の権利は、法39条1項・2項の要件が充足されることによって**法律上当然**に労働者に生ずる権利であって、労働者の請求をまってはじめて生ずるものではない。

× **272** 必修基本書 労働科目……99p

（昭63.3.14基発150号）所定の休日に労働させた場合には、その日は、「全労働日に含まれない」。

× **273** 必修基本書 労働科目……99p

（法39条10項）生理休暇の規定によって就業しなかった期間は、「出勤したものとはみなされない」。その他の記述については正しい。

○ **274** 必修基本書 労働科目……99p

（法39条8項）本肢のとおりである。なお、以下の期間については、付与要件とされる8割以上出勤の算定においては、出勤したものとみなされる。

- ・**業務上**負傷し、又は疾病にかかり療養のために休業した期間
- ・育児介護休業法の規定による**育児休業又は介護休業**をした期間
- ・**産前産後**の女性が法65条の規定によって休業した期間（実際の出産日が出産予定日より遅れたことにより産前6週間を超えた期間も含まれる）
- ・**年次有給休暇**を取得した日

× **275** 必修基本書 労働科目……98～99p

（最高裁第二小法廷判決 昭48.3.2 白石営林署事件）年次有給休暇の権利は、法39条1項及び2項の要件が充足されることによって「法律上当然に労働者に生ずる権利であって、労働者の請求をまって初めて生ずるものではない」ため、年次有給休暇の成立要件として、「労働者による休暇の請求や、これに対する使用者の承認の観念を容れる余地はない」。

276 □□□ 普通 R元.6-E

労働基準法第39条に定める年次有給休暇は、1労働日（暦日）単位で付与するのが原則であるが、半日単位による付与については、年次有給休暇の取得促進の観点から、労働者がその取得を希望して時季を指定し、これに使用者が同意した場合であって、本来の取得方法による休暇取得の阻害とならない範囲で適切に運用されている場合には認められる。

277 □□□ 普通 R6.6-A

月曜日から金曜日まで1日の所定労働時間が4時間の週5日労働で、1週間の所定労働時間が20時間である労働者が、雇入れの日から起算して6か月間継続勤務し全労働日の8割以上出勤した場合に労働基準法第39条の規定により当該労働者に付与される年次有給休暇は、5労働日である。

278 □□□ 普通 R6.6-B

月曜日から木曜日まで1日の所定労働時間が8時間の週4日労働で、1週間の所定労働時間が32時間である労働者が、雇入れの日から起算して6か月間継続勤務し全労働日の8割以上出勤した場合に労働基準法第39条の規定により当該労働者に付与される年次有給休暇は、次の計算式により7労働日である。

〔計算式〕 10日×4日／5.2日≒7.69日 端数を切り捨てて7日

279 □□□ 易 R3.2-E

労働基準法第39条に従って、労働者が日を単位とする有給休暇を請求したとき、使用者は時季変更権を行使して、日単位による取得の請求を時間単位に変更することができる。

280 □□□ 普通 H28.7-D

育児介護休業法に基づく育児休業申出後には、育児休業期間中の日について年次有給休暇を請求する余地はないが、育児休業申出前に育児休業期間中の日について時季指定や労使協定に基づく計画付与が行われた場合には、当該日には年次有給休暇を取得したものと解され、当該日に係る賃金支払日については、使用者に所要の賃金支払いの義務が生じるものとされている。

○ **276** 必修基本書……該当ページなし

（平21.5.29基発0529001号）本肢のとおりである。なお、年次有給休暇の権利の時効については、**2**年とされており、年次有給休暇が発生した年度内にその権利を行使しなかった日数については、翌年度に当該日数が繰り越される（昭22.12.15基発501号）。

× **277** 必修基本書 労働科目……97、101p

（法39条1項・3項、則24条の3第4項）週によって所定労働時間数が定められている場合、週の所定労働時間が30時間未満かつ週の所定労働日数が4日以下の場合に年次有給休暇の比例付与の対象となる。本肢の者の週の所定労働日数は5日であるため、比例付与の対象とならない。したがって、本肢の労働者に付与される年次有給休暇の日数は「10労働日」である。

× **278** 必修基本書 労働科目……97、101p

（法39条1項・3項、則24条の3第1項）週によって所定労働時間数が定められている場合、週の所定労働時間が30時間未満かつ週の所定労働日数が4日以下の場合に年次有給休暇の比例付与の対象となる。本肢の者の週の所定労働時間は32時間（＝8時間×4日）であるため、比例付与の対象とならない。したがって、本肢の労働者に付与される年次有給休暇の日数は「10労働日」である。

× **279** 必修基本書 労働科目……103p

（平21.5.29基発0529001号）日単位による年次有給休暇の取得を請求した場合に時間単位に変更することは「時季変更に当たらず、認められない」。

○ **280** 必修基本書 労働科目……103p

（平3.12.20基発712号）本肢のとおりである。なお、育児休業申出後の期間に限らず、年次有給休暇は、**労働義務**の免除を受けるものであるから、休日その他**労働義務**の課せられていない日については、これを行使する余地がない。

281 □□□ 易 R5.7-D

労働基準法第39条第5項ただし書にいう「事業の正常な運営を妨げる場合」か否かの判断に当たり、勤務割による勤務体制がとられている事業場において、「使用者としての通常の配慮をすれば、勤務割を変更して代替勤務者を配置することが客観的に可能な状況にあると認められるにもかかわらず、使用者がそのための配慮をしないことにより代替勤務者が配置されないときは、必要配置人員を欠くものとして事業の正常な運営を妨げる場合に当たるということはできないと解するのが相当である。」とするのが、最高裁判所の判例である。

282 □□□ 難 H28.7-E

所定労働時間が年の途中で1日8時間から4時間に変更になった。この時、変更前に年次有給休暇の残余が10日と5時間の労働者であった場合、当該労働者が変更後に取得できる年次有給休暇について、日数の10日は変更にならないが、時間数の方は5時間から3時間に変更される。

283 □□□ 普通 R6.6-C

令和6年4月1日入社と同時に10労働日の年次有給休暇を労働者に付与した使用者は、このうち5日については、令和7年9月30日までに時季を定めることにより与えなければならない。

284 □□□ 普通 R2.6-E

使用者は、労働基準法第39条第7項の規定により労働者に有給休暇を時季を定めることにより与えるに当たっては、あらかじめ、同項の規定により当該有給休暇を与えることを当該労働者に明らかにした上で、その時季について当該労働者の意見を聴かなければならず、これにより聴取した意見を尊重するよう努めなければならない。

○ **281** 必修基本書……該当ページなし

（最高裁第二小法廷判決 昭62.7.10 弘前電報電話局事件）本肢のとおりである。なお、本肢の「事業の正常な運営を妨げる場合」であるか否かは当該労働者の所属する事業場を基準として、事業の規模、内容、当該労働者の担当する作業の内容、性質、作業の繁閑、代行者の配置の難易、労働慣行等諸般の事情を考慮して客観的に判断すべきものとされている。

○ **282** 必修基本書……該当ページなし

（平21.10.5基発1005第1号）本肢のとおりである。年次有給休暇を時間単位で保有している労働者について、所定労働時間数の変更があった場合、保有している**年次有給休暇の日数に変更はない**が、保有している**時間単位年休の時間数**は、当該労働者の**1日の所定労働時間の変動に比例して変更**される（変更後の時間に1時間未満の端数が生じたときは、これを1時間に切り上げる）。本肢の場合、所定労働時間が8時間から4時間に変更されており、この変更の比率は、50％（＝4時間/8時間）である。したがって、5時間×50％＝2.5時間→3時間（1時間未満端数切上）となるため、年次有給休暇の残余は10日と3時間へと変更される。

× **283** 必修基本書 労働科目……105p

（法39条7項、則24条の5第1項）雇入れから6箇月経過日よりも前に10労働日以上の年次有給休暇を与えることとした場合、使用者による時季指定を行うべき期間は、当該10労働日以上の年次有給休暇を与えることとした日（令和6年4月1日）から1年以内となる。したがって、本肢の場合、「令和7年3月31日」までに使用者による時季指定により年次有給休暇を与えなければならない。

○ **284** 必修基本書 労働科目……105p

（則24条の6）本肢のとおりである。なお、使用者は、労働者による時季指定、計画的付与及び使用者による時季指定付与により有給休暇を与えたときは、時季、日数及び基準日を労働者ごとに明らかにした書類（「**年次有給休暇管理簿**」という）を作成し、当該有給休暇を与えた期間中及び当該期間の満了後**5**年間（当分の間**3**年間）保存しなければならない（則24条の7第1項）。

285 □□□ 普通 R6.6-D

使用者の時季指定による年5日以上の年次有給休暇の取得について、労働者が半日単位で年次有給休暇を取得した日数分については、労働基準法第39条第8項の「日数」に含まれ、当該日数分について使用者は時季指定を要しないが、労働者が時間単位で取得した分については、同項の「日数」には含まれないとされている。

○ **285** 必修基本書 労働科目……106p

（平30.12.28基発1228第15号）本肢のとおりである。なお、前年度からの繰越分の年次有給休暇を取得した日数分は、法39条7項における使用者が時季指定すべき5日の年次有給休暇の日数から控除される（法39条7項）。

⑲ 年少者

286 □□□ 易　H29.7-A

労働基準法第56条第1項は、「使用者は、児童が満15歳に達するまで、これを使用してはならない。」と定めている。

287 □□□ 易　H29.7-B

使用者は、児童の年齢を証明する戸籍証明書を事業場に備え付けることを条件として、満13歳以上15歳未満の児童を使用することができる。

288 □□□ 普通　H30.1-エ

使用者は、労働基準法第56条第1項に定める最低年齢を満たした者であっても、満18歳に満たない者には、労働基準法第36条の協定によって時間外労働を行わせることはできないが、同法第33条の定めに従い、災害等による臨時の必要がある場合に時間外労働を行わせることは禁止されていない。

289 □□□ 普通　R3.5-C

労働基準法第33条では、災害その他避けることのできない事由によって、臨時の必要がある場合においては、使用者は、所轄労働基準監督署長の許可を受けて、その必要の限度において同法第32条から第32条の5まで又は第40条の労働時間を延長し、労働させることができる旨規定されているが、満18才に満たない者については、同法第33条の規定は適用されない。

290 □□□ 普通　H29.7-C

労働基準法第56条第2項の規定によって使用する児童の法定労働時間は、修学時間を通算して1週間について40時間、及び修学時間を通算して1日について7時間とされている。

291 □□□ 普通　R5.3-E

年少者の、深夜業に関する労働基準法第61条の「使用してはならない」、危険有害業務の就業制限に関する同法第62条の「業務に就かせてはならない」及び坑内労働の禁止に関する同法第63条の「労働させてはならない」は、それぞれ表現が異なっているが、すべて現実に労働させることを禁止する趣旨である。

× **286** 必修基本書 労働科目……109p

(法56条1項) 使用者は、児童が「満**15**歳に達した日以後の最初の3月31日が終了するまで」、これを使用してはならない。

× **287** 必修基本書 労働科目……110～111p

(法57条) 使用者は、次に掲げる書類を事業場に備え付けることによって、満13歳以上満**15**歳未満の児童を使用することができる。

①その年齢を証明する**戸籍証明書**
②修学に差し支えないことを証明する**学校長**の証明書
③**親権者**又は**後見人**の同意書

○ **288** 必修基本書 労働科目……111p

(法60条1項) 本肢のとおりである。なお、本肢の者については、**変形労働時間制**及び**特定高度専門業務・成果型労働制による労働時間、休憩、休日及び深夜の割増賃金の規定の除外**等について、適用されない。

× **289** 必修基本書 労働科目……113p

(法60条1項) 災害等により臨時の必要がある場合の時間外労働の規定は、満18歳に満たない者についても「適用される」。

○ **290** 必修基本書 労働科目……112p

(法60条2項) 本肢のとおりである。なお、本肢の修学時間とは、「当該日の授業開始時刻から同日の最終授業終了時刻までの時間から休憩時間(昼食時間を含む)を除いた時間」をいう(昭63.3.14基発150号)。

○ **291** 必修基本書 労働科目……113～115p

(昭23.5.18基収1625号) 本肢のとおりである。なお、使用者は、満18歳に満たない者を午後10時から午前5時までの間において使用してはならない。ただし、交替制によって使用する満16歳以上の男性については、この限りでない(法61条1項)。

⑳ 妊産婦等

292 □□□ 易 R5.3-A

年少者を坑内で労働させてはならないが、年少者でなくても、妊娠中の女性及び坑内で行われる業務に従事しない旨を使用者に申し出た女性については、坑内で行われるすべての業務に就かせてはならない。

293 □□□ 難 R2.3-A

使用者は、女性を、30キログラム以上の重量物を取り扱う業務に就かせてはならない。

294 □□□ 難 R2.3-B

使用者は、女性を、さく岩機、鋲打機等身体に著しい振動を与える機械器具を用いて行う業務に就かせてはならない。

295 □□□ 難 R2.3-C

使用者は、妊娠中の女性を、つり上げ荷重が5トン以上のクレーンの運転の業務に就かせてはならない。

296 □□□ 難 R2.3-D

使用者は、産後1年を経過しない（労働基準法第65条による休業期間を除く。）女性を、高さが5メートル以上の場所で、墜落により労働者が危害を受けるおそれのあるところにおける業務に就かせてもよい。

297 □□□ 難 R2.3-E

使用者は、産後1年を経過しない女性が、動力により駆動される土木建築用機械の運転の業務に従事しない旨を使用者に申し出た場合、その女性を当該業務に就かせてはならない。

298 □□□ 易 R3.6-A

労働基準法第65条の「出産」の範囲は、妊娠4か月以上の分娩をいうが、1か月は28日として計算するので、4か月以上というのは、85日以上ということになる。

× **292** 必修基本書 労働科目……115、117～118p

（法63条、法64条の2）使用者は、妊娠中の女性及び坑内で行われる業務に従事しない旨を使用者に申し出た「産後1年を経過しない女性」については、坑内で行われるすべての業務に就かせてはならない。なお、使用者は、満18歳に満たない者を坑内で労働させてはならない。

○ **293** 必修基本書……該当ページなし

（法64条の3第1項・2項、女性労働基準規則2条1項1号、同規則3条）本肢のとおりである。なお、使用者が女性を就かせてはならない業務の1つとして、ボイラーの溶接の業務がある（女性労働基準規則2条1項2号、同規則3条）。

× **294** 必修基本書……該当ページなし

（法64条の3第1項・2項、女性労働基準規則2条1項24号、同条2項、同規則3条）使用者は、本肢の業務に妊産婦（妊娠中の女性及び産後1年を経過しない女性）を就かせてはならないが、「妊産婦以外の女性を就かせることはできる」。

○ **295** 必修基本書……該当ページなし

（法64条の3第1項、女性労働基準規則2条1項4号）本肢のとおりである。

○ **296** 必修基本書……該当ページなし

（法64条の3第1項、女性労働基準規則2条2項）本肢のとおりである。なお、使用者が産後1年を経過しない（労働基準法第65条による休業期間を除く。）女性を就かせてよい業務の1つとして、土砂が崩壊するおそれのある場所又は深さが5メートル以上の地穴における業務がある（女性労働基準規則2条1項13号、同規則3条）。

○ **297** 必修基本書……該当ページなし

（法64条の3第1項、女性労働基準規則2条1項7号、同条2項）本肢のとおりである。なお、使用者は、産後1年を経過しない女性が、機械集材装置、運材索道等を用いて行う木材の搬出の業務に従事しない旨を使用者に申し出た場合、その女性を当該業務に就かせてはならない。

○ **298** 必修基本書 労働科目……118p

（昭23.12.23基発1885号）本肢のとおりである。

299 □□□ 易 R3.6-B

労働基準法第65条の「出産」の範囲に妊娠中絶が含まれることはない。

300 □□□ 易 R5.3-B

女性労働者が妊娠中絶を行った場合、産前6週間の休業の問題は発生しないが、妊娠4か月（1か月28日として計算する。）以後行った場合には、産後の休業について定めた労働基準法第65条第2項の適用がある。

301 □□□ 普通 R3.6-C

使用者は、産後8週間（女性が請求した場合において、その者について医師が支障がないと認めた業務に就かせる場合は6週間）を経過しない女性を就業させてはならないが、出産当日は、産前6週間に含まれる。

302 □□□ 普通 R3.6-D

6週間（多胎妊娠の場合にあっては、14週間）以内に出産する予定の女性労働者については、当該女性労働者の請求が産前の休業の条件となっているので、当該女性労働者の請求がなければ、労働基準法第65条第1項による就業禁止に該当しない。

303 □□□ 普通 R3.6-E

労働基準法第65条第3項は原則として妊娠中の女性が請求した業務に転換させる趣旨であるが、新たに軽易な業務を創設して与える義務まで課したものではない。

304 □□□ 普通 H29.7-D

使用者は、すべての妊産婦について、時間外労働、休日労働又は深夜業をさせてはならない。

305 □□□ 易 R元.2-B

1か月単位の変形労働時間制は、満18歳に満たない者及びその適用除外を請求した育児を行う者については適用しない。

× **299** 必修基本書 労働科目……118p

(昭26.4.2婦発113号) 妊娠4箇月以後の妊娠中絶も「出産」に含まれる。

○ **300** 必修基本書 労働科目……118p

(昭26.4.2婦発113号) 本肢のとおりである。なお、産前6週間の期間は、自然の出産予定日を基準として計算し、産後8週間は、現実の出産日を基準として計算する。

○ **301** 必修基本書 労働科目……118p

(法65条2項、昭25.3.31基収4057号) 本肢のとおりである。産前の休業については、所定の女性の請求が条件となっており、当該女性の請求がなければ法65条1項による就業禁止には該当しない。

○ **302** 必修基本書 労働科目……118p

(法65条1項) 本肢のとおりである。なお、本肢の規定に違反した使用者は、**6**箇月以下の懲役又は**30**万円以下の罰金に処される(法119条1号)。

○ **303** 必修基本書 労働科目……119p

(昭61.3.20基発151号、婦発69号) 本肢のとおりである。

× **304** 必修基本書 労働科目……120p

(法66条2項・3項) 使用者は、「妊産婦が請求した場合」においては、時間外労働、休日労働又は深夜労働をさせてはならない。したがって、請求していない妊産婦については、使用者は、時間外労働、休日労働又は深夜業をさせることができる。

× **305** 必修基本書 労働科目……112、120p

(法60条、法66条) 育児を行う者については、その者が適用除外を請求した妊産婦でない限り、1か月単位の変形労働時間制の下で労働させることができる。なお、満18歳に満たない者について1か月単位の変形労働時間制が適用されないとする記述は正しい。

306 □□□ 普通　R5.3-D

災害等による臨時の必要がある場合の時間外労働等を規定した労働基準法第33条第1項は年少者にも適用されるが、妊産婦が請求した場合においては、同項を適用して時間外労働等をさせることはできない。

307 □□□ 普通　R3.5-D

労働基準法第32条又は第40条に定める労働時間の規定は、事業の種類にかかわらず監督又は管理の地位にある者には適用されないが、当該者が妊産婦であって、前記の労働時間に関する規定を適用するよう当該者から請求があった場合は、当該請求のあった規定については適用される。

308 □□□ 普通　H29.7-E

使用者は、生理日の就業が著しく困難な女性が休暇を請求したときは、その者を生理日に就業させてはならないが、請求にあたっては医師の診断書が必要とされている。

○ **306** 必修基本書 労働科目……113､120p

(法60条1項、法66条2項) 本肢のとおりである。なお、法41条 (労働時間等に関する規定の適用除外) は年少者にも適用されるため、例えば農業・水産業・畜産業・養蚕業や行政官庁の許可を受けて監視又は断続的労働に従事する場合等には、年少者であっても労働時間、休憩及び休日の規定の適用が除外される。

× **307** 必修基本書 労働科目……120p

(法41条) 管理監督者については労働時間に関する規定が適用されないため、請求の有無にかかわらず、妊産婦である管理監督者についても労働時間に関する規定は適用されない。

× **308** 必修基本書……該当ページなし

生理休暇の取得については、原則として、特別の証明がなくても女性労働者の請求があった場合には、これを与えることにし、特に証明を求める必要が認められる場合であっても、「医師の診断書のような厳格な証明を求めることなく」、一応事実を推断せしめるに足れば充分であるから、例えば、同僚の証言程度の簡単な証明であってもよいとされている。本肢前段の記述は正しい (法68条、昭23.5.5基発682号)。

21 就業規則

309 □□□ 普通 R2.7-D

1つの企業が2つの工場をもっており、いずれの工場も、使用している労働者は10人未満であるが、2つの工場を合わせて1つの企業としてみたときは10人以上となる場合、2つの工場がそれぞれ独立した事業場と考えられる場合でも、使用者は就業規則の作成義務を負う。

310 □□□ 易 R元.7-A

労働基準法第89条に定める「常時10人以上の労働者」の算定において、1週間の所定労働時間が20時間未満の労働者は0.5人として換算するものとされている。

311 □□□ 普通 H27.7-A

労働基準法上就業規則の作成義務のない、常時10人未満の労働者を使用する使用者が作成した就業規則についても、労働基準法にいう「就業規則」として、同法第91条（制裁規定の制限）、第92条（法令及び労働協約との関係）及び第93条（労働契約との関係）の規定は適用があると解されている。

312 □□□ 普通 R6.7-C

同一事業場において、労働基準法第3条に反しない限りにおいて、一部の労働者についてのみ適用される別個の就業規則を作成することは差し支えないが、別個の就業規則を定めた場合には、当該2以上の就業規則を合したものが同法第89条の就業規則となるのであって、それぞれ単独に同条の就業規則となるものではないとされている。

313 □□□ 普通 H30.7-A

同一事業場において、パートタイム労働者について別個の就業規則を作成する場合、就業規則の本則とパートタイム労働者についての就業規則は、それぞれ単独で労働基準法第89条の就業規則となるため、パートタイム労働者に対して同法第90条の意見聴取を行う場合、パートタイム労働者についての就業規則についてのみ行えば足りる。

314 □□□ 普通 R2.7-C

派遣元の使用者は、派遣中の労働者だけでは常時10人以上にならず、それ以外の労働者を合わせてはじめて常時10人以上になるときは、労働基準法第89条による就業規則の作成義務を負わない。

× **309** 必修基本書 労働科目……125p

（法89条）2つの事業場がそれぞれ独立した事業場と考えられる場合は、それぞれの事業場において常時10人以上の労働者を使用しているか否かによって就業規則の作成義務の有無を判断する。したがって、本肢の場合、独立したそれぞれの工場においては、常時10人未満の労働者しか使用していないので、いずれの工場においても、使用者は、就業規則の「作成義務は負わない」。

× **310** 必修基本書 労働科目……125p

（法89条）本肢のような規定はない。常態として10人以上の労働者を使用していれば「常時10人以上の労働者を使用する使用者」に該当する。

○ **311** 必修基本書……該当ページなし

（法91条）本肢のとおりである。なお、法89条（就業規則の作成）にある「常時10人以上の労働者」とは、事業場におけるパートタイマー、アルバイト等を含めたすべての労働者の数が常態として10人以上であることをいう。

○ **312** 必修基本書 労働科目……125p

（平11.3.31基発168号）本肢のとおりである。なお、本肢の就業規則とは、労働者の就業上遵守すべき規律及び労働条件に関する具体的細目について定めた規則類の総称である。

× **313** 必修基本書 労働科目……125p

（平11.3.31基発168号）パートタイム労働者について別個の就業規則を定めた場合、当該別個の就業規則と本則たる就業規則を「合わせたものが法89条の就業規則となる」ため、これらの就業規則を合わせたものについて、意見聴取を行う必要がある。

× **314** 必修基本書 労働科目……125p

（昭61.6.6基発333号）派遣元の使用者は、派遣中の労働者とそれ以外の労働者とを合わせて常時10人以上となるときは、「就業規則の作成義務を負う」。

315 □□□ 普通　H28.5-A

労働基準法第89条所定の事項を個々の労働契約書に網羅して記載すれば、使用者は、別途に就業規則を作成していなくても、本条に規定する就業規則の作成義務を果たしたものとなる。

316 □□□ 普通　H30.7-B

就業規則の記載事項として、労働基準法第89条第1号にあげられている「休暇」には、育児介護休業法による育児休業も含まれるが、育児休業の対象となる労働者の範囲、育児休業取得に必要な手続、休業期間については、育児介護休業法の定めるところにより育児休業を与える旨の定めがあれば記載義務は満たしている。

317 □□□ 普通　R6.7-D

育児介護休業法による育児休業も、労働基準法第89条第1号の休暇に含まれるものであり、育児休業の対象となる労働者の範囲等の付与要件、育児休業取得に必要な手続、休業期間については、就業規則に記載する必要があるとされている。

318 □□□ 普通　H30.7-C

常時10人以上の労働者を使用する使用者は、就業規則に制裁の定めをする場合においては、その種類及び程度に関する事項を必ず記載しなければならず、制裁を定めない場合にはその旨を必ず記載しなければならない。

319 □□□ 易　R3.7-B

欠勤（病気事故）したときに、その日を労働者の請求により年次有給休暇に振り替える取扱いが制度として確立している場合には、当該取扱いについて就業規則に規定する必要はない。

320 □□□ 普通　R3.7-A

労働基準法第89条第1号から第3号までの絶対的必要記載事項の一部を記載しない就業規則も、その効力発生についての他の要件を具備する限り有効であり、使用者は、そのような就業規則を作成し届け出れば同条違反の責任を免れることができるが、行政官庁は、このような場合においては、使用者に対し、必要な助言及び指導を行わなければならない。

× **315** 必修基本書……該当ページなし

（法89条ほか）法89条所定の事項を個々の労働契約書に網羅して記載した場合であっても、「就業規則の作成義務を果たしたこととはならない」。

○ **316** 必修基本書 労働科目……126p

（法89条、平11.3.31基発168号）本肢のとおりである。なお、本肢の「休暇」については、就業規則に必ず記載しなければならない**絶対的必要記載事項**とされている。

○ **317** 必修基本書 労働科目……126p

（平11.3.31基発168号）本肢のとおりである。なお、就業規則の絶対的必要記載事項の「休暇」には、育児介護休業法に規定する育児休業のほか、介護休業、子の**看護休暇**及び**介護休暇**も含まれるため、これらの事項については、就業規則に記載する必要がある。

× **318** 必修基本書 労働科目……126p

（法89条）「制裁の定め」は、「**相対的必要記載事項**」であるため、制裁の定めをしない場合においては、その旨を記載する必要はない。

× **319** 必修基本書 労働科目……126p

（昭63.3.14基発150号）本肢の場合、本肢の取扱いを就業規則に規定することが必要である。

× **320** 必修基本書……該当ページなし

（平11.3.31基発168号）絶対的必要記載事項の一部を欠く就業規則も、その効力発生についての他の要件を具備する限り有効であるが、このような就業規則を作成して届け出ても就業規則の作成及び届出を定めた法89条「違反の責任は免れない」。

321 □□□ 普通 R6.7-A

労働基準法第89条第1号から第3号までの絶対的必要記載事項の一部が記載されていない就業規則は他の要件を具備していても無効とされている。

322 □□□ 普通 H27.7-B

労働基準法第89条が使用者に就業規則への記載を義務づけている事項以外の事項を、使用者が就業規則に自由に記載することは、労働者にその同意なく労働契約上の義務を課すことにつながりかねないため、使用者が任意に就業規則に記載した事項については、就業規則の労働契約に対するいわゆる最低基準効は認められない。

323 □□□ 普通 H28.5-B

労働基準法第41条第3号に定める「監視又は断続的労働に従事する者で、使用者が行政官庁の許可を受けたもの」については、労働基準法の労働時間、休憩及び休日に関する規定が適用されないから、就業規則に始業及び終業の時刻を定める必要はない。

324 □□□ 普通 R6.7-E

労働基準法第41条第3号の「監視又は断続的労働に従事する者で、使用者が行政官庁の許可を受けたもの」は、同法の労働時間に関する規定が適用されないが、就業規則には始業及び終業の時刻を定めなければならないとされている。

325 □□□ 普通 H28.5-C

退職手当制度を設ける場合には、適用される労働者の範囲、退職手当の決定、計算及び支払の方法、退職手当の支払の時期に関する事項について就業規則に規定しておかなければならないが、退職手当について不支給事由又は減額事由を設ける場合に、これらを就業規則に記載しておく必要はない。

326 □□□ 普通 R元.7-E

同一事業場において、労働者の勤務態様、職種等によって始業及び終業の時刻が異なる場合は、就業規則には、例えば「労働時間は1日8時間とする」と労働時間だけ定めることで差し支えない。

× **321** 必修基本書……該当ページなし

（平11.3.31基発168号）絶対的必要記載事項の一部が記載されていない就業規則も、その効力発生についての他の要件を具備する限り、「有効」である。

× **322** 必修基本書……該当ページなし

（法89条、労働契約法12条）いわゆる任意的記載事項についても労働契約法12条（就業規則違反の労働契約）の適用があり、最低基準効が認められる。

× **323** 必修基本書 労働科目……126p

（法89条、昭23.12.25基収4281号）本肢のように、法の労働時間、休憩及び休日の規定が適用されない者に適用される就業規則についても、絶対的必要記載事項である「始業及び終業の時刻を記載する必要がある」。

○ **324** 必修基本書……該当ページなし

（昭23.12.25基収4281号）本肢のとおりである。なお、本肢の「監視に従事する者」は、原則として、一定部署にあって監視するのを本来の業務とし、常態として身体又は精神的緊張の少ない者について法41条（労働時間、休憩及び休日に関する規定の適用除外者）に係る許可をすることとされている（昭22.9.13発基17号、昭63.3.14基発150号ほか）。

× **325** 必修基本書 労働科目……126p

（法89条、昭63.1.1基発1号）退職手当についての不支給事由又は減額事由は、退職手当の決定及び計算の方法に関する事項に該当するため、これらの事由を設ける場合は、「就業規則に記載する必要がある」。本肢前段の記述は正しい。

× **326** 必修基本書……該当ページなし

（平11.3.31基発168号）始業及び終業の時刻が勤務態様、職種等によって異なる場合には、原則として、「それぞれの勤務態様、職種等ごとに始業及び終業の時刻を就業規則に規定しなければならない」。

327 □□□ 難　R2.7-A

慣習等により、労働条件の決定変更につき労働組合との協議を必要とする場合は、その旨を必ず就業規則に記載しなければならない。

328 □□□ 普通　R2.7-B

労働基準法第90条に定める就業規則の作成又は変更の際の意見聴取について、労働組合が故意に意見を表明しない場合又は意見書に労働者を代表する者の氏名を記載しない場合には、意見を聴いたことが客観的に証明できる限り、行政官庁（所轄労働基準監督署長）は、就業規則を受理するよう取り扱うものとされている。

329 □□□ 易　R元.7-C

就業規則の作成又は変更について、使用者は、当該事業場の労働者の過半数で組織する労働組合がある場合においてはその労働組合、それがない場合には労働者の過半数を代表する者と協議決定することが要求されている。

330 □□□ 普通　R3.7-C

同一事業場において当該事業場の全労働者の3割について適用される就業規則を別に作成する場合、当該事業場において当該就業規則の適用を受ける労働者のみの過半数で組織する労働組合又は当該就業規則の適用を受ける労働者のみの過半数を代表する者の意見を聴くことで、労働基準法第90条による意見聴取を行ったこととされる。

331 □□□ 普通　H27.7-C

労働基準法第90条第1項が、就業規則の作成又は変更について、当該事業場の過半数労働組合、それがない場合においては労働者の過半数を代表する者の意見を聴くことを使用者に義務づけた趣旨は、使用者が一方的に作成・変更しうる就業規則に労働者の団体的意思を反映させ、就業規則を合理的なものにしようとすることにある。

× **327** 必修基本書……該当ページなし

(昭23.10.30基発1575号) 労働条件の決定変更につき労働組合の同意を必要とする慣習について、就業規則に記載するかどうかは「当事者の自由」とされている。

○ **328** 必修基本書……該当ページなし

(昭23.10.30基発1575号) 本肢のとおりである。なお、法90条 (就業規則の作成の手続) の「労働組合の意見を聴かなければならない」というのは、労働組合との協議決定を要求するものではなく、就業規則についての労働組合の意見を聴けば労働基準法の違反とはならない趣旨である (昭25.3.15基収525号)。

× **329** 必修基本書 労働科目……126～127p

(法90条1項) 使用者は、就業規則の作成又は変更について、当該事業場に、労働者の過半数で組織する労働組合がある場合においてはその労働組合、労働者の過半数で組織する労働組合がない場合においては労働者の過半数を代表する者の「意見を聴かなければならない」。

× **330** 必修基本書 労働科目……127p

(昭63.3.14基発150号) 一部の労働者に適用される就業規則も当該事業場の就業規則の一部分であるから、その作成又は変更に際しては、当該事業場の「全労働者」の過半数で組織する労働組合又は「全労働者」の過半数を代表する者の意見を聴かなければならない。

○ **331** 必修基本書 労働科目……126p

(法90条1項ほか) 本肢のとおりである。就業規則の作成又は変更については、過半数労働組合又は過半数代表者の意見を聴くことのみで足り、同意を得ることは必要とされておらず、例えば就業規則に添付した意見書の内容が、当該就業規則に全面的に反対するものであると、特定部分に関して反対するものであるとを問わず、又その反対理由の如何を問わず、その効力の発生についての他の要件を具備する限り、就業規則の効力には影響がない (昭24.3.28基発373号)。

332 □□□ 難 H27.7-D

労働基準法第90条第2項は、就業規則の行政官庁への届出の際に、当該事業場の過半数労働組合、それがない場合においては労働者の過半数を代表する者の意見を記した書面を添付することを使用者に義務づけているが、過半数労働組合もしくは過半数代表者が故意に意見を表明しない場合又は意見書にその者の氏名を記載しない場合は、意見を聴いたことが客観的に証明できる限り、これを受理するよう取り扱うものとされている。

333 □□□ 普通 R3.7-E

労働基準法第91条にいう「一賃金支払期における賃金の総額」とは、「当該賃金支払期に対し現実に支払われる賃金の総額」をいい、一賃金支払期に支払われるべき賃金の総額が欠勤や遅刻等により少額となったときは、その少額となった賃金総額を基礎として10分の1を計算しなければならない。

334 □□□ 普通 H28.5-D

服務規律違反に対する制裁として一定期間出勤を停止する場合、当該出勤停止期間中の賃金を支給しないことは、減給制限に関する労働基準法第91条違反となる。

335 □□□ 普通 R2.7-E

労働者が、遅刻・早退をした場合、その時間に対する賃金額を減給する際も労働基準法第91条による制限を受ける。

336 □□□ 普通 R元.7-D

就業規則中に、懲戒処分を受けた場合には昇給させない旨の欠格条件を定めることは、労働基準法第91条に違反するものとして許されない。

337 □□□ 普通 R3.7-D

就業規則中に懲戒処分を受けた場合は昇給させないという欠格条件を定めることは、労働基準法第91条に違反する。

○ **332** 必修基本書……該当ページなし

(昭23.5.11基発735号) 本肢のとおりである。

○ **333** 必修基本書 労働科目……127～128p

(昭25.9.8基収1338号)本肢のとおりである。なお、賞与も賃金であることから、法92条に規定による制裁として賞与から減額をすることについては、同条の規定が適用される（昭63.3.14基発第150号)。

× **334** 必修基本書 労働科目……127～128p

(昭23.7.3基収2177号) 制裁としての出勤停止により、その出勤停止中の賃金の支払を受けることができないことは、**制裁としての出勤停止の当然の結果**であって、通常の額以下の賃金を支給することを定める法91条の「**減給の制裁**に該当しない」。

× **335** 必修基本書 労働科目……127～128p

(昭63.3.14基発150号) 遅刻、早退をした場合のその時間について賃金を支払わないことは、減給の制裁に該当しないため、法91条の「減給の制裁の制限は受けない」。

× **336** 必修基本書 労働科目……127～128p

(昭26.3.31基収938号) 就業規則中に、懲戒処分を受けた場合には昇給させない旨の欠格条件を定めることは、制裁規定の制限を定めた法91条の「制裁に該当しない」ため、法91条に違反しない。

× **337** 必修基本書 労働科目……127～128p

(昭26.3.31基収938号) 懲戒処分を受けた場合には昇給させないという就業規則中の規定は、「減給の制裁に該当しない」。したがって、本肢のような欠格条件を定めても減給の制裁の制限を定めた法91条に違反しない。

338 □□□ 難 H27.7-E

労働基準法第92条第1項は、就業規則は、法令又は当該事業場について適用される労働協約に反してはならないと規定しているが、当該事業場の労働者の一部しか労働組合に加入していない結果、労働協約の適用がその事業場の一部の労働者に限られているときには、就業規則の内容が労働協約の内容に反する場合においても、当該労働協約が適用されない労働者については、就業規則の規定がそのまま適用されることになる。

339 □□□ 普通 H30.7-E

都道府県労働局長は、法令又は労働協約に抵触する就業規則を定めている使用者に対し、必要な助言、指導又は勧告をすることができ、勧告をした場合において、その勧告を受けた者がこれに従わなかったときは、その旨を公表することができる。

340 □□□ 普通 H28.5-E

行政官庁が、法令又は労働協約に抵触する就業規則の変更を命じても、それだけで就業規則が変更されたこととはならず、使用者によって所要の変更手続がとられてはじめて就業規則が変更されたこととなる。

341 □□□ 普通 H27.6-ウ

労働基準法第32条の労働時間を延長して労働させることにつき、使用者が、当該事業場の労働者の過半数で組織する労働組合等と書面による協定（いわゆる36協定）を締結し、これを所轄労働基準監督署長に届け出た場合において、使用者が当該事業場に適用される就業規則に当該36協定の範囲内で一定の業務上の事由があれば労働契約に定める労働時間を延長して労働者を労働させることができる旨を定めていたとしても、36協定は私法上の権利義務を設定する効果を有しないため、当該就業規則の規定の内容が合理的なものであるか否かにかかわらず、労働者は労働契約に定める労働時間を超えて労働する義務を負わないとするのが、最高裁判所の判例である。

○ **338** 必修基本書……該当ページなし

（法92条1項ほか）本肢のとおりである。本肢の規定は、就業規則の内容が**労働協約の中に定められた労働条件その他労働者の待遇に関する基準（規範的部分）に反してはならない**という意味であり、例えば、就業規則作成に当たっての手続たる「会社の社内諸規則、諸規定の制定改廃に関しては労働組合の同意を必要とする」というような労働協約の規定は、法92条には関係ない（昭24.1.7基収4078号）。

× **339** 必修基本書 労働科目……128p

（法92条2項、則50条）行政官庁（所轄労働基準監督署長）は、法令又は労働協約に牴触する「就業規則の変更を命ずることができる」。

○ **340** 必修基本書……該当ページなし

（法92条2項ほか）本肢のとおりである。なお、本肢の就業規則の変更命令が出されたにもかかわらず、使用者がこれに従わなかったときは、30万円以下の罰金に処せられる。

× **341** 必修基本書……該当ページなし

（最高裁第一小法廷判決 平3.11.28 日立製作所武蔵工場事件）使用者が36協定を締結し、これを所轄労働基準監督署長に届け出た場合において、使用者が当該事業場に適用される就業規則に当該36協定の範囲内で一定の業務上の事由があれば労働契約に定める労働時間を延長して労働者を労働させることができる旨定めているときは、当該就業規則の規定の内容が「**合理的なもの**である限り」、それが具体的労働契約の内容をなすから、当該就業規則の規定の適用を受ける労働者は、その定めるところに従い、労働契約に定める労働時間を超えて労働をする「義務を負う」ものと解するを相当とするとするのが、最高裁判所の判例である。

㉒ 寄宿舎

342 □□□ 普通 R6.7-B

事業の附属寄宿舎に労働者を寄宿させる使用者は、「起床、就寝、外出及び外泊に関する事項」、「行事に関する事項」、「食事に関する事項」、「安全及び衛生に関する事項」及び「建設物及び設備の管理に関する事項」について寄宿舎規則を作成し、行政官庁に届け出なければならないが、これらはいわゆる必要的記載事項であるから、そのいずれか一つを欠いても届出は受理されない。

○ **342** 必修基本書 労働科目……131p

（法95条1項）本肢のとおりである。なお、使用者は、本肢の寄宿舎規則の記載事項のうち「**建設物及び設備の管理**に関する事項」以外の事項に関する規定の作成又は変更については、寄宿労働者の過半数を代表する者の**同意**を得なければならない（同条2項）。

㉓ 監督機関

343 □□□ 普通 R2.2-C

労働基準監督官は、労働基準法違反の罪について、刑事訴訟法に規定する司法警察官の職務を行うほか、労働基準法第24条に定める賃金並びに同法第37条に定める時間外、休日及び深夜の割増賃金の不払については、不払をしている事業主の財産を仮に差し押さえる職務を行う。

344 □□□ 普通 R2.2-E

使用者は、事業を開始した場合又は廃止した場合は、遅滞なくその旨を労働基準法施行規則の定めに従い所轄労働基準監督署長に報告しなければならない。

345 □□□ 難 R2.2-D

労働基準法及びこれに基づく命令に定める許可、認可、認定又は指定の申請書は、各々2通これを提出しなければならない。

× **343** 必修基本書 労働科目……132p

（法102条）労働基準監督官は、労働基準法違反の罪について、刑事訴訟法に規定する**司法警察官**の職務を行うとされているが、本肢後段にある「財産を仮に差し押さえる職務を行うこととはされていない」。

× **344** 必修基本書……該当ページなし

（則57条1項）使用者は、事業を開始した場合には、遅滞なく、その事実を所轄労働基準監督署長に報告しなければならないが、「事業を**廃止**した場合には、報告義務は課せられていない」。

○ **345** 必修基本書……該当ページなし

（則59条）本肢のとおりである。なお、労働基準法及びこれに基づく命令に定める許可、認可、認定若しくは指定の申請、届出、報告、労働者名簿又は賃金台帳に用いるべき様式（一定のもの除く）は、必要な事項の最小限度を記載すべきことを定めるものであって、横書、縦書その他異なる様式を用いることを妨げるものではない（則59条の2第1項）。

㉔ 雑　則

346 □□□ 易　　R2.2-A

労働基準法第106条により使用者に課せられている法令等の周知義務は、労働基準法、労働基準法に基づく命令及び就業規則については、その要旨を労働者に周知させればよい。

347 □□□ 易　　R2.2-B

使用者は、労働基準法第36条第1項（時間外及び休日の労働）に規定する協定及び同法第41条の2第1項（いわゆる高度プロフェッショナル制度に係る労使委員会）に規定する決議を労働者に周知させなければならないが、その周知は、対象労働者に対してのみ義務付けられている。

348 □□□ 普通　　R元.7-B

使用者は、就業規則を、①常時各作業場の見やすい場所へ掲示し、又は備え付けること、②書面を労働者に交付すること、③使用者の使用に係る電子計算機に備えられたファイル又は労働基準法施行規則第24条の2の4第3項第3号に規定する電磁的記録媒体をもって調製するファイルに記録し、かつ、各作業場に労働者が当該記録の内容を常時確認できる機器を設置することのいずれかの方法により、労働者に周知させなければならない。

× **346** 必修基本書 労働科目……134p

（法106条1項）労働基準法及び同法に基づく命令については、その**要旨**を周知させれば足りるが、「就業規則については、その**全文**を周知させなければならない」。

× **347** 必修基本書 労働科目……134p

（法106条1項）本肢の協定及び決議は、「**全労働者**」に周知させなければならない。

○ **348** 必修基本書……該当ページなし

（法106条1項、則52条の2）本肢のとおりである。なお、使用者は、事業場における労働基準法や就業規則等の遵守を図るため、所定の法令の要旨や規則、協定及び決議に関して、定められた方法により労働者に**周知**させなければならない。

第2編

労働安全衛生法

❶総　則

001 □□□ 普通　H29.8-E

労働安全衛生法は、労働基準法と一体的な関係にあるので、例えば「この法律で定める労働条件の基準は最低のものであるから、」に始まる労働基準法第1条第2項に定めるような労働憲章的部分は、労働安全衛生法の施行においても基本となる。

002 □□□ 普通　H28.9-B

労働安全衛生法では、「労働者」は、労働基準法第9条に規定する労働者だけをいうものではなく、建設業におけるいわゆる一人親方（労災保険法第35条第1項の規定により保険給付を受けることができることとされた者）も下請負人として建設工事の業務に従事する場合は、元方事業者との関係において労働者としている。

003 □□□ 普通　R3.8-A

労働安全衛生法における「労働災害」は、労働者の就業に係る建設物、設備、原材料、ガス、蒸気、粉じん等により、又は作業行動その他業務に起因して、労働者が負傷し、疾病にかかり、又は死亡することをいうが、例えばその負傷については、事業場内で発生したことだけを理由として「労働災害」とするものではない。

004 □□□ 易　H28.9-A

労働安全衛生法における「事業者」は、労働基準法第10条に規定する「使用者」とはその概念を異にするが、「労働者」は、労働基準法第9条に規定する労働者（同居の親族のみを使用する事業又は事務所に使用される者及び家事使用人を除く。）をいう。

005 □□□ 易　R2.9-A

労働安全衛生法は、同居の親族のみを使用する事業又は事務所については適用されない。また、家事使用人についても適用されない。

006 □□□ 易　R2.9-D

労働安全衛生法は、事業者の責務を明らかにするだけではなく、機械等の設計者、製造者又は輸入者、原材料の製造者又は輸入者、建設物の建設者又は設計者、建設工事の注文者等についても、それぞれの立場において労働災害の発生の防止に資するよう努めるべき責務を有していることを明らかにしている。

○ **001** 必修基本書……該当ページなし

（昭47.9.18発基91号）本肢のとおりである。なお、労働安全衛生法は、労働基準法と相まって、労働災害の防止のための危害防止基準の確立、責任体制の明確化及び自主的活動の促進の措置を講ずる等その防止に関する総合的計画的な対策を推進することにより職場における労働者の安全と健康を確保するとともに、快適な職場環境の形成を促進することを目的とされている（法1条）。

× **002** 必修基本書 労働科目……147p

（法2条2号、平29.6.9基発0609第7号）労働安全衛生法における「労働者」とは、**労働基準**法9条に規定する労働者（**同居の親族**のみを使用する事業又は事務所に使用される者及び**家事使用人**を除く）をいい、建設業における「一人親方等は労働者に当たらない」。

○ **003** 必修基本書 労働科目……147p

（法2条1号）本肢のとおりである。また、「作業環境測定」とは、作業環境の実態を把握するため空気環境その他の作業環境について行う**デザイン**、**サンプリング**及び**分析**（**解析**を含む）をいう。

○ **004** 必修基本書 労働科目……147p

（法2条2号・3号、昭47.9.18発基91号）本肢のとおりである。労働基準法における「使用者」とは、事業主又は事業の経営担当者その他その事業の労働者に関する事項について、**事業主のために行為をするすべての者**をいい、労働安全衛生法における「事業者」は、事業を行う者で、**労働者を使用**するもの（法人企業であれば当該法人、個人企業であれば事業経営主）をいう。

○ **005** 必修基本書 労働科目……147p

（昭47.9.18発基91号）本肢のとおりである。なお、鉱山保安法の規定による鉱山における**保安**及び船員法の適用を受ける**船員**については、労働安全衛生法は適用されない（法115条）。

○ **006** 必修基本書 労働科目……148p

（昭47.9.18発基91号）本肢のとおりである。なお、本肢の「建設工事の注文者等」には、**建設工事以外の注文者**も含まれる（昭47.9.18発基602号）。

007 □□□ 易 H29.8-C

労働安全衛生法は、機械、器具その他の設備を設計し、製造し、又は輸入する者にも、これらの物の設計、製造又は輸入に際して、これらの物が使用されることによる労働災害の発生の防止に資するよう努めることを求めている。

008 □□□ 易 H29.8-D

労働安全衛生法は、原材料を製造し、又は輸入する者にも、これらの物の製造又は輸入に際して、これらの物が使用されることによる労働災害の発生の防止に資するよう努めることを求めている。

009 □□□ 普通 R3.8-B

二以上の建設業に属する事業の事業者が、一の場所において行われる当該事業の仕事を共同連帯して請け負った場合においては、厚生労働省令で定めるところにより、そのうちの一人を代表者として定め、これを都道府県労働局長に届け出なければならないが、この場合においては、当該事業をその代表者のみの事業と、当該代表者のみを当該事業の事業者と、当該事業の仕事に従事する労働者を下請負人の労働者も含めて当該代表者のみが使用する労働者とそれぞれみなして、労働安全衛生法が適用される。

○ **007** 必修基本書 労働科目……148p

（法3条2項）本肢のとおりである。なお、労働安全衛生法の「労働災害」とは、**労働者の就業**に係る建設物、設備、原材料、ガス、蒸気、粉じん等により、又は**作業行動**その他業務に起因して、労働者が負傷し、疾病にかかり、又は死亡することをいう（法2条）。

○ **008** 必修基本書 労働科目……148p

（法3条2項）本肢のとおりである。なお、事業者は、単に労働安全衛生法で定める労働災害の防止のための**最低基準**を守るだけでなく、**快適な職場環境**の実現と**労働条件**の改善を通じて職場における労働者の**安全と健康**を確保するようにしなければならない。また、**事業者**は、国が実施する労働災害の防止に関する施策に**協力**するようにしなければならない（法3条1項）。

× **009** 必修基本書……該当ページなし

（法5条4項）本肢の場合であっても、「下請負人の労働者は代表者が使用する労働者とみなされない」。その他の記述は正しい。

❷ 労働災害防止計画

010 □□□ 難　H28.9-D

厚生労働大臣は、労働政策審議会の意見をきいて、労働災害防止計画を策定しなければならないこととされており、第13次労働災害防止計画において、「死亡災害については、一たび発生すれば取り返しがつかない災害であることを踏まえ、死亡者数を2017年と比較して、2022年までに15%以上減少させること」などを盛り込んだ2018年4月から2023年3月までの5年間にわたる計画が進められていた。

○ **010** 必修基本書 労働科目……151p

(法6条、第13次労働災害防止計画）本肢のとおりである。なお、**厚生労働大臣**は、労働災害の発生状況、労働災害の防止に関する対策の効果等を考慮して必要があると認めるときは、**労働政策審議会**の意見をきいて、労働災害防止計画を**変更**しなければならない。

❸ 安全衛生管理体制

011 □□□ 普通 H28.9-C

労働安全衛生法における事業場の業種の区分については、その業態によって個別に決するものとし、経営や人事等の管理事務をもっぱら行なっている本社、支店などは、その管理する系列の事業場の業種とは無関係に決定するものとしており、たとえば、製鉄所は製造業とされるが、当該製鉄所を管理する本社は、製造業とはされない。

012 □□□ 普通 R2.9-B

労働安全衛生法は、事業場を単位として、その業種、規模等に応じて、安全衛生管理体制、工事計画の届出等の規定を適用することにしており、この法律による事業場の適用単位の考え方は、労働基準法における考え方と同一である。

013 □□□ 普通 R3.9-ア

総括安全衛生管理者は、労働安全衛生法施行令で定める業種の事業場の企業全体における労働者数を基準として、企業全体の安全衛生管理を統括管理するために、その選任が義務づけられている。

○ **011** 必修基本書……該当ページなし

（昭47.9.18発基91号）本肢のとおりである。労働安全衛生法において、一の事業場であるか否かは、主として場所的観念によって決定すべきもので、同一場所にあるものは原則として一の事業場とされるが、著しく労働の態様を異にする部門が存在する場合に、その部門を主たる部門と切り離して別個の事業場としてとらえることによって、労働安全衛生法がより適切に運用できる場合には、その部門は、別個の事業場としてとらえるものとする。

○ **012** 必修基本書……該当ページなし

（昭47.9.18発基91号）本肢のとおりである。

× **013** 必修基本書……該当ページなし

（昭47.9.18発基91号）労働安全衛生法は「事業場を単位」として適用され、事業場ごとの業種、規模等に応じて安全衛生管理体制の規定が適用される。したがって、総括安全衛生管理者は、労働安全衛生法施行令で定める業種の「事業場ごと」の労働者数を基準として、「事業場ごと」の安全衛生管理を統括管理する。

014 □□□ 普通　R6.8-B

次に示す業態をとる株式会社において、W市にある本社には、総括安全衛生管理者を選任しなければならない。

W市に本社を置き、人事、総務等の管理業務を行っている。
使用する労働者数　常時30人

X市に第1工場を置き、金属部品の製造及び加工を行っている。
・工場は1直7:00 ～15:00及び2直15:00 ～23:00の2交替で操業しており、1グループ150人計300人の労働者が交替で就業している。
・工場には動力により駆動されるプレス機械が10台設置され、当該機械による作業が行われている。

Y市に第2工場を置き、金属部品の製造及び加工を行っている。
・工場は1直7:00 ～15:00及び2直15:00 ～23:00の2交替で操業しており、1グループ40人計80人の労働者が交替で就業している。
・工場には動力により駆動されるプレス機械が5台設置され、当該機械による作業が行われている。

Z市に営業所を置き、営業活動を行っている。
使用する労働者数　常時12人（ただし、この事業場のみ、うち6人は1日4時間労働の短時間労働者）

015 □□□ 易　R3.9-イ

総括安全衛生管理者は、労働者の危険又は健康障害を防止するための措置に関することを統括管理する。

016 □□□ 易　R3.9-ウ

総括安全衛生管理者は、労働者の安全又は衛生のための教育の実施に関することを統括管理する。

017 □□□ 易　R3.9-エ

総括安全衛生管理者は、健康診断の実施その他健康の保持増進のための措置に関することを統括管理する。

× **014** 必修基本書 労働科目……153p

（令2条）本肢の本社は「その他の業種」に該当するため、常時1,000人以上の労働者を使用する場合に総括安全衛生管理者の選任義務が生じるところ、本肢の本社は常時30人の労働者しか使用していないため、「総括安全衛生管理者を選任する必要はない」。

○ **015** 必修基本書 労働科目……153p

（法10条1項1号）本肢のとおりである。なお、総括安全衛生管理者が統括管理するものとして、他に**安全衛生**に関する方針の表明に関すること等がある（則3条の2第1号）。

○ **016** 必修基本書 労働科目……153p

（法10条1項2号）本肢のとおりである。なお、総括安全衛生管理者が統括管理するものとして、他に法28条の2第1項又は法57条の3第1項及び第2項に規定する事業者が行うべき危険性又は有害性等の調査及びその結果に基づき講ずる措置に関すること等がある（則3条の2第2号）。

○ **017** 必修基本書 労働科目……153p

（法10条1項3号）本肢のとおりである。なお、総括安全衛生管理者が統括管理するものとして、他に**安全衛生**に関する計画の作成、実施、評価及び改善に関すること等がある（則3条の2第3号）。

018 □□□ 易 R3.9-オ

総括安全衛生管理者は、労働災害の原因の調査及び再発防止対策に関することを統括管理する。

019 □□□ 易 R2.9-C

総括安全衛生管理者は、当該事業場においてその事業の実施を統括管理する者をもって充てなければならないが、必ずしも安全管理者の資格及び衛生管理者の資格を共に有する者のうちから選任しなければならないものではない。

020 □□□ 普通 R3.10-D

安全管理者又は衛生管理者を選任した事業者は、その事業場における安全管理者又は衛生管理者の業務の内容その他の安全管理者又は衛生管理者の業務に関する事項で厚生労働省令で定めるものを、常時各作業場の見やすい場所に掲示し、又は備え付けることその他の厚生労働省令で定める方法により、労働者に周知させる義務がある。

021 □□□ 普通 R6.8-A

次に示す業態をとる株式会社において、W市にある本社には、安全管理者も衛生管理者も選任する義務はない。なお、衛生管理者については、選任の特例（労働安全衛生規則第8条）を考えないものとする。

W市に本社を置き、人事、総務等の管理業務を行っている。
　使用する労働者数　　常時30人
X市に第1工場を置き、金属部品の製造及び加工を行っている。
- 工場は1直7:00 ～15:00及び2直15:00 ～23:00の2交替で操業しており、1グループ150人計300人の労働者が交替で就業している。
- 工場には動力により駆動されるプレス機械が10台設置され、当該機械による作業が行われている。

Y市に第2工場を置き、金属部品の製造及び加工を行っている。
- 工場は1直7:00 ～15:00及び2直15:00 ～23:00の2交替で操業しており、1グループ40人計80人の労働者が交替で就業している。
- 工場には動力により駆動されるプレス機械が5台設置され、当該機械による作業が行われている。

Z市に営業所を置き、営業活動を行っている。
　使用する労働者数　　常時12人（ただし、この事業場のみ、うち6人は1日4時間労働の短時間労働者）

○ **018** 必修基本書 労働科目……153p

(法10条1項4号) 本肢のとおりである。

○ **019** 必修基本書 労働科目……154p

(法10条2項) 本肢のとおりである。総括安全衛生管理者は、特別の資格等は不要である。

× **020** 必修基本書……該当ページなし

(則4条2項ほか) 本肢のような規定はない。なお、事業者は安全管理者又は衛生管理者を選任したときは、遅滞なく、報告書を所轄労働基準監督署長に提出しなければならない。

○ **021** 必修基本書 労働科目……154、156p

(令3条、令4条) 本肢のとおりである。本肢の本社は安全管理者を選任すべき業種に該当しない「その他の業種」に該当するため、使用する労働者数にかかわらず、安全管理者を選任する義務はない。また、常時50人以上の労働者を使用していないため、衛生管理者を選任する義務もない。

022 □□□ 普通 R6.8-C

次に示す業態をとる株式会社において、X市にある第1工場及びY市にある第2工場には、それぞれ安全管理者及び衛生管理者を選任しなければならないが、X市にある第1工場には、衛生管理者を二人以上選任しなければならない。なお、衛生管理者については、選任の特例（労働安全衛生規則第8条）を考えないものとする。

W市に本社を置き、人事、総務等の管理業務を行っている。
　使用する労働者数　　常時30人

X市に第1工場を置き、金属部品の製造及び加工を行っている。
- 工場は1直7:00 ～15:00及び2直15:00 ～23:00の2交替で操業しており、1グループ150人計300人の労働者が交替で就業している。
- 工場には動力により駆動されるプレス機械が10台設置され、当該機械による作業が行われている。

Y市に第2工場を置き、金属部品の製造及び加工を行っている。
- 工場は1直7:00 ～15:00及び2直15:00 ～23:00の2交替で操業しており、1グループ40人計80人の労働者が交替で就業している。
- 工場には動力により駆動されるプレス機械が5台設置され、当該機械による作業が行われている。

Z市に営業所を置き、営業活動を行っている。
　使用する労働者数　　常時12人（ただし、この事業場のみ、うち6人は1日4時間労働の短時間労働者）

○ **022** 必修基本書 労働科目……154､156p

（令3条、令4条、則7条1項）本肢のとおりである。本肢の第1工場及び第2工場はともに安全管理者を選任すべき業種である「製造業」に該当する。したがって、常時50人以上の労働者を使用している第1工場及び第2工場ともに安全管理者を選任しなければならない。また、常時50人以上の労働者を使用している第1工場及び第2工場ともに衛生管理者を選任しなければならない。

023 □□□ 普通　　H29.9-C

次に示す業態をとる株式会社において、Ｙ市にある工場には衛生管理者を3人選任しなければならないが、そのうち少なくとも1人を衛生工学衛生管理者免許を受けた者のうちから選任しなければならない。なお、衛生管理者及び産業医については、選任の特例（労働安全衛生規則第8条及び同規則第13条第3項）を考えないものとする。

Ｘ市に本社を置き、人事、総務等の管理業務と営業活動を行っている。

使用する労働者数　　常時40人

Ｙ市に工場を置き、食料品を製造している。

工場は24時間フル操業で、1グループ150人で構成する4つのグループ計600人の労働者が、1日を3つに区分した時間帯にそれぞれ順次交替で就業するいわゆる4直3交替で、業務に従事している。したがって、この600人の労働者は全て、1月に4回以上輪番で深夜業に従事している。なお、労働基準法第36条第1項ただし書きに規定する健康上特に有害な業務に従事する者はいない。

Ｚ市に2店舗を置き、自社製品を小売りしている。

Ｚ1店舗　使用する労働者数　　常時15人

Ｚ2店舗　使用する労働者数　　常時15人（ただし、この事業場のみ、うち12人は1日4時間労働の短時間労働者）

× **023** 必修基本書 労働科目……156～157p

（令4条、則7条1項6号）本肢の工場では、常時600人の労働者を使用しているため、衛生管理者を3人以上選任しなければならないが、坑内労働又は労働基準法施行規則18条1号、3号から5号まで若しくは9号に掲げる業務（深夜業は含まれていない）に常時30人以上の労働者を「従事させてはいない」ため、衛生管理者のうち少なくとも1人を衛生工学衛生管理者免許を受けた者のうちから選任する「必要はない」。

024 □□□ 普通　H29.9-D

次に示す業態をとる株式会社において、X市にある本社に衛生管理者が選任されていれば、Z市にあるZ1店舗には衛生推進者を選任しなくてもよい。なお、衛生管理者及び産業医については、選任の特例（労働安全衛生規則第8条及び同規則第13条第3項）を考えないものとする。

X市に本社を置き、人事、総務等の管理業務と営業活動を行っている。
　使用する労働者数　常時40人

Y市に工場を置き、食料品を製造している。
　工場は24時間フル操業で、1グループ150人で構成する4つのグループ計600人の労働者が、1日を3つに区分した時間帯にそれぞれ順次交替で就業するいわゆる4直3交替で、業務に従事している。したがって、この600人の労働者は全て、1月に4回以上輪番で深夜業に従事している。なお、労働基準法第36条第1項ただし書きに規定する健康上特に有害な業務に従事する者はいない。

Z市に2店舗を置き、自社製品を小売りしている。
　Z1店舗　使用する労働者数　常時15人
　Z2店舗　使用する労働者数　常時15人（ただし、この事業場のみ、うち12人は1日4時間労働の短時間労働者）

× 024 必修基本書 労働科目……158〜159p

(法12条1項、法12条の2、平18.3.31基発0331005号ほか) 本肢のような規定は設けられていない。なお、本肢の本社は、安全管理者を選任すべき業種以外の業種であって常時10人以上50人未満の労働者を使用する事業場であることから、衛生推進者を選任しなければならず、本肢のZ1店舗は、常時10人以上50人未満の労働者を使用する事業場であることから、衛生推進者を選任しなければならない。

025 □□□ 普通 　H29.9-E

次に示す業態をとる株式会社において、Ｚ市にあるＺ2店舗には衛生推進者の選任義務はない。なお、衛生管理者及び産業医については、選任の特例（労働安全衛生規則第8条及び同規則第13条第3項）を考えないものとする。

Ｘ市に本社を置き、人事、総務等の管理業務と営業活動を行っている。

使用する労働者数　　常時40人

Ｙ市に工場を置き、食料品を製造している。

工場は24時間フル操業で、1グループ150人で構成する4つのグループ計600人の労働者が、1日を3つに区分した時間帯にそれぞれ順次交替で就業するいわゆる4直3交替で、業務に従事している。したがって、この600人の労働者は全て、1月に4回以上輪番で深夜業に従事している。なお、労働基準法第36条第1項ただし書きに規定する健康上特に有害な業務に従事する者はいない。

Ｚ市に2店舗を置き、自社製品を小売りしている。

Ｚ1店舗　使用する労働者数　　常時15人

Ｚ2店舗　使用する労働者数　　常時15人（ただし、この事業場のみ、うち12人は1日4時間労働の短時間労働者）

× 025　必修基本書 労働科目……158～159p

（法12条の2、則12条の2、昭47.9.18基発602号ほか）本肢のＺ2店舗は、常時10人以上50人未満の労働者を使用する事業場であるため、衛生推進者を選任しなければならない。なお、本肢の労働者数の算定は、日雇労働者、パートタイマー等の臨時的労働者の数も含めて、常態として使用する労働者の数を算定することとされている。

026 □□□ 普通　R6.8-E

次に示す業態をとる株式会社において、Ｚ市にある営業所には、衛生推進者を選任しなければならない。

W市に本社を置き、人事、総務等の管理業務を行っている。

使用する労働者数　常時30人

Ｘ市に第1工場を置き、金属部品の製造及び加工を行っている。

・工場は1直7:00 ～15:00及び2直15:00 ～23:00の2交替で操業しており、1グループ150人計300人の労働者が交替で就業している。

・工場には動力により駆動されるプレス機械が10台設置され、当該機械による作業が行われている。

Ｙ市に第2工場を置き、金属部品の製造及び加工を行っている。

・工場は1直7:00 ～15:00及び2直15:00 ～23:00の2交替で操業しており、1グループ40人計80人の労働者が交替で就業している。

・工場には動力により駆動されるプレス機械が5台設置され、当該機械による作業が行われている。

Ｚ市に営業所を置き、営業活動を行っている。

使用する労働者数　常時12人（ただし、この事業場のみ、うち6人は1日4時間労働の短時間労働者）

○ **026** 必修基本書 労働科目……159p

（則12条の2、昭47.9.18基発602号）本肢のとおりである。本肢の営業所は「その他の業種」に該当し、常時10人以上50人未満の労働者を使用しているため、衛生推進者を選任しなければならない。なお、「常時使用する労働者数」は、日雇労働者、パートタイム労働者等の臨時的労働者の数を含めた常態としての使用労働者数をいうため、本肢の営業所は常時12人の労働者を使用しているものとされる。

027 □□□ 普通　H29.9-A

次に示す業態をとる株式会社において、X市にある本社には、総括安全衛生管理者、衛生管理者及び産業医を選任しなければならない。なお、衛生管理者及び産業医については、選任の特例（労働安全衛生規則第8条及び同規則第13条第3項）を考えないものとする。

X市に本社を置き、人事、総務等の管理業務と営業活動を行っている。

使用する労働者数　　常時40人

Y市に工場を置き、食料品を製造している。

工場は24時間フル操業で、1グループ150人で構成する4つのグループ計600人の労働者が、1日を3つに区分した時間帯にそれぞれ順次交替で就業するいわゆる4直3交替で、業務に従事している。したがって、この600人の労働者は全て、1月に4回以上輪番で深夜業に従事している。なお、労働基準法第36条第1項ただし書きに規定する健康上特に有害な業務に従事する者はいない。

Z市に2店舗を置き、自社製品を小売りしている。

Z1店舗　使用する労働者数　　常時15人

Z2店舗　使用する労働者数　　常時15人（ただし、この事業場のみ、うち12人は1日4時間労働の短時間労働者）

028 □□□ 難　H29.10-A

木材加工用機械（丸のこ盤、帯のこ盤、かんな盤、面取り盤及びルーターに限るものとし、携帯用のものを除く。）を5台以上（当該機械のうちに自動送材車式帯のこ盤が含まれている場合には、3台以上）有する事業場において行う当該機械による作業は、労働安全衛生法第14条において作業主任者を選任すべきものとされている作業である。

029 □□□ 難　H29.10-B

高さが2メートル以上のはい（倉庫、上屋又は土場に積み重ねられた荷（小麦、大豆、鉱石等のばら物の荷を除く。）の集団をいう。）のはい付け又ははい崩しの作業（荷役機械の運転者のみによって行われるものを除く。）は、労働安全衛生法第14条において作業主任者を選任すべきものとされている作業である。

× **027** 必修基本書 労働科目……153、156、160p

（令2条、令4条、令5条）本肢の本社は、常時40人の労働者を使用する事業場であるため、総括安全衛生管理者、衛生管理者及び産業医を選任する必要はない。

○ **028** 必修基本書……該当ページなし

（令6条6号）本肢のとおりである。なお、作業主任者は、作業の区分に応じて、次のいずれかに該当する者でなければならない（法14条）。

①都道府県労働局長の免許を受けた者

②都道府県労働局長の登録を受けた者が行う技能講習を修了した者

○ **029** 必修基本書……該当ページなし

（令6条12号）本肢のとおりである。なお、事業者は、作業主任者の氏名及びその者に行わせる事項を作業場の見やすい箇所に掲示する等により関係労働者に周知させなければならない（則18条）。

030 □□□ 難　H29.10-C

つり足場（ゴンドラのつり足場を除く。）、張出し足場又は高さが5メートル以上の構造の足場の組立て、解体又は変更の作業は、労働安全衛生法第14条において作業主任者を選任すべきものとされている作業である。

031 □□□ 難　H29.10-D

動力により駆動されるプレス機械を5台以上有する事業場において行う当該機械による作業は、労働安全衛生法第14条において作業主任者を選任すべきものとされている作業である。

032 □□□ 難　R6.8-D

次に示す業態をとる株式会社において、X市にある第1工場及びY市にある第2工場には、プレス機械作業主任者を、それぞれの工場に、かつ1直2直それぞれに選任しなければならない。

W市に本社を置き、人事、総務等の管理業務を行っている。
　使用する労働者数　　常時30人
X市に第1工場を置き、金属部品の製造及び加工を行っている。
　・工場は1直7:00 ～15:00及び2直15:00 ～23:00の2交替で操業しており、1グループ150人計300人の労働者が交替で就業している。
　・工場には動力により駆動されるプレス機械が10台設置され、当該機械による作業が行われている。
Y市に第2工場を置き、金属部品の製造及び加工を行っている。
　・工場は1直7:00 ～15:00及び2直15:00 ～23:00の2交替で操業しており、1グループ40人計80人の労働者が交替で就業している。
　・工場には動力により駆動されるプレス機械が5台設置され、当該機械による作業が行われている。
Z市に営業所を置き、営業活動を行っている。
　使用する労働者数　　常時12人（ただし、この事業場のみ、うち6人は1日4時間労働の短時間労働者）

○ **030** 必修基本書……該当ページなし

（令6条15号）本肢のとおりである。なお、作業主任者の職務は、労働災害を防止するための管理を必要とする作業に従事する労働者の指揮等とされている。

○ **031** 必修基本書……該当ページなし

（令6条7号）本肢のとおりである。なお、作業主任者の選任については、所轄労働基準監督署長への報告書の提出は不要である。

○ **032** 必修基本書……該当ページなし

（令6条、則133条）本肢のとおりである。動力により駆動されるプレス機械を5台以上有する事業場において行う当該機械による作業については、プレス機械作業主任者を選任しなければならない。

033 □□□ 普通 H29.10-E

屋内において鋼材をアーク溶接する作業は、労働安全衛生法第14条において作業主任者を選任すべきものとされている作業である。

034 □□□ 普通 R4.9-E

労働安全衛生法第14条において、作業主任者は、選任を必要とする作業について、経験、知識、技能を勘案し、適任と判断される者のうちから、事業者が選任することと規定されている。

035 □□□ 普通 R4.9-D

事業者は、作業主任者を選任したときは、当該作業主任者の氏名及びその者に行わせる事項を作業場の見やすい箇所に掲示する等により関係労働者に周知するよう努めなければならないとされている。

036 □□□ 難 R4.9-A

労働安全衛生法施行令第6条第18号に該当する特定化学物質を取り扱う作業については特定化学物質作業主任者を選任しなければならないが、作業が交替制で行われる場合、作業主任者は各直ごとに選任する必要がある。

037 □□□ 難 R4.9-B

特定化学物質作業主任者の職務は、作業に従事する労働者が特定化学物質に汚染され、又はこれらを吸入しないように、作業の方法を決定し、労働者を指揮することにあり、当該作業のために設置されているものであっても、局所排気装置、除じん装置等の装置を点検することは、その職務に含まれない。

038 □□□ 難 R4.9-C

労働安全衛生法施行令第6条第18号に該当する特定化学物質を取り扱う作業については特定化学物質作業主任者を選任しなければならないが、金属製品を製造する工場において、関係請負人の労働者が当該作業に従事する場合、作業主任者は元方事業者が選任しなければならない。

○ **033** 必修基本書……該当ページなし

（令6条18号、令別表第3）本肢のとおりである。金属をアーク溶接する際に発生する溶接ヒューム（金属アーク溶接等作業において過熱により発生する粒子状物質）は、令6条（作業主任者を選任すべき作業）18号の「特定化学物質を製造し、又は取り扱う作業（一定のものを除く）」の特定化学物質に含まれているため、本肢の作業は、作業主任者を選任すべきものとされている作業である。

× **034** 必修基本書 労働科目……163p

（法14条）作業主任者は、選任を必要とする作業について、「**都道府県労働局長**の免許を受けた者又は**都道府県労働局長**の登録を受けた者が行う技能講習を修了した者」のうちから、厚生労働省令で定めるところにより、当該作業の区分に応じて、事業者が選任しなければならない。

× **035** 必修基本書 労働科目……164p

（則18条）事業者は、作業主任者を選任したときは、当該作業主任者の氏名及びその者に行わせる事項を**作業場の見やすい**箇所に掲示する等により関係労働者に「周知させなければならない」。

○ **036** 必修基本書……該当ページなし

（法14条、令6条、特化則27条1項、昭47.12.23基発799号ほか）本肢のとおりである。なお、事業者は、特定化学物質作業主任者に、**保護具の使用状況**を監視することなどを行わせなければならない（特化則28条3号）。

× **037** 必修基本書……該当ページなし

（特化則28条）特定化学物質作業主任者の職務には、「局所排気装置、除じん装置等の装置を点検することが含まれる」。その他の記述は正しい。

× **038** 必修基本書……該当ページなし

（法14条、令6条、特化則27条1項ほか）作業主任者は、選任を必要とする作業について、作業の区分に応じて「事業者」が選任しなければならないものとされており、本肢の場合、「本肢の作業を行う労働者に係る関係請負人である事業者」が、作業主任者を選任しなければならない」。

039 □□□ 易 R4.10-B

安全委員会は、政令で定める業種に限定してその設置が義務付けられているが、製造業、建設業、運送業、電気業、ガス業、通信業、各種商品小売業及び旅館業はこれに含まれる。

040 □□□ 普通 H29.9-B

次に示す業態をとる株式会社において、Y市にある工場には、安全委員会及び衛生委員会を設置しなければならず、それぞれの委員会の設置に代えて、安全衛生委員会を設置することができるが、産業医については、その工場に専属の者を選任しなければならない。なお、衛生管理者及び産業医については、選任の特例（労働安全衛生規則第8条及び同規則第13条第3項）を考えないものとする。

X市に本社を置き、人事、総務等の管理業務と営業活動を行っている。

使用する労働者数　　常時40人

Y市に工場を置き、食料品を製造している。

工場は24時間フル操業で、1グループ150人で構成する4つのグループ計600人の労働者が、1日を3つに区分した時間帯にそれぞれ順次交替で就業するいわゆる4直3交替で、業務に従事している。したがって、この600人の労働者は全て、1月に4回以上輪番で深夜業に従事している。なお、労働基準法第36条第1項ただし書きに規定する健康上特に有害な業務に従事する者はいない。

Z市に2店舗を置き、自社製品を小売りしている。

Z1店舗　使用する労働者数　　常時15人

Z2店舗　使用する労働者数　　常時15人（ただし、この事業場のみ、うち12人は1日4時間労働の短時間労働者）

041 □□□ 易 R4.10-A

衛生委員会は、企業全体で常時50人以上の労働者を使用する企業において、当該企業全体を統括管理する事業場に設置しなければならないとされている。

042 □□□ 易 R4.10-D

安全委員会及び衛生委員会の委員には、労働基準法第41条第2号に定める監督若しくは管理の地位にある者又は機密の事務を取り扱う者を選任してはならないとされている。

○ **039** 必修基本書 労働科目……164p

（法17条1項、令8条）本肢のとおりである。なお、安全委員会は、労働者の危険を防止するための基本となるべき対策に関する事項などを調査審議し、事業者に対し意見を述べることとされている（法17条1項1号）。

○ **040** 必修基本書 労働科目……160〜161、164〜166p

（法19条1項、令8条、令9条、則13条1項3号）本肢のとおりである。本肢の工場は、食料品の製造業であり常時100人以上の労働者を使用する事業場であるため安全委員会の設置が必要であり、衛生委員会も設置する必要があるが、これらの委員会の設置に代えて安全衛生委員会を設置することもできる。また、深夜業を含む業務に常時500人以上の労働者を従事させているため、産業医については、その工場に専属の者を選任しなければならない。

× **041** 必修基本書 労働科目……165p

（法18条1項、令9条）衛生委員会は、常時50人以上の労働者を使用する「事業場ごとに」、設置しなければならない。

× **042** 必修基本書 労働科目……165〜166p

（法17条2項、法18条2項）安全委員会及び衛生委員会の委員には、労働基準法41条2号に定める監督若しくは管理の地位にある者又は機密の事務を取り扱う者を選任してはならないという規定は「設けられていない」。

043 □□□ 易　R4.10-C

安全委員会及び衛生委員会を設けなければならないとされている場合において、事業者はそれぞれの委員会の設置に代えて、安全衛生委員会を設置することができるが、これは、企業規模が300人以下の場合に限られている。

044 □□□ 易　R4.10-E

事業者は、安全衛生委員会を構成する委員には、安全管理者及び衛生管理者のうちから指名する者を加える必要があるが、産業医を委員とすることについては努力義務とされている。

045 □□□ 普通　R元.8-B

次に示す建設工事現場における安全衛生管理に関して、乙社は、特定元方事業者として統括安全衛生責任者を選任し、その者に元方安全衛生管理者の指揮をさせなければならない。

甲社：本件建設工事の発注者

乙社：本件建設工事を甲社から請け負って当該建設工事現場で仕事をしている事業者。常時10人の労働者が現場作業に従事している。

丙社：乙社から工事の一部を請け負って当該建設工事現場で仕事をしているいわゆる一次下請事業者。常時30人の労働者が現場作業に従事している。

丁社：丙社から工事の一部を請け負って当該建設工事現場で仕事をしているいわゆる二次下請事業者。常時20人の労働者が現場作業に従事している。

× **043** 必修基本書 労働科目……166p

（法19条1項）安全衛生委員会については、「企業規模の要件は設けられていない」。事業者は、安全委員会及び衛生委員会を設けなければならないときは、それぞれの委員会の設置に代えて、安全衛生委員を設置することができる。

× **044** 必修基本書……該当ページなし

（法19条2項）安全衛生委員会を構成する委員には、産業医のうちから事業者が指名した者を委員とすることが「義務とされている」。その他の記述は正しい。

○ **045** 必修基本書 労働科目……167p

（法15条1項、令7条）本肢のとおりである。本肢の建設工事現場は、労働者数が常時60人であることから、特定元方事業者である乙社は、統括安全衛生責任者を選任し、その者に元方安全衛生管理者の指揮をさせなければならない。

046 □□□ 普通　　R4.8-A

下記に示す事業者が一の場所において行う建設業の事業において、甲社は、統括安全衛生責任者を選任しなければならない。なお、この場所では甲社の労働者及び下記乙①社から丙②社までの4社の労働者が作業を行っており、作業が同一の場所において行われることによって生じる労働災害を防止する必要がある。

甲社　　鉄骨造のビル建設工事の仕事を行う元方事業者
　　当該場所において作業を行う労働者数　　常時5人
乙①社　　甲社から鉄骨組立工事一式を請け負っている事業者
　　当該場所において作業を行う労働者数　　常時10人
乙②社　　甲社から壁面工事一式を請け負っている事業者
　　当該場所において作業を行う労働者数　　常時10人
丙①社　　乙①社から鉄骨組立作業を請け負っている事業者
　　当該場所において作業を行う労働者数　　常時14人
丙②社　　乙②社から壁材取付作業を請け負っている事業者
　　当該場所において作業を行う労働者数　　常時14人

047 □□□ 普通　　R4.8-B

下記に示す事業者が一の場所において行う建設業の事業において、甲社は、元方安全衛生管理者を選任しなければならない。なお、この場所では甲社の労働者及び下記乙①社から丙②社までの4社の労働者が作業を行っており、作業が同一の場所において行われることによって生じる労働災害を防止する必要がある。

甲社　　鉄骨造のビル建設工事の仕事を行う元方事業者
　　当該場所において作業を行う労働者数　　常時5人
乙①社　　甲社から鉄骨組立工事一式を請け負っている事業者
　　当該場所において作業を行う労働者数　　常時10人
乙②社　　甲社から壁面工事一式を請け負っている事業者
　　当該場所において作業を行う労働者数　　常時10人
丙①社　　乙①社から鉄骨組立作業を請け負っている事業者
　　当該場所において作業を行う労働者数　　常時14人
丙②社　　乙②社から壁材取付作業を請け負っている事業者
　　当該場所において作業を行う労働者数　　常時14人

〇 **046** 必修基本書 労働科目……167p

（法15条1項、令7条2項）本肢のとおりである。本肢の場所において作業を行う労働者の数は、常時50人以上であるため、特定元方事業者である甲社は、統括安全衛生責任者を選任しなければならない。

〇 **047** 必修基本書 労働科目……168p

（法15条の2第1項）本肢のとおりである。甲社は、統括安全衛生責任者の選任義務があり、かつ、建設業であることから、元方安全衛生管理者を選任しなければならない。

048 □□□ 普通　　R元.8-C

次に示す建設工事現場における安全衛生管理に関して、丙社及び丁社は、それぞれ安全衛生責任者を選任しなければならない。

甲社：本件建設工事の発注者

乙社：本件建設工事を甲社から請け負って当該建設工事現場で仕事をしている事業者。常時10人の労働者が現場作業に従事している。

丙社：乙社から工事の一部を請け負って当該建設工事現場で仕事をしているいわゆる一次下請事業者。常時30人の労働者が現場作業に従事している。

丁社：丙社から工事の一部を請け負って当該建設工事現場で仕事をしているいわゆる二次下請事業者。常時20人の労働者が現場作業に従事している。

049 □□□ 普通　　R4.8-C

下記に示す事業者が一の場所において行う建設業の事業において、甲社は、当該建設工事の請負契約を締結している事業場に、当該建設工事における安全衛生の技術的事項に関する管理を行わせるため店社安全衛生管理者を選任しなければならない。なお、この場所では甲社の労働者及び下記乙①社から丙②社までの4社の労働者が作業を行っており、作業が同一の場所において行われることによって生じる労働災害を防止する必要がある。

甲社　鉄骨造のビル建設工事の仕事を行う元方事業者
　当該場所において作業を行う労働者数　常時5人

乙①社　甲社から鉄骨組立工事一式を請け負っている事業者
　当該場所において作業を行う労働者数　常時10人

乙②社　甲社から壁面工事一式を請け負っている事業者
　当該場所において作業を行う労働者数　常時10人

丙①社　乙①社から鉄骨組立作業を請け負っている事業者
　当該場所において作業を行う労働者数　常時14人

丙②社　乙②社から壁材取付作業を請け負っている事業者
　当該場所において作業を行う労働者数　常時14人

○ **048** 必修基本書 労働科目……169p

（法16条1項）本肢のとおりである。統括安全衛生責任者を選任すべき事業者以外の請負人で、当該仕事を自ら行うものは、**安全衛生責任者**を選任しなければならない。

× **049** 必修基本書 労働科目……170p

（法15条の3第1項）本肢の事業場については、甲社は、「店社安全衛生管理者を選任する必要はない」。

④ 事業者が講ずべき措置等

050 □□□ 難 R5.9-E

フォークリフトを用いて行う作業には、労働安全衛生規則の適用がある。

051 □□□ 難 R5.9-A

金属をアーク溶接する作業には、特定化学物質障害予防規則の適用がある。

052 □□□ 難 R5.9-B

自然換気が不十分な場所におけるはんだ付けの業務には、鉛中毒予防規則の適用がある。

053 □□□ 難 R5.9-C

重量の5パーセントを超えるトルエンを含む塗料を用いて行う塗装の業務には、有機溶剤中毒予防規則の適用がある。

054 □□□ 難 R5.9-D

潜水業務（潜水器を用い、かつ、空気圧縮機若しくは手押しポンプによる送気又はボンベからの給気を受けて、水中において行う業務をいう。）には、酸素欠乏症等防止規則の適用がある。

055 □□□ 難 H27.8-A

事業者は、高さが2メートル以上の作業床の端、開口部等で墜落により労働者に危険を及ぼすおそれのある箇所には、囲い、手すり、覆い等を設けなければならず、それが著しく困難なとき又は作業の必要上臨時に囲い等を取りはずすときは、防網を張り、労働者に安全帯を使用させる等墜落による労働者の危険を防止するための措置を講じなければならない。

○ **050** 必修基本書……該当ページなし

（則151条の16ほか）本肢のとおりである。なお、事業者は、フォークリフトについては、前照灯及び後照灯を備えたものでなければ使用してはならない。ただし、作業を安全に行うため必要な照度が保持されている場所においては、この限りでない。

○ **051** 必修基本書……該当ページなし

（特化則38条の21）本肢のとおりである。なお、事業者は、金属アーク溶接等作業に労働者を従事させるときは、当該労働者に有効な呼吸用保護具を使用させなければならない（同条5項）。

○ **052** 必修基本書……該当ページなし

（鉛則16条）本肢のとおりである。事業者は、屋内作業場において、自然換気が不十分な場所におけるはんだ付けの業務に労働者を従事させるときは、当該業務を行なう作業場所に、局所排気装置、プッシュプル型換気装置又は全体換気装置を設けなければならない（鉛則16条）。

○ **053** 必修基本書……該当ページなし

（有機則29条3項、有機則別表）本肢のとおりである。

× **054** 必修基本書……該当ページなし

（高圧則8条ほか）潜水業務については、「高気圧作業安全衛生規則」の適用がある。なお、事業者は、潜水業務従事者に、空気圧縮機により送気するときは、当該空気圧縮機による送気を受ける潜水業務従事者ごとに、送気を調節するための空気槽及び事故の場合に必要な空気をたくわえてある空気槽（予備空気槽）を設けなければならない（高圧則8条1項）。

○ **055** 必修基本書……該当ページなし

（則519条）本肢のとおりである。本肢の場合において、労働者は安全帯等の使用を命じられたときは、これを使用しなければならない（則520条）。

056 □□□ 難　H27.8-B

事業者は、機械の原動機、回転軸、歯車、プーリー、ベルト等の労働者に危険を及ぼすおそれのある部分には、覆い、囲い、スリーブ、踏切橋等を設けなければならない。

057 □□□ 難　H27.8-C

特定元方事業者は、その労働者及び関係請負人の労働者の作業が同一の場所において行われることによって生ずる労働災害を防止するために、作業期間中少なくとも1週間に1回、作業場所を巡視しなければならない。

058 □□□ 難　H27.8-D

事業者は、事務所の室（感光材料の取扱い等特殊な作業を行う室を除く。）における一般的な事務を行う作業面の照度を、300ルクス以上としなければならない。

059 □□□ 難　H27.8-E

事業者は、一の荷でその重量が100キログラム以上のものを貨物自動車に積む作業又は貨物自動車から卸す作業を行うときは、当該作業を指揮する者を定め、その者に、作業手順及び作業手順ごとの作業の方法を決定し作業を直接指揮することなど所定の事項を行わせなければならない。

060 □□□ 難　H28.8-A

事業者は、回転中の研削といしが労働者に危険を及ぼすおそれのあるときは、覆いを設けなければならない。ただし、直径が50ミリメートル未満の研削といしについては、この限りでない。

061 □□□ 難　H28.8-B

事業者は、木材加工用丸のこ盤（製材用丸のこ盤及び自動送り装置を有する丸のこ盤を除く。）には、歯の接触予防装置を設けなければならない。

○ **056** 必修基本書……該当ページなし

（則101条1項）本肢のとおりである。なお、事業者は、ベルトの継目には、突出した止め具を使用してはならない（則101条3項）。

× **057** 必修基本書……該当ページなし

（則637条）特定元方事業者は、その労働者及び関係請負人の労働者の作業が同一の場所において行われることによって生ずる労働災害を防止するために、「毎作業日に少なくとも1回」、作業場所を巡視しなければならない。

○ **058** 必修基本書……該当ページなし

（事務所則10条）本肢のとおりである。事業者は、事務所の室（感光材料の取扱い等特殊な作業を行う室を除く）の作業面の照度を、下表の左欄に掲げる作業の区分に応じて、同表の右欄に掲げる基準に適合させなければならない。

作業の区分	基準
一般的な事務作業	300ルクス以上
付随的な事務作業	150ルクス以上

○ **059** 必修基本書……該当ページなし

（則151条の70）本肢のとおりである。本肢の「所定の事項」は、本肢に掲げる事項のほか、器具及び工具を点検し不良品を取り除くこと及び本肢の作業を行う箇所には、関係労働者以外の労働者を立ち入らせないこと等が規定されている。

○ **060** 必修基本書……該当ページなし

（則117条）本肢のとおりである。なお、事業者は、研削といしについては、その日の作業を開始する前には、1分間以上、研削といしを取り替えたときには、3分間以上試運転をしなければならない。

○ **061** 必修基本書……該当ページなし

（則123条）本肢のとおりである。なお、事業者は、木材加工用丸のこ盤（横切用丸のこ盤その他反ぱつにより労働者に危険を及ぼすおそれのないものを除く）には、割刃その他の反ぱつ予防装置を設けなければならない。

062 □□□ 難 H28.8-C

事業者は、機械（刃部を除く。）の掃除、給油、検査、修理又は調整の作業を行う場合において、労働者に危険を及ぼすおそれのあるときは、機械の運転を停止しなければならない。ただし、機械の運転中に作業を行わなければならない場合において、危険な箇所に覆いを設ける等の措置を講じたときは、この限りでない。

063 □□□ 難 H28.8-D

事業者は、ボール盤、面取り盤等の回転する刃物に作業中の労働者の手が接触するおそれのあるときは、当該労働者に手袋を使用させなければならない。

064 □□□ 難 H28.8-E

事業者は、屋内に設ける通路について、通路面は、用途に応じた幅を有することとするほか、つまずき、すべり、踏抜等の危険のない状態に保持すると共に、通路面から高さ1.8メートル以内に障害物を置かないようにしなければならない。

065 □□□ 普通 R3.8-C

労働安全衛生法では、事業者は、作業方法又は作業手順を新規に採用し、又は変更したときは、1か月以内に建設物、設備、原材料、ガス、蒸気、粉じん等による、又は作業行動その他業務に起因する危険性又は有害性等を調査し、その結果に基づいて、労働安全衛生法又はこれに基づく命令の規定による措置を講ずるほか、労働者の危険又は健康障害を防止するため必要な措置を講ずるように努めなければならないとされている。

○ **062** 必修基本書……該当ページなし

（則107条1項）本肢のとおりである。なお、本肢の規定により機械の運転を停止したときは、当該機械の起動装置に錠を掛け、当該機械の起動装置に表示板を取り付ける等本肢の作業に従事する労働者以外の者が当該機械を運転することを防止するための措置を講じなければならない。

× **063** 必修基本書……該当ページなし

（則111条1項）事業者は、ボール盤、面取り盤等の回転する刃物に作業中の労働者の手が「巻き込まれる」おそれのあるときは、労働者に手袋を「使用させてはならない」。また、労働者は、本肢の場合において、手袋の使用を禁止されたときは、これを使用してはならない。

○ **064** 必修基本書……該当ページなし

（則542条）本肢のとおりである。また、事業者は、作業場に通ずる場所及び作業場内には、労働者が使用するための安全な通路を設け、かつ、これを常時有効に保持しなければならない。

× **065** 必修基本書……該当ページなし

（則24条の11第1項）本肢の場合の危険性又は有害性等の調査は、「作業方法又は作業手順を新規に採用し、又は変更するときに行う」ものとされている。

5 請負関係の事業場において講ずべき措置等

066 □□□ 普通 R4.8-E

下記に示す事業者が一の場所において行う建設業の事業において、甲社は、丙②社の労働者のみが使用するために丙②社が設置している足場であっても、その設置について労働安全衛生法又はこれに基づく命令の規定に違反しないよう必要な指導を行わなければならない。なお、この場所では甲社の労働者及び下記乙①社から丙②社までの4社の労働者が作業を行っており、作業が同一の場所において行われることによって生じる労働災害を防止する必要がある。

甲社　鉄骨造のビル建設工事の仕事を行う元方事業者
　当該場所において作業を行う労働者数　常時5人
乙①社　甲社から鉄骨組立工事一式を請け負っている事業者
　当該場所において作業を行う労働者数　常時10人
乙②社　甲社から壁面工事一式を請け負っている事業者
　当該場所において作業を行う労働者数　常時10人
丙①社　乙①社から鉄骨組立作業を請け負っている事業者
　当該場所において作業を行う労働者数　常時14人
丙②社　乙②社から壁材取付作業を請け負っている事業者
　当該場所において作業を行う労働者数　常時14人

067 □□□ 普通 R元.8-D

次に示す建設工事現場における安全衛生管理に関して、丁社の労働者が、当該仕事に関し、労働安全衛生法に違反していると認めるときに、その是正のために元方事業者として必要な指示を行う義務は、丙社に課せられている。

甲社：本件建設工事の発注者
乙社：本件建設工事を甲社から請け負って当該建設工事現場で仕事をしている事業者。常時10人の労働者が現場作業に従事している。
丙社：乙社から工事の一部を請け負って当該建設工事現場で仕事をしているいわゆる一次下請事業者。常時30人の労働者が現場作業に従事している。
丁社：丙社から工事の一部を請け負って当該建設工事現場で仕事をしているいわゆる二次下請事業者。常時20人の労働者が現場作業に従事している。

○ **066** 必修基本書 労働科目……174p

（法29条1項）本肢のとおりである。元方事業者は、関係請負人及び関係請負人の労働者が、当該仕事に関し、労働安全衛生法又はこれに基づく命令の規定に違反しないよう必要な指導を行わなければならない。

× **067** 必修基本書 労働科目……174p

（法15条1項、法29条2項）元方事業者は、関係請負人又は関係請負人の労働者が、当該仕事に関し、労働安全衛生法又はこれに基づく命令の規定に違反していると認めるときは、是正のため必要な指示を行わなければならないものとされているが、元方事業者とは、事業者で、一の場所において行う事業の仕事の一部を請負人に請け負わせているもの（当該事業の仕事の一部を請け負わせる契約が2以上あるため、その者が2以上あることとなるときは、当該請負契約のうち最も先次の請負契約における注文者）をいうため、本肢の場合、元方事業者は乙社であり、本肢の指示を行う義務は、「乙社」に課せられている。

068 □□□ 普通 R元.8-A

次に示す建設工事現場における安全衛生管理に関して、乙社は、自社の労働者、丙社及び丁社の労働者の作業が同一の場所において行われることによって生ずる労働災害を防止するため、協議組織を設置しなければならないが、この協議組織には、乙社が直接契約を交わした丙社のみならず、丙社が契約を交わしている丁社も参加させなければならず、丙社及び丁社はこれに参加しなければならない。

甲社：本件建設工事の発注者

乙社：本件建設工事を甲社から請け負って当該建設工事現場で仕事をしている事業者。常時10人の労働者が現場作業に従事している。

丙社：乙社から工事の一部を請け負って当該建設工事現場で仕事をしているいわゆる一次下請事業者。常時30人の労働者が現場作業に従事している。

丁社：丙社から工事の一部を請け負って当該建設工事現場で仕事をしているいわゆる二次下請事業者。常時20人の労働者が現場作業に従事している。

069 □□□ 普通 R4.8-D

下記に示す事業者が一の場所において行う建設業の事業において、甲社は、労働災害を防止するために協議組織を設置し運営しなければならないが、この協議組織には自社が請負契約を交わした乙①社及び乙②社のみならず丙①社及び丙②社も参加する組織としなければならない。なお、この場所では甲社の労働者及び下記乙①社から丙②社までの4社の労働者が作業を行っており、作業が同一の場所において行われることによって生じる労働災害を防止する必要がある。

甲社　鉄骨造のビル建設工事の仕事を行う元方事業者
当該場所において作業を行う労働者数　常時5人

乙①社　甲社から鉄骨組立工事一式を請け負っている事業者
当該場所において作業を行う労働者数　常時10人

乙②社　甲社から壁面工事一式を請け負っている事業者
当該場所において作業を行う労働者数　常時10人

丙①社　乙①社から鉄骨組立作業を請け負っている事業者
当該場所において作業を行う労働者数　常時14人

丙②社　乙②社から壁材取付作業を請け負っている事業者
当該場所において作業を行う労働者数　常時14人

○ **068** 必修基本書 労働科目……174p

（法15条1項、法30条1項、則635条）本肢のとおりである。本肢の乙社（特定元方事業者）は、特定元方事業者及びすべての関係請負人が参加する協議組織を設置しなければならず、関係請負人は、特定元方事業者が設置する当該協議組織に参加しなければならない。なお、特定元方事業者とは、元方事業者のうち、建設業その他政令で定める業種に属する事業（特定事業）を行う者をいい、関係請負人には、元方事業者の事業の仕事が数次の請負契約によって行われるときは、当該請負人の請負契約の後次のすべての請負契約の当事者である請負人を含むものとされている。

○ **069** 必修基本書 労働科目……175p

（法30条1項、法36条、則635条1項）本肢のとおりである。特定元方事業者である甲社は、その労働者及び関係請負人の労働者の作業が同一の場所において行われることによって生ずる労働災害を防止するため、本肢の措置のほかに、作業間の連絡及び調整を行うこと及び作業場所を巡視することなどの措置も講じなければならない。

070 □□□ 普通　R元.8-E

次に示す建設工事現場における安全衛生管理に関して、乙社が足場を設置し、自社の労働者のほか丙社及び丁社の労働者にも使用させている場合において、例えば、墜落により労働者に危険を及ぼすおそれのある箇所に労働安全衛生規則で定める足場用墜落防止設備が設けられていなかった。この場合、乙社、丙社及び丁社は、それぞれ事業者として自社の労働者の労働災害を防止するための措置義務を負うほか、乙社は、丙社及び丁社の労働者の労働災害を防止するため、注文者としての措置義務も負う。

甲社：本件建設工事の発注者

乙社：本件建設工事を甲社から請け負って当該建設工事現場で仕事をしている事業者。常時10人の労働者が現場作業に従事している。

丙社：乙社から工事の一部を請け負って当該建設工事現場で仕事をしているいわゆる一次下請事業者。常時30人の労働者が現場作業に従事している。

丁社：丙社から工事の一部を請け負って当該建設工事現場で仕事をしているいわゆる二次下請事業者。常時20人の労働者が現場作業に従事している。

○ **070** 必修基本書 労働科目……172p

（法21条2項、法31条、則563条1項）本肢のとおりである。事業者は、労働者が墜落するおそれのある場所等に係る危険を防止するため必要な措置を講じなければならず、特定事業の仕事を自ら行う注文者は、建設物等（足場など）を、当該仕事を行う場所においてその請負人（当該仕事が数次の請負契約によって行われるときは、当該請負人の請負契約の後次のすべての請負契約の当事者である請負人を含む）の労働者に使用させるときは、当該建設物等について、当該労働者の労働災害を防止するため必要な措置を講じなければならない。

❻ 特定機械等

071 □□□ 普通 R5.8-A

労働安全衛生法第37条第1項の「特定機械等」(特に危険な作業を必要とする機械等であって、これを製造しようとする者はあらかじめ都道府県労働局長の許可を受けなければならないもの)として、「ボイラー(小型ボイラー並びに船舶安全法の適用を受ける船舶に用いられるもの及び電気事業法(昭和39年法律第170号)の適用を受けるものを除く。)」は、労働安全衛生法施行令に掲げられていない。ただし、本肢の機械等は、本邦の地域内で使用されないことが明らかな場合を除くものとする。

072 □□□ 普通 R5.8-B

労働安全衛生法第37条第1項の「特定機械等」(特に危険な作業を必要とする機械等であって、これを製造しようとする者はあらかじめ都道府県労働局長の許可を受けなければならないもの)として、「つり上げ荷重が3トン以上(スタツカー式クレーンにあっては、1トン以上)のクレーン」は、労働安全衛生法施行令に掲げられていない。ただし、本肢の機械等は、本邦の地域内で使用されないことが明らかな場合を除くものとする。

073 □□□ 普通 R5.8-C

労働安全衛生法第37条第1項の「特定機械等」(特に危険な作業を必要とする機械等であって、これを製造しようとする者はあらかじめ都道府県労働局長の許可を受けなければならないもの)として、「つり上げ荷重が3トン以上の移動式クレーン」は、労働安全衛生法施行令に掲げられていない。ただし、本肢の機械等は、本邦の地域内で使用されないことが明らかな場合を除くものとする。

074 □□□ 普通 R5.8-D

労働安全衛生法第37条第1項の「特定機械等」(特に危険な作業を必要とする機械等であって、これを製造しようとする者はあらかじめ都道府県労働局長の許可を受けなければならないもの)として、「積載荷重(エレベーター(簡易リフト及び建設用リフトを除く。以下同じ。)、簡易リフト又は建設用リフトの構造及び材料に応じて、これらの搬器に人又は荷をのせて上昇させることができる最大の荷重をいう。以下同じ。)が1トン以上のエレベーター」は、労働安全衛生法施行令に掲げられていない。ただし、本肢の機械等は、本邦の地域内で使用されないことが明らかな場合を除くものとする。

× 071 必修基本書 労働科目……179p

（令12条1項）本肢の機械等は、法37条1項の「特定機械等」として、労働安全衛生法施行令に掲げられている。

× 072 必修基本書 労働科目……179p

（令12条1項）本肢の機械等は、法37条1項の「特定機械等」として、労働安全衛生法施行令に掲げられている

× 073 必修基本書 労働科目……179p

（令12条1項）本肢の機械等は、法37条1項の「特定機械等」として、労働安全衛生法施行令に掲げられている。

× 074 必修基本書 労働科目……179p

（令12条1項）本肢の機械等は、法37条1項の「特定機械等」として、労働安全衛生法施行令に掲げられている。

075 □□□ 普通 　R5.8-E

労働安全衛生法第37条第1項の「特定機械等」（特に危険な作業を必要とする機械等であって、これを製造しようとする者はあらかじめ都道府県労働局長の許可を受けなければならないもの）として、「機体重量が3トン以上の車両系建設機械」は、労働安全衛生法施行令に掲げられていない。ただし、本肢の機械等は、本邦の地域内で使用されないことが明らかな場合を除くものとする。

○ **075** 必修基本書 労働科目……179p

(令12条1項) 本肢のとおりである。本肢の機械等は、法37条1項の「特定機械等」に該当しない。

❼ 特定機械等以外の機械等

076 □□□ 難 R元.9-A

プレス機械又はシャーの安全装置は、労働安全衛生法第42条により、厚生労働大臣が定める規格又は安全装置を具備しなければ、譲渡し、貸与し、又は設置してはならない。なお、本問において、本邦の地域内で使用されないことが明らかな場合を考慮する必要はない。

077 □□□ 難 R元.9-B

木材加工用丸のこ盤及びその反発予防装置又は歯の接触予防装置は、労働安全衛生法第42条により、厚生労働大臣が定める規格又は安全装置を具備しなければ、譲渡し、貸与し、又は設置してはならない。なお、本問において、本邦の地域内で使用されないことが明らかな場合を考慮する必要はない。

078 □□□ 難 R元.9-C

保護帽は、労働安全衛生法第42条により、厚生労働大臣が定める規格又は安全装置を具備しなければ、譲渡し、貸与し、又は設置してはならない。なお、本問において、本邦の地域内で使用されないことが明らかな場合を考慮する必要はない。

079 □□□ 難 R元.9-D

墜落制止用器具は、労働安全衛生法第42条により、厚生労働大臣が定める規格又は安全装置を具備しなければ、譲渡し、貸与し、又は設置してはならない。なお、本問において、本邦の地域内で使用されないことが明らかな場合を考慮する必要はない。

080 □□□ 難 R元.9-E

天板の高さが1メートル以上の脚立は、労働安全衛生法第42条により、厚生労働大臣が定める規格又は安全装置を具備しなければ、譲渡し、貸与し、又は設置してはならない。なお、本問において、本邦の地域内で使用されないことが明らかな場合を考慮する必要はない。

○ **076** 必修基本書 労働科目……182p

(法別表第2第5号、令13条4項) 本肢のとおりである。なお、事業者は、プレス機械及びシャー (以下本解説において「プレス等」とする) については、原則として、安全囲いを設ける等当該プレス等を用いて作業を行う労働者の身体の一部が危険限界に入らないような措置を講じなければならない (則131条1項)。

○ **077** 必修基本書……該当ページなし

(法別表第2第10号、令13条4項) 本肢のとおりである。なお、事業者は、木材加工用丸のこ盤の歯の切断に必要な部分以外の部分及びのこ車には、覆い又は囲いを設けなければならない (則124条)。

○ **078** 必修基本書……該当ページなし

(法別表第2第15号、令13条4項) 本肢のとおりである。

○ **079** 必修基本書……該当ページなし

(令13条3項28号、令13条4項) 本肢のとおりである。

× **080** 必修基本書……該当ページなし

(法別表第2、令13条3項・4項) 本肢の機械等は、厚生労働大臣が定める規格又は安全装置を具備しなければ、譲渡し、貸与し、又は設置してはならないとされている機械等ではない。

❽ 自主検査

081 □□□ 普通　H30.9-C

作業床の高さが2メートル以上の高所作業車は、労働安全衛生法第45条第2項に定める特定自主検査の対象になるので、事業者は、その使用する労働者には当該検査を実施させることが認められておらず、検査業者に実施させなければならない。

082 □□□ 難　H30.9-A

事業者は、現に使用している動力プレスについては、1年以内ごとに1回、定期に、労働安全衛生規則で定める自主検査を行わなければならないとされているが、加工材料に加える圧力が3トン未満の動力プレスは除かれている。

083 □□□ 難　H30.9-B

事業者は、現に使用しているフォークリフトについては、1年を超えない期間ごとに1回、定期に、労働安全衛生規則で定める自主検査を行わなければならないとされているが、最大荷重が1トン未満のフォークリフトは除かれている。

084 □□□ 難　H30.9-D

屋内作業場において、有機溶剤中毒予防規則に定める第1種有機溶剤等又は第2種有機溶剤等を用いて行う印刷の業務に労働者を従事させている事業者は、当該有機溶剤作業を行っている場所で稼働させている局所排気装置について、1年以内ごとに1回、定期に、定められた事項について自主検査を行わなければならない。

085 □□□ 普通　H30.9-E

事業者は、定期自主検査を行ったときは、その結果を記録し、これを5年間保存しなければならない。

× **081** 必修基本書 労働科目……185p

（法45条2項、令15条2項）特定自主検査は、検査業者のみならず、「事業者が使用する労働者で厚生労働省令で定める資格を有するもの」にも実施させることが「できる」。その他の記述は正しい。

× **082** 必修基本書……該当ページなし

（法45条1項、則134条の3第1項）本肢後段のような例外規定はなく、「加工材料に加える圧力が3トン未満の動力プレス」も定期自主検査（特定自主検査）の対象である。

× **083** 必修基本書……該当ページなし

（法45条1項、則151条の21第1項、則151条の22第1項）本肢後段のような例外規定はなく、「最大荷重が1トン未満のフォークリフト」も定期自主検査（特定自主検査）の対象である。

○ **084** 必修基本書……該当ページなし

（有機溶剤中毒予防規則5条、同規則20条2項）本肢のとおりである。なお、1年を超える期間使用しない本肢の局所排気装置の当該使用しない期間については、定期自主検査を行う必要はないとされている。

× **085** 必修基本書……該当ページなし

（法45条1項、則135条の2ほか）事業者は、定期自主検査を行ったときは、その結果を記録し、これを「3年間」保存しなければならない。

❾ 危険物・有害物

086 □□□ 普通　R3.8-D

労働安全衛生法では、化学物質による労働者の健康障害を防止するため、新規化学物質を製造し、又は輸入しようとする事業者は、あらかじめ、厚生労働省令で定めるところにより、厚生労働大臣の定める基準に従って有害性の調査（当該新規化学物質が労働者の健康に与える影響についての調査をいう。）を行うよう努めなければならないとされている。

087 □□□ 普通　R3.8-E

労働安全衛生法では、厚生労働大臣は、化学物質で、がんその他の重度の健康障害を労働者に生ずるおそれのあるものについて、当該化学物質による労働者の健康障害を防止するため必要があると認めるときは、厚生労働省令で定めるところにより、当該化学物質を製造し、輸入し、又は使用している事業者その他厚生労働省令で定める事業者に対し、政令で定める有害性の調査（当該化学物質が労働者の健康障害に及ぼす影響についての調査をいう。）を行い、その結果を報告すべきことを指示することができることとされ、また、その指示を行おうとするときは、あらかじめ、厚生労働省令で定めるところにより、学識経験者の意見を聴かなければならないとされている。

× **086** 必修基本書 労働科目……189p

（法57条の4第1項）化学物質による労働者の健康障害を防止するため、新規化学物質を製造し、又は輸入しようとする事業者は、あらかじめ、厚生労働省令で定めるところにより、厚生労働大臣の定める基準に従って有害性の調査を「行わなければならない」。

○ **087** 必修基本書 労働科目……190p

（法57条の5第1項・3項）本肢のとおりである。なお、本肢の結果を報告すべきことの指示について意見を求められた学識経験者は、当該指示に関して知り得た秘密を漏らしてはならない。ただし、労働者の健康障害を防止するためやむを得ないときは、この限りでない（同条5項）。

⑩ 安全衛生教育

088 □□□ 普通 R2.10-A

事業者は、常時使用する労働者を雇い入れたときは、当該労働者に対し、厚生労働省令で定めるところにより、その従事する業務に関する安全又は衛生のための教育を行わなければならない。臨時に雇用する労働者については、同様の教育を行うよう努めなければならない。

089 □□□ 易 R2.10-B

事業者は、作業内容を変更したときにも新規に雇い入れたときと同様の安全衛生教育を行わなければならない。

090 □□□ 普通 R2.10-C

安全衛生教育の実施に要する時間は労働時間と解されるので、当該教育が法定労働時間外に行われた場合には、割増賃金が支払われなければならない。

091 □□□ 難 R2.10-D

事業者は、最大荷重1トン未満のフォークリフトの運転（道路交通法（昭和35年法律第105号）第2条第1項第1号の道路上を走行させる運転を除く。）の業務に労働者を就かせるときは、当該業務に関する安全又は衛生のための特別の教育を行わなければならない。

092 □□□ 難 R2.10-E

事業者は、その事業場の業種が金属製品製造業に該当するときは、新たに職務に就くこととなった職長その他の作業中の労働者を直接指導又は監督する者（作業主任者を除く。）に対し、作業方法の決定及び労働者の配置に関すること等について、厚生労働省令で定めるところにより、安全又は衛生のための教育を行わなければならない。

× **088** 必修基本書 労働科目……191p

（法59条1項）雇入れ時の安全衛生教育は、臨時に雇用する労働者を含めた「すべての労働者に対して行わなければならない」。

○ **089** 必修基本書 労働科目……191p

（法59条2項、則35条1項）本肢のとおりである。なお、事業者は、本肢の安全衛生教育に係る一定の事項の全部又は一部に関し十分な**知識及び技能**を有していると認められる労働者については、当該事項についての教育を省略することができる（則35条2項）。

○ **090** 必修基本書 労働科目……55p

（昭47.9.18基発602号）本肢のとおりである。なお、本肢の安全衛生教育は、労働者がその業務に従事する場合の**労働災害の防止**を図るため、**事業者**の責任において実施されなければならないものであり、したがって、安全衛生教育については**所定労働時間**に行うことを原則としている。

○ **091** 必修基本書 労働科目……192p

（則36条5号）本肢のとおりである。なお、事業者は、最大荷重1トン未満のショベルローダー又はフォークローダーの運転（本肢の道路上を走行させる運転を除く）の業務に労働者を就かせるときについても、当該業務に関する安全又は衛生のための特別の教育を行わなければならない（同条6号）。

○ **092** 必修基本書 労働科目……193p

（法60条、令19条）本肢のとおりである。

⑪ 就業制限等

093 □□□ 普通 H28.10-E

作業床の高さが5メートルの高所作業車の運転（道路上を走行させる運転を除く。）の業務は、高所作業車運転技能講習を修了した者でなければその業務に就くことはできない。

094 □□□ 普通 H28.10-A

産業労働の場において、事業者は、例えば最大荷重が1トン以上のフォークリフトの運転（道路上を走行させる運転を除く。）の業務については、都道府県労働局長の登録を受けた者が行うフォークリフト運転技能講習を修了した者その他厚生労働省令で定める資格を有する者でなければ、当該業務に就かせてはならないが、個人事業主である事業者自らが当該業務を行うことについては制限されていない。

095 □□□ 難 H28.10-B

建設機械の一つである機体重量が3トン以上のブル・ドーザーの運転（道路上を走行させる運転を除く。）の業務に係る就業制限は、建設業以外の事業を行う事業者には適用されない。

096 □□□ 難 H28.10-C

つり上げ荷重が5トンのクレーンのうち床上で運転し、かつ、当該運転をする者が荷の移動とともに移動する方式のものの運転の業務は、クレーン・デリック運転士免許を受けていなくても、床上操作式クレーン運転技能講習を修了した者であればその業務に就くことができる。

097 □□□ 難 H28.10-D

クレーン・デリック運転士免許を受けた者は、つり上げ荷重が5トンの移動式クレーンの運転（道路上を走行させる運転を除く。）の業務に就くことができる。

× 093 必修基本書……該当ページなし

(法61条1項、令20条15号、則41条、則別表3) 作業床の高さが「10メートル以上」の高所作業車の運転(道路上を走行させる運転を除く)の業務には、高所作業車運転技能講習を修了した者その他厚生労働大臣が定める者でなければ就くことができない。

× 094 必修基本書……該当ページなし

(法61条1項・2項、令20条11号) 最大荷重が1トン以上のフォークリフトの運転(道路上を走行させる運転を除く)の業務については、都道府県労働局長の登録を受けた者が行うフォークリフト運転技能講習を修了した者その他厚生労働省令で定める資格を有する者でなければ、当該業務に就かせてはならず、「個人事業主である事業者自らが当該業務を行う場合についても同様である」。

× 095 必修基本書……該当ページなし

(法61条1項、令20条12号、令別表7) 建設機械の一つである機体重量が3トン以上のブル・ドーザーの運転(道路上を走行させる運転を除く)の業務に係る就業制限は、建設業以外の事業を行う事業者にも「適用される」。

○ 096 必修基本書……該当ページなし

(法61条1項、令20条6号、クレーン等安全規則22条、則41条、則別表3) 本肢のとおりである。なお、つり上げ荷重が5トン以上のクレーンの業務は、原則として、クレーン・デリック運転士免許を受けた者でなければ、当該業務に就かせてはならないが、つり上げ荷重が5トン以上のクレーンのうち「床上で運転し、かつ、当該運転をする者が荷の移動とともに移動する方式のものの運転の業務」については、本肢のように床上操作式クレーン運転技能講習を修了した者であれば、その業務に就くことができるとされている。

× 097 必修基本書……該当ページなし

(法61条1項、令20条7号、則41条、則別表3) つり上げ荷重が5トン以上の移動式クレーンの運転(道路上を走行させる運転を除く)の業務には、「移動式クレーン運転士免許を受けた者」でなければ就くことができない。

⑫ 健康診断等

098 □□□ 普通 R元.10-B

事業者は、常時使用する労働者を雇い入れるときは、当該労働者に対し、所定の項目について医師による健康診断を行わなければならないが、医師による健康診断を受けた後、6か月を経過しない者を雇い入れる場合において、その者が当該健康診断の結果を証明する書面を提出したときは、当該健康診断の項目については、この限りでない。

099 □□□ 易 R5.10-B

事業者は、常時使用する労働者を雇い入れるときは、当該労働者に対し、所定の項目について医師による健康診断を行わなければならないが、医師による健康診断を受けた後、6月を経過しない者を雇い入れる場合において、その者が当該健康診断の結果を証明する書面を提出したときは、当該健康診断の項目に相当する項目については、この限りでない。

100 □□□ 難 R元.10-C

期間の定めのない労働契約により使用される短時間労働者に対する一般健康診断の実施義務は、1週間の労働時間数が当該事業場において同種の業務に従事する通常の労働者の1週間の所定労働時間数の4分の3以上の場合に課せられているが、1週間の労働時間数が当該事業場において同種の業務に従事する通常の労働者の1週間の所定労働時間数のおおむね2分の1以上である者に対しても実施することが望ましいとされている。

101 □□□ 普通 H27.10-ア

常時使用する労働者に対して、事業者の実施することが義務づけられている健康診断は、通常の労働者と同じ所定労働時間で働く労働者であっても1年限りの契約で雇い入れた労働者については、その実施義務の対象から外されている。

102 □□□ 普通 R元.10-A

事業者は、常時使用する労働者に対し、定期に、所定の項目について医師による健康診断を行わなければならないとされているが、その費用については、事業者が全額負担すべきことまでは求められていない。

× **098** 必修基本書 労働科目……198p

（則43条1項）本肢の場合、医師による健康診断を受けた後、「3月」を経過しない者を雇い入れる場合において、その者が当該健康診断の結果を証明する書面を提出したときは、当該健康診断の項目に相当する項目については、本肢の健康診断を行う必要はないものとされている。

× **099** 必修基本書 労働科目……198p

（則43条）医師による健康診断を受けた後、「3月」を経過しない者を雇い入れる場合において、その者が当該健康診断の結果を証明する書面を提出したときは、当該健康診断の項目に相当する項目については、本肢の健康診断を受ける必要はない。本肢前段の記述は正しい。

○ **100** 必修基本書 労働科目……198p

（法66条1項、平5.12.1基発663号）本肢のとおりである。

× **101** 必修基本書 労働科目……198p

（平5.12.1基発663号）期間の定めのある労働契約により使用される者であって、当該契約の契約期間が「1年以上」であるもの等であって、かつ、その者の1週間の労働時間数が当該事業場において同種の業務に従事する通常の労働者の1週間の所定労働時間数の**4分の3**以上であるときは、定期健康診断の対象者となる。

× **102** 必修基本書……該当ページなし

（則44条1項、昭47.9.18基発602号）本肢の健康診断の費用については、法で事業者に健康診断の実施の義務を課している以上、当然に「事業者が負担すべきもの」とされている。

103 □□□ 普通 R元.10-D

産業医が選任されている事業場で法定の健康診断を行う場合は、産業医が自ら行うか、又は産業医が実施の管理者となって健診機関に委託しなければならない。

104 □□□ 易 H27.10-イ

事業者は、深夜業を含む業務に常時従事する労働者については、当該業務への配置換えの際及び6月以内ごとに1回、定期に、労働安全衛生規則に定める項目について健康診断を実施しなければならない。

105 □□□ 普通 H27.10-ウ

事業者は、高さ10メートル以上の高所での作業に従事する労働者については、当該業務への配置換えの際及び6月以内ごとに1回、定期に、労働安全衛生規則に定める項目について健康診断を実施しなければならない。

106 □□□ 普通 H27.10-オ

健康診断の受診に要した時間に対する賃金の支払について、労働者一般に対し行われるいわゆる一般健康診断の受診に要した時間については当然には事業者の負担すべきものとされていないが、特定の有害な業務に従事する労働者に対し行われるいわゆる特殊健康診断の実施に要する時間については労働時間と解されているので、事業者の負担すべきものとされている。

107 □□□ 普通 R5.10-E

労働者は、労働安全衛生法の規定により事業者が行う健康診断を受けなければならない。ただし、事業者の指定した医師又は歯科医師が行う健康診断を受けることを希望しない場合において、その旨を明らかにする書面を事業者に提出したときは、この限りでない。

108 □□□ 易 H27.10-エ

事業者は、労働安全衛生規則に定める健康診断については、その結果に基づき健康診断個人票を作成して、その個人票を少なくとも3年間保存しなければならない。

×	**103**	必修基本書……該当ページなし

（法66条1項ほか）法66条の法定の健康診断は、「医師（一定の場合、歯科医師）」による健康診断とされており、産業医が選任されている事業場における当該健康診断の実施について、「産業医が自ら行うか、又は産業医が実施の管理者となって健診機関に委託しなければならないという規定は、設けられていない」。

○	**104**	必修基本書 労働科目……200p

（則45条）本肢のとおりである。

×	**105**	必修基本書……該当ページなし

（則44条、則45条）高さ10メートル以上の高所での作業は、特定業務従事者に対する健康診断の対象業務とされていないため、事業者は本肢の労働者に対しては、1年以内ごとに1回、定期に健康診断を行えば足りる。

○	**106**	必修基本書 労働科目……202p

（昭47.9.18基発602号）本肢のとおりである。なお、法66条に規定する一般健康診断の実施に要する時間は労働時間に該当しない。

×	**107**	必修基本書 労働科目……203p

（法66条5項）事業者の指定した医師又は歯科医師が行う健康診断を受けることを希望しない場合において、「他の医師又は歯科医師の行う労働安全衛生法の規定による健康診断に相当する健康診断を受け、その結果を証明する書面」を事業者に提出したときは、労働安全衛生法の規定により事業者が行う健康診断を受けなくてもよい。本肢前段の記述は正しい。

×	**108**	必修基本書 労働科目……204p

（則51条）事業者は、健康診断の結果に基づき、健康診断個人票を作成して、これを、原則として、「**5**年間」保存しなければならない。

109 □□□ 易　R5.10-C

事業者（常時100人以上の労働者を使用する事業者に限る。）は、労働安全衛生規則第44条の定期健康診断又は同規則第45条の特定業務従事者の健康診断（定期のものに限る。）を行ったときは、遅滞なく、所定の様式の定期健康診断結果報告書を所轄労働基準監督署長に提出しなければならない。

110 □□□ 易　R5.10-A

事業者は、労働安全衛生法第66条第1項の規定による健康診断の結果（当該健康診断の項目に異常の所見があると診断された労働者に係るものに限る。)に基づき、当該労働者の健康を保持するために必要な措置について、厚生労働省令で定めるところにより、医師又は歯科医師の意見を聴かなければならない。

111 □□□ 普通　R元.10-E

事業者は、厚生労働省令で定めるところにより、受診したすべての労働者の健康診断の結果を記録しておかなければならないが、健康診断の受診結果の通知は、何らかの異常所見が認められた労働者に対してのみ行えば足りる。

112 □□□ 普通　R5.10-D

事業者は、労働安全衛生規則第44条の定期健康診断を受けた労働者に対し、遅滞なく、当該健康診断の結果（当該健康診断の項目に異常の所見があると診断された労働者に係るものに限る。）を通知しなければならない。

113 □□□ 易　R6.9-A

労働安全衛生法第66条の8第1項において、事業者が医師による長時間にわたる労働に関する面接指導を行わなければならないとされている労働者の要件は、休憩時間を除き1週間当たり40時間を超えて労働させた場合におけるその超えた時間が一月当たり80時間を超え、かつ、疲労の蓄積が認められる者（所定事由に該当する労働者であって当該面接指導を受ける必要がないと医師が認めたものを除く。）である。

× **109** 必修基本書 労働科目……204p

(則52条1項) 常時「**50**人以上」の労働者を使用する事業者は、定期健康診断又は特定業務従事者の健康診断（定期のものに限る）を行ったときは、遅滞なく、定期健康診断結果報告書を所轄労働基準監督署長に提出しなければならない。

○ **110** 必修基本書 労働科目……204p

(法66条の4) 本肢のとおりである。なお、本肢の規定において、産業医の選任義務のある事業場においては、産業医の意見を聴くことが適当あり、産業医の選任義務のない事業場においては、労働者の健康管理等を行うのに必要な医学に関する知識を有する医師等から意見を聴くことが適当である（平8.9.13基発566号）。

× **111** 必修基本書……該当ページなし

(法66条の3、法66条の6ほか) 事業者は、法66条1項から4項まで（一般健康診断、特殊健康診断及び臨時の健康診断）の規定により行う「健康診断を受けた労働者」に対し、厚生労働省令で定めるところにより、健康診断の結果を通知しなければならないものとされており、当該通知は、何らかの異常所見が認められた労働者に対してのみ行えば足りるもの「ではない」。本肢前段の記述は正しい。

× **112** 必修基本書 労働科目……205p

(則51条の4) 事業者は、定期健康診断を受けた労働者に対し、遅滞なく、当該健康診断の結果を通知しなければならないとされており、この通知は、「異常の所見があると診断された労働者以外の労働者に対しても行わなければならない」。

○ **113** 必修基本書 労働科目……206p

(則52条の2第1項) 本肢のとおりである。なお、長時間にわたる労働に関する面接指導は、当該面接指導の対象となる**労働者の申出**により行うものとされており、事業者は、当該**労働者から申出**があったときは、**遅滞なく**、当該面接指導を行わなければならない（則52条の3）。

114 □□□ 易 R2.8-A

事業者は、休憩時間を除き1週間当たり40時間を超えて労働させた場合におけるその超えた時間が1月当たり60時間を超え、かつ、疲労の蓄積が認められる労働者から申出があった場合は、面接指導を行わなければならない。

115 □□□ 易 R6.9-B

労働安全衛生法第66条の8の2において、新たな技術、商品又は役務の研究開発に係る業務に従事する者（労働基準法第41条各号に掲げる者及び労働安全衛生法第66条の8の4第1項に規定する者を除く。）に対して事業者が医師による研究開発業務従事者に係る面接指導を行わなければならないとされている労働時間に関する要件は、休憩時間を除き1週間当たり40時間を超えて労働させた場合におけるその超えた時間が一月当たり100時間を超える者とされている。

116 □□□ 普通 R2.8-B

事業者は、研究開発に係る業務に従事する労働者については、休憩時間を除き1週間当たり40時間を超えて労働させた場合におけるその超えた時間が1月当たり80時間を超えた場合は、労働者からの申出の有無にかかわらず面接指導を行わなければならない。

117 □□□ 普通 R6.9-C

事業者は、労働安全衛生法の規定による医師による長時間にわたる労働に関する面接指導又は研究開発業務従事者に係る面接指導を実施するため、厚生労働省令で定める方法により労働者の労働時間の状況を把握しなければならないとされているが、この労働者には、労働基準法第41条第2号に規定する監督若しくは管理の地位にある者又は機密の事務を取り扱う者も含まれる。

118 □□□ 普通 R2.8-D

事業者は、労働安全衛生法に定める面接指導を実施するため、厚生労働省令で定めるところにより、労働者の労働時間の状況を把握しなければならないが、労働基準法第41条によって労働時間等に関する規定の適用が除外される労働者及び同法第41条の2第1項の規定により労働する労働者（いわゆる高度プロフェッショナル制度により労働する労働者）はその対象から除いてもよい。

× **114** 必修基本書 労働科目……206p

(法66条の8第1項、則52条の2第1項、則52条の3第1項) 事業者は、休憩時間を除き1週間当たり40時間を超えて労働させた場合におけるその超えた時間が1月あたり「80時間」を超え、かつ、疲労の蓄積が認められる労働者から申出があった場合は、本肢の面接指導を行わなければならない。

○ **115** 必修基本書 労働科目……207p

(則52条の7の2第1項) 本肢のとおりである。なお、本肢の研究開発業務従事者に係る面接指導は、超えた時間の算定期日後、遅滞なく、行うものとされており、労働者の申出は、当該面接指導の実施に係る要件とはされていない (同条2項)。

× **116** 必修基本書 労働科目……207p

(法66条の8の2第1項、則52条の7の2) 事業者は、研究開発に係る業務に従事する労働者については、休憩時間を除き1週間当たり40時間を超えて労働させた場合におけるその超えた時間が1月あたり「100時間」を超えた場合は、労働者からの申出の有無にかかわらず、面接指導を行わなければならない。

○ **117** 必修基本書 労働科目……208p

(法66条の8の3、平31.3.29基発0329第2号) 本肢のとおりである。なお、事業者は、把握した労働時間の状況の記録を作成し、3年間保存するための必要な措置を講じなければならない (則52条の7の3)。

× **118** 必修基本書 労働科目……208p

(法66条の8の3) 事業者は、労働安全衛生法所定の面接指導を実施するため、厚生労働省令で定める方法により、労働者の労働時間の状況を把握しなければならず、「労働基準法41条によって労働時間等に関する規定の適用が除外される労働者(管理監督者等)についても、その労働時間の状況を把握しなければならない」。なお、高度プロフェッショナル制度により労働する労働者については、当該把握の対象とされていない旨の記述は正しい。

119 □□□ 普通 R2.8-C

事業者は、労働基準法第41条の2第1項の規定により労働する労働者（いわゆる高度プロフェッショナル制度により労働する労働者）については、その健康管理時間（同項第3号に規定する健康管理時間をいう。）が1週間当たり40時間を超えた場合におけるその超えた時間が1月当たり100時間を超えるものに対し、労働者からの申出の有無にかかわらず医師による面接指導を行わなければならない。

120 □□□ 易 H30.10-A

常時50人以上の労働者を使用する事業者は、常時使用する労働者に対し、1年以内ごとに1回、定期に、労働安全衛生法第66条の10に定める医師等による心理的な負担の程度を把握するための検査（ストレスチェック）を行わなければならない。

121 □□□ 易 H30.10-B

労働安全衛生法第66条の10に定める医師等による心理的な負担の程度を把握するための検査（以下本問において「ストレスチェック」という。）の項目には、ストレスチェックを受ける労働者の職場における心理的な負担の原因に関する項目を含めなければならない。

122 □□□ 易 H30.10-C

労働安全衛生法第66条の10に定める医師等による心理的な負担の程度を把握するための検査（以下本問において「ストレスチェック」という。）の項目には、ストレスチェックを受ける労働者への職場における他の労働者による支援に関する項目を含めなければならない。

123 □□□ 易 H30.10-D

労働安全衛生法第66条の10に定める医師等による心理的な負担の程度を把握するための検査（以下本問において「ストレスチェック」という。）の項目には、ストレスチェックを受ける労働者の心理的な負担による心身の自覚症状に関する項目を含めなければならない

○ 119　必修基本書 労働科目……208p

（法66条の8の4第1項、則52条の7の4）本肢のとおりである。なお、事業者は、特定高度専門業務・成果型労働制適用者に係る面接指導の結果に基づき、当該労働者の健康を保持するために必要な措置について、当該面接指導が行われた後、遅滞なく、医師の意見を聴かなければならない（則52条の7の4第2項）。

○ 120　必修基本書 労働科目……210p

（法66条の10第1項、則52条の9）本肢のとおりである。なお、本肢の「常時使用する労働者」には、期間の定めのない労働者だけでなく、期間の定めのある労働契約により使用されている労働者であって、1年（一定の有害業務に従事する場合には6箇月）以上使用されることが予定される者も含まれる。また、この「常時使用する労働者」に該当する限り、短時間労働者であっても、当該短時間労働者の1週間の所定労働時間が、同種の業務に従事する通常の労働者の4分の3以上である場合においては、事業者は健康診断を実施しなければならない。

○ 121　必修基本書 労働科目……210p

（則52条の9）本肢のとおりである。なお、医師等による心理的な負担の程度を把握するための検査等は、労働者のメンタルヘルス不調を未然に防止するための制度であり、医師等によるストレスチェックとその結果に基づく面接指導の2つの措置によって主に構成されている。

○ 122　必修基本書 労働科目……210p

（則52条の9）本肢のとおりである。なお、本肢の医師等とは、次に掲げる者をいう。

①医師
②保健師
③検査を行うために必要な知識についての研修であって厚生労働大臣が定めるものを修了した歯科医師、看護師、精神保健福祉士又は公認心理師

○ 123　必修基本書 労働科目……210p

（則52条の9）本肢のとおりである。なお、事業者は、ストレスチェックを受けた労働者に対し、ストレスチェックを行った医師等から、遅滞なく、当該検査の結果が通知されるようにしなければならない（法66条の10第2項）。

124 □□□ 普通　H30.10-E

労働安全衛生法第66条の10に定める医師等による心理的な負担の程度を把握するための検査（以下本問において「ストレスチェック」という。）を受ける労働者について解雇、昇進又は異動に関して直接の権限を持つ監督的地位にある者は、検査の実施の事務に従事してはならないので、ストレスチェックを受けていない労働者を把握して、当該労働者に直接、受検を勧奨してはならない。

125 □□□ 易　R2.8-E

事業者は、労働安全衛生法に定める面接指導の結果については、当該面接指導の結果の記録を作成して、これを保存しなければならないが、その保存すべき年限は3年と定められている。

126 □□□ 普通　R6.9-D

労働安全衛生法第66条の8（長時間にわたる労働に関する面接指導）及び同法第66条の8の2（研究開発業務従事者に係る面接指導）により行われる医師による面接指導に要する費用については、いずれも事業者が負担すべきものであるとされているが、当該面接指導に要した時間に係る賃金の支払については、当然には事業者の負担すべきものではなく、事業者が支払うことが望ましいとされている。

× **124** 必修基本書 労働科目……211p

（則52条の10第2項、平27.5.1基発0501第3号）本肢の人事に関して直接の権限を持つ監督的地位にある者が従事することができないストレスチェックに係る検査の事務は、ストレスチェックの実施に直接従事すること及び実施に関連してストレスチェックの実施者の指示のもと行われる労働者の健康情報を取り扱う事務をいう。これに該当しない事務については、本肢の監督的地位にある者が従事して差し支えないものとされており、「ストレスチェックを受けていない労働者に対する受検の勧奨」は、本肢の監督的地位にある者が従事して差し支えないものとされている。

× **125** 必修基本書 労働科目……207～208、211p

（則52条の6第1項、則52条の7の2第2項、則52条の7の4第2項、則52条の18第1項）事業者は、面接指導の結果に基づき、当該面接指導の結果の記録を作成して、これを「**5**年間」保存しなければならない。

× **126** 必修基本書……該当ページなし

（平18.2.24基発0224003号、平31.3.29基発0329第2号）法66条の8による面接指導（長時間にわたる労働に関する面接指導）に要した時間に係る賃金の支払については、当然には事業者の負担すべきものではなく、事業者が支払うことが望ましいとされているが、法66条の8の2による面接指導（研究開発業務従事者に係る面接指導）の実施に要する時間は労働時間と解されるため、事業者は「賃金を支払わなければならない」。その他の記述は正しい。

⑬ 計画の届出、報告等

127 □□□ 易　R6.10-A

労働安全衛生法第88条第1項柱書きは、「事業者は、機械等で、危険若しくは有害な作業を必要とするもの、危険な場所において使用するもの又は危険若しくは健康障害を防止するため使用するもののうち、厚生労働省令で定めるものを設置し、若しくは移転し、又はこれらの主要構造部分を変更しようとするときは、その計画を当該工事の開始の日の14日前までに、厚生労働省令で定めるところにより、労働基準監督署長に届け出なければならない。」と定めている。

128 □□□ 易　R6.10-B

事業者は、建設業に属する事業の仕事のうち重大な労働災害を生ずるおそれがある特に大規模な仕事で、厚生労働省令で定めるものを開始しようとするときは、その計画を当該仕事の開始の日の30日前までに、厚生労働省令で定めるところにより、都道府県労働局長に届け出なければならない。

129 □□□ 易　R6.10-C

事業者は、建設業に属する事業の仕事（重大な労働災害を生ずるおそれがある特に大規模な仕事で、厚生労働省令で定めるものを除く。）で、厚生労働省令で定めるものを開始しようとするときは、その計画を当該仕事の開始の日の14日前までに、厚生労働省令で定めるところにより、労働基準監督署長に届け出なければならない。

130 □□□ 難　R6.10-D

機械等で、危険な作業を必要とするものとして計画の届出が必要とされるものにはクレーンが含まれるが、つり上げ荷重が1トン未満のものに限り、当該クレーンから除かれている。

131 □□□ 難　R6.10-E

機械等で、危険な作業を必要とするものとして計画の届出が必要とされるものには動力プレス（機械プレスでクランク軸等の偏心機構を有するもの及び液圧プレスに限る。）が含まれるが、圧力能力が5トン未満のものは除かれる。

×　**127**　必修基本書 労働科目……218p

（法88条1項）本肢の計画は、当該工事の開始の日の「**30日前**」までに、労働基準監督署長に届け出なければならない。

×　**128**　必修基本書 労働科目……218p

（法88条2項）本肢の計画は、当該仕事の開始の日の30日前までに、「**厚生労働大臣**」に届け出なければならない。

○　**129**　必修基本書 労働科目……219p

（法88条3項）本肢のとおりである。なお、事業者は、本肢の届出に係る仕事のうち厚生労働省令で定める仕事の計画を作成するときは、当該工事に係る建設物若しくは機械等又は当該仕事から生ずる労働災害の防止を図るため、厚生労働省令で定める資格を有する者を参画させなければならない（同条4項）。

×　**130**　必修基本書……該当ページなし

（令12条1項、クレーン則5条）機械等で危険な作業を必要とするものとして計画の届出が必要とされるものにはクレーンが含まれるが、つり上げ荷重が「3トン未満」のものは、当該届出の対象となるクレーンから除かれている。

×　**131**　必修基本書……該当ページなし

（則86条1項、則別表7）機械等で危険な作業を必要とするものとして計画の届出が必要とされるものには動力プレス（機械プレスでクランク軸等の偏心機構を有するもの及び液圧プレスに限る）が含まれるが、このうちから「圧力能力が5トン未満のものは除かれていない」。

132 □□□ 普通 H29.8-B

労働者が事業場内における負傷により休業した場合は、その負傷が明らかに業務に起因するものではないと判断される場合であっても、事業者は、労働安全衛生規則第97条の労働者死傷病報告書を所轄労働基準監督署長に提出しなければならない。

133 □□□ 普通 R3.10-E

事業者は、労働者が労働災害により死亡し、又は4日以上休業したときは、その発生状況及び原因その他の厚生労働省令で定める事項を各作業場の見やすい場所に掲示し、又は備え付けることその他の厚生労働省令で定める方法により、労働者に周知させる義務がある。

○ **132** 必修基本書 労働科目……221p

（則97条）本肢のとおりである。なお、本肢の報告書は、原則として、遅滞なく、所轄労働基準監督署長に提出しなければならない。

× **133** 必修基本書 労働科目……221p

（則97条1項）本肢のような規定はない。なお、事業者は、労働者が労働災害その他就業中又は事業場内若しくはその附属建設物内における負傷、窒息又は急性中毒により死亡し、又は休業したときは、**遅滞なく**、報告書を所轄労働基準監督署長に提出しなければならない。

14 雑則・罰則等

134 □□□ 普通 R3.10-A

事業者は、労働安全衛生法及びこれに基づく命令の要旨を各作業場の見やすい場所に掲示し、又は備え付けることその他の厚生労働省令で定める方法により、労働者に周知させなければならないが、この義務は常時10人以上の労働者を使用する事業場に課せられている。

135 □□□ 普通 R3.10-C

事業者は、労働安全衛生法第57条の2第1項の規定（労働者に危険又は健康障害を生ずるおそれのある物で政令で定めるもの等通知対象物を譲渡又は提供する者に課せられた危険有害性等に関する文書の交付等義務）により通知された事項を、化学物質、化学物質を含有する製剤その他の物で当該通知された事項に係るものを取り扱う各作業場の見やすい場所に常時掲示し、又は備え付けることその他の厚生労働省令で定める方法により、当該物を取り扱う労働者に周知させる義務がある。

136 □□□ 普通 R3.10-B

産業医を選任した事業者は、その事業場における産業医に対する健康相談の申出の方法などを、常時各作業場の見やすい場所に掲示し、又は備え付けることその他の厚生労働省令で定める方法により、労働者に周知させなければならないが、この義務は常時100人以上の労働者を使用する事業場に課せられている。

137 □□□ 普通 H28.9-E

労働者は、労働安全衛生法第26条により、事業者が同法の規定に基づき講ずる危険又は健康障害を防止するための措置に応じて、必要な事項を守らなければならないが、その違反に対する罰則の規定は設けられていない。

138 □□□ 普通 H29.8-A

労働安全衛生法は、基本的に事業者に措置義務を課しているため、事業者から現場管理を任されている従業者が同法により事業者に課せられている措置義務に違反する行為に及んだ場合でも、事業者が違反の責めを負い、従業者は処罰の対象とならない。

× **134** 必修基本書……該当ページなし

(法101条1項) 事業者は、労働安全衛生法及びこれに基づく命令の要旨を常時各作業場の見やすい場所に掲示し、又は備え付けることその他の厚生労働省令で定める方法により、労働者に周知させなければならないが、この周知義務は「常時使用する労働者数にかかわらず」、事業者に課せられている。

○ **135** 必修基本書……該当ページなし

(法101条4項) 本肢のとおりである。なお、本肢の規定に違反した者は、50万円以下の罰金に処される (法120条1号)。

× **136** 必修基本書……該当ページなし

(法101条2項、則98条の2第2項) 産業医を選任した事業者は、その事業場における産業医の業務の内容その他の産業医の業務に関する事項で厚生労働省令で定めるもの (産業医に対する健康相談の申出の方法等) を、常時各作業場の見やすい場所に掲示し、又は備え付けることその他の厚生労働省令で定める方法により、労働者に周知させなければならないが、この周知義務は「常時使用する労働者数にかかわらず」、産業医を選任した事業者に課せられている。

× **137** 必修基本書……該当ページなし

(法26条、法120条1号) 労働者は、法26条により、事業者が法の規定に基づき講ずる危険又は健康障害を防止するための措置に応じて、必要な事項を守らなければならないが、この規定に違反した者は、「50万円以下の罰金に処せられる」。

× **138** 必修基本書 労働科目……222～223p

(法122条) 行為者である従業者は、労働安全衛生法に係る「処罰の対象となる」。なお、法人の代表者又は法人若しくは人の代理人、使用人その他の従業者が、その法人又は人の業務に関して、法116条、法117条、法119条又は法120条の違反行為をしたときは、「行為者を罰するほか」、その法人又は人に対しても、各本条の「罰金刑」を科するとされている。

139 □□□ 普通 R2.9-E

労働安全衛生法は、第20条で、事業者は、機械等による危険を防止するため必要な措置を講じなければならないとし、その違反には罰則規定を設けているが、措置義務は事業者に課せられているため、例えば法人の従業者が違反行為をしたときは、原則として当該従業者は罰則の対象としない。

× **139** 必修基本書 労働科目……222~223p

(法122条) 従業者が、その法人の業務に関して、所定の違反行為をしたときは、「行為者を罰する」ほか、両罰規定として、その法人又は人に対しても、各本条の罰金刑が科せられる。本肢前段の記述は正しい。

⑮ 労働者派遣における適用関係

140 □□□ 普通 H30.8-A

派遣元事業者は、派遣労働者を含めて常時使用する労働者数を算出し、それにより算定した事業場の規模等に応じて、総括安全衛生管理者、衛生管理者、産業医を選任し、衛生委員会の設置をしなければならない。

141 □□□ 普通 H30.8-C

派遣労働者に対する労働安全衛生法第59条第1項の規定に基づく雇入れ時の安全衛生教育は、派遣先事業者に実施義務が課せられており、派遣労働者を就業させるに際して実施すべきものとされている。

142 □□□ 普通 H27.9-A

事業者は、常時50人以上の労働者を使用する事業場ごとに衛生管理者を選任しなければならないが、この労働者数の算定に当たって、派遣就業のために派遣され就業している労働者については、当該労働者を派遣している派遣元事業場及び当該労働者を受け入れている派遣先事業場双方の労働者として算出する。

143 □□□ 普通 H27.9-B

派遣就業のために派遣される労働者に対する労働安全衛生法第59条第1項の規定に基づくいわゆる雇入れ時の安全衛生教育の実施義務については、当該労働者を受け入れている派遣先の事業者に課せられている。

144 □□□ 普通 H27.9-C

派遣就業のために派遣され就業している労働者に対する労働安全衛生法第59条第3項の規定に基づくいわゆる危険・有害業務に関する特別の教育の実施義務については、当該労働者を派遣している派遣元の事業者及び当該労働者を受け入れている派遣先の事業者の双方に課せられている。

145 □□□ 普通 H27.9-D

派遣就業のために派遣され就業している労働者に対して行う労働安全衛生法に定める医師による健康診断については、同法第66条第1項に規定されているいわゆる一般定期健康診断のほか、例えば屋内作業場において有機溶剤を取り扱う業務等の有害な業務に従事する労働者に対して実施するものなど同条第2項に規定されている健康診断も含めて、その雇用主である派遣元の事業者にその実施義務が課せられている。

○ **140** 必修基本書 労働科目……224p

（法10条1項、法12条1項、労働者派遣法45条ほか）本肢のとおりである。なお、労働者派遣において、**安全管理者及び作業主任者**の選任義務については、当該**労働者を受け入れている派遣先**の事業者に課せられている。

× **141** 必修基本書 労働科目……224p

（法59条1項、労働者派遣法45条）派遣労働者に対する雇入れ時の安全衛生教育は、派遣先事業者には「実施義務は課せられていない」。

○ **142** 必修基本書 労働科目……224p

（法12条1項、令4条、労働者派遣法45条）本肢のとおりである。なお、事業者は、業種を問わず、常時**50**人以上の労働者を使用する事業場ごとに衛生管理者を選任しなければならない。

× **143** 必修基本書 労働科目……224p

（法59条1項、労働者派遣法45条）雇入れ時の安全衛生教育の実施義務者は、「**派遣元**の事業者」である。

× **144** 必修基本書 労働科目……224p

（法59条3項、労働者派遣法45条）特別教育の実施義務者は「**派遣先**の事業者のみ」である。

× **145** 必修基本書 労働科目……224p

（法66条1項・2項、労働者派遣法45条）一般定期健康診断の実施義務者は派遣元の事業者であるが、有害な業務に従事する労働者に対して実施されるいわゆる特殊健康診断の実施義務者は「**派遣先**の事業者」である。

146 □□□ 難 H30.8-B

派遣労働者に関する労働安全衛生法第66条第2項に基づく有害業務従事者に対する健康診断（以下本肢において「特殊健康診断」という。）の結果の記録の保存は、派遣先事業者が行わなければならないが、派遣元事業者は、派遣労働者について、労働者派遣法第45条第11項の規定に基づき派遣先事業者から送付を受けた当該記録の写しを保存しなければならず、また、当該記録の写しに基づき、派遣労働者に対して特殊健康診断の結果を通知しなければならない。

147 □□□ 普通 H27.9-E

派遣就業のために派遣され就業している労働者に対して労働安全衛生法第66条の8第1項に基づき行う医師による面接指導については、当該労働者が派遣され就業している派遣先事業場の事業者にその実施義務が課せられている。

148 □□□ 普通 R6.9-E

派遣労働者に対する医師による面接指導については、派遣元事業主に実施義務が課せられている。

149 □□□ 難 H30.8-D

派遣就業のために派遣され就業している労働者に関する機械、器具その他の設備による危険や原材料、ガス、蒸気、粉じん等による健康障害を防止するための措置は、派遣先事業者が講じなければならず、当該派遣中の労働者は当該派遣元の事業者に使用されないものとみなされる。

150 □□□ 難 H30.8-E

派遣元事業者は、派遣労働者が労働災害に被災したことを把握した場合、派遣先事業者から送付された所轄労働基準監督署長に提出した労働者死傷病報告の写しを踏まえて労働者死傷病報告を作成し、派遣元の事業場を所轄する労働基準監督署長に提出しなければならない。

○ **146** 必修基本書 労働科目……224p

（法66条の3、法66条の6、労働者派遣法45条）本肢のとおりである。なお、労働者派遣において、安全委員会の設置義務については、当該労働者を受け入れている派遣先の事業者に課せられている。

× **147** 必修基本書 労働科目……224p

（法66条の8第1項、労働者派遣法45条）面接指導の実施義務者は「派遣元の事業者」である。

○ **148** 必修基本書 労働科目……224p

（平18.2.24基発0224003号）本肢のとおりである。

○ **149** 必修基本書……該当ページなし

（法20条、法22条、労働者派遣法45条3項・5項）本肢のとおりである。なお、事業者に課されている本肢の健康障害を防止するための措置とは、次の措置をいう。

①原材料、ガス、蒸気、粉じん、酸素欠乏空気、病原体等による健康障害
②放射線、高温、低温、超音波、騒音、振動、異常気圧等による健康障害
③計器監視、精密工作等の作業による健康障害
④排気、排液又は残さい物による健康障害

○ **150** 必修基本書……該当ページなし

（法100条1項、則97条1項、労働者派遣法45条）本肢のとおりである。なお、労働基準監督官は、労働安全衛生法を施行するため必要があると認めるときは、事業者又は労働者に対し、必要な事項を報告させ、又は出頭を命ずることができる（法100条3項）。

第3編

労働者災害補償保険法

❶ 総則・適用

001 □□□ 易　H29.4-D

労災保険法は、国の直営事業で働く労働者には適用されない。

002 □□□ 易　H29.4-A

労災保険法は、市の経営する水道事業の非常勤職員には適用されない。

003 □□□ 易　H29.4-C

労災保険法は、非現業の一般職の国家公務員に適用される。

004 □□□ 易　H29.4-E

労災保険法は、常勤の地方公務員に適用される。

005 □□□ 易　H29.4-B

労災保険法は、行政執行法人の職員に適用される。

006 □□□ 普通　H28.1-E

都道府県労働委員会の委員には、労災保険法が適用されない。

007 □□□ 普通　H28.1-B

法人のいわゆる重役で業務執行権又は代表権を持たない者が、工場長、部長の職にあって賃金を受ける場合は、その限りにおいて労災保険法が適用される。

008 □□□ 易　H30.4-オ

試みの使用期間中の者にも労災保険法は適用される。

009 □□□ 普通　H28.1-A

障害者総合支援法に基づく就労継続支援を行う事業場と雇用契約を締結せずに就労の機会の提供を受ける障害者には、基本的には労災保険法が適用されない。

○ **001** 必修基本書 労働科目……236p

（法3条2項）本肢のとおりである。

× **002** 必修基本書 労働科目……236p

（昭42.10.27基発1000号）現業かつ非常勤の地方公務員には、労災保険法が「適用される」。

× **003** 必修基本書 労働科目……236p

（法3条2項ほか）労災保険法は、非現業の一般職の国家公務員には「適用されない」。

× **004** 必修基本書 労働科目……236p

（法3条2項ほか）労災保険法は、常勤の地方公務員には「適用されない」。

× **005** 必修基本書 労働科目……236p

（独立行政法人通則法59条1項）労災保険法は、行政執行法人の職員には「適用されない」。

○ **006** 必修基本書……該当ページなし

（昭.25.8.28基収2414号）本肢のとおりである。

○ **007** 必修基本書 労働科目……236p

（昭34.1.26基発48号）本肢のとおりである。本問の者は、適用事業に使用される者で賃金を支払われるものとして労災保険を適用するものとされる。

○ **008** 必修基本書 労働科目……235〜236p

（法3条、労働基準法9条）本肢のとおりである。なお、労災保険の適用労働者の範囲は、労働基準法9条（労働者）に準じており、「適用事業に**使用**される者で、**賃金を支払われる**もの」とされている。

○ **009** 必修基本書……該当ページなし

（平19.5.17基発0517002号）本肢のとおりである

010 □□□ 難 H27.5-C

出向労働者が、出向先事業の組織に組み入れられ、出向先事業場の他の労働者と同様の立場（身分関係及び賃金関係を除く。）で、出向先事業主の指揮監督を受けて労働に従事し、出向元事業主と出向先事業主とが行った契約等により当該出向労働者が出向元事業主から賃金名目の金銭給付を受けている場合に、出向先事業主が当該金銭給付を出向先事業の支払う賃金として当該事業の賃金総額に含め保険料を納付する旨を申し出たとしても、当該金銭給付を出向先事業から受ける賃金とみなし当該出向労働者を出向先事業に係る保険関係によるものとして取り扱うことはできないこととされている。

011 □□□ 普通 H28.1-D

インターンシップにおいて直接生産活動に従事しその作業の利益が当該事業場に帰属し、かつ事業場と当該学生との間に使用従属関係が認められる場合には、当該学生に労災保険法が適用される。

012 □□□ 普通 H28.1-C

個人事業の医院が、2、3名の者を雇用して看護師見習の業務に従事させ、かたわら家事その他の業務に従事させる場合は、労災保険法が適用されない。

× **010** 必修基本書……該当ページなし

（昭35.11.2基発932号）本肢の場合、出向先事業主が当該金銭給付を出向先事業の支払う賃金として当該事業の賃金総額に含め保険料を納付する旨の申し出をしたときは、当該金銭給付を出向先事業から受ける賃金とみなし当該出向労働者を出向先事業に係る保険関係によるものとして「取り扱うことができる」こととされている。

○ **011** 必修基本書……該当ページなし

（平9.9.18基発636号）本肢のとおりである。本肢における事業場と当該学生との間には**使用従属関係**が認められるので、労災保険法を適用するものとされる。

× **012** 必修基本書……該当ページなし

（昭24.4.13基収886号）本肢の者は、**家事使用人**には該当せず、労災保険法が適用「される」。

❷ 業務災害

013 □□□ 普通 R元.4-A

派遣労働者に係る業務災害の認定に当たっては、派遣労働者が派遣元事業主との間の労働契約に基づき派遣元事業主の支配下にある場合及び派遣元事業と派遣先事業との間の労働者派遣契約に基づき派遣先事業主の支配下にある場合には、一般に業務遂行性があるものとして取り扱うこととされている。

014 □□□ 普通 R元.4-B

派遣労働者に係る業務災害の認定に当たっては、派遣元事業場と派遣先事業場との間の往復の行為については、それが派遣元事業主又は派遣先事業主の業務命令によるものであれば一般に業務遂行性が認められるものとして取り扱うこととされている。

015 □□□ 普通 H29.1-E

川の護岸築堤工事現場で土砂の切取り作業をしていた労働者が、土蜂に足を刺され、そのショックで死亡した。蜂の巣は、土砂の切取り面先約30センチメートル程度の土の中にあったことが後でわかり、当日は数匹の蜂が付近を飛び回っており、労働者も使用者もどこかに巣があるのだろうと思っていた。この場合、業務上として取り扱われる。

016 □□□ 普通 H29.1-B

Ａ会社の大型トラックを運転して会社の荷物を運んでいた労働者Ｂは、Ｃの運転するＤ会社のトラックと出会ったが、道路の幅が狭くトラックの擦れ違いが不可能であったため、Ｄ会社のトラックはその後方の待避所へ後退するため約20メートルバックしたところで停止し、徐行に相当困難な様子であった。これを見かねたＢが、Ｃに代わって運転台に乗り、後退しようとしたが運転を誤り、道路から断崖を墜落し即死した場合、業務上として取り扱われる。

017 □□□ 普通 H27.3-A

勤務時間中に、作業に必要な私物の眼鏡を自宅に忘れた労働者が、上司の了解を得て、家人が届けてくれた眼鏡を工場の門まで自転車で受け取りに行く途中で、運転を誤り、転落して負傷した場合、業務上の負傷に該当する。

018 □□□ 普通 H27.3-B

会社の休日に行われている社内の親睦野球大会で労働者が転倒し負傷した場合、参加が推奨されているが任意であるときには、業務上の負傷に該当しない。

○ **013** 必修基本書……該当ページなし

（昭61.6.30基発383号）本肢のとおりである。なお、本肢の労働者が労働契約等に基づいて事業主の支配下にある状態を業務遂行性という。

○ **014** 必修基本書……該当ページなし

（昭61.6.30基発383号）本肢のとおりである。

○ **015** 必修基本書……該当ページなし

（昭25.10.27基収2693号）本肢のとおりである。なお、作業中に発生した災害は、大部分が業務災害と認定される。ただし、その災害が私的行為や業務逸脱行為、天災地変等（業務外の原因）により発生した場合や、業務離脱中、担当業務外の行為に従事中等に発生した場合には、業務外とされることがある。

○ **016** 必修基本書……該当ページなし

（昭31.3.31基収5597号）本肢のとおりである。

○ **017** 必修基本書……該当ページなし

（昭32.7.20基収3615号）本肢のとおりである。

○ **018** 必修基本書……該当ページなし

（平12.5.18基発366号）本肢のとおりである。運動競技が労働者の業務行為又はそれに伴う行為として認められ、かつ、労働者の被った災害が運動競技に起因するものである場合には業務上と認められる。

019 □□□ 普通 H29.1-A

企業に所属して、労働契約に基づき労働者として野球を行う者が、企業の代表選手として実業団野球大会に出場するのに備え、事業主が定めた練習計画以外の自主的な運動をしていた際に負傷した場合、業務上として取り扱われる。

020 □□□ 普通 H29.1-C

乗組員6名の漁船が、作業を終えて帰港途中に、船内で夕食としてフグ汁が出された。乗組員のうち、船酔いで食べなかった1名を除く5名が食後、中毒症状を呈した。海上のため手当てできず、そのまま帰港し、直ちに医師の手当てを受けたが重傷の1名が死亡した。船中での食事は、会社の給食として慣習的に行われており、フグの給食が慣習になっていた。この場合、業務上として取り扱われる。

021 □□□ 普通 H29.1-D

会社が人員整理のため、指名解雇通知を行い、労働組合はこれを争い、使用者は裁判所に被解雇者の事業場立入禁止の仮処分申請を行い、労働組合は裁判所に協議約款違反による無効確認訴訟を提起し、併せて被解雇者の身分保全の仮処分を申請していたところ、労働組合は裁判所の決定を待たずに被解雇者らを就労させ、作業中に負傷事故が発生した。この場合、業務外として取り扱われる。

022 □□□ 普通 H27.3-C

配管工が、早朝に、前夜運搬されてきた小型パイプが事業場の資材置場に乱雑に荷下ろしされていたためそれを整理していた際、材料が小型のため付近の草むらに投げ込まれていないかと草むらに探しに入ったところ、その草むらの中に棲息していた毒蛇に足を咬まれて負傷した場合、業務上の負傷に該当する。

× **019** 必修基本書……該当ページなし

（平12.5.18基発366号）本肢の場合、「業務上としては取り扱われない」。運動競技の練習に伴う災害が業務災害と認められるためには、一定の要件に加え、労働者が行う練習が、事業主が予め定めた練習計画に従って行われるものであることが必要とされる。したがって、当該練習計画とは別に、労働者が自らの意思で行う運動は、業務災害が認められる「運動競技の練習」には該当しないものとされている。

○ **020** 必修基本書……該当ページなし

（昭26.2.16基災発12号）本肢のとおりである。なお、事業場施設の利用中、その利用に起因して災害が発生したときは、それが当該施設又はその管理に起因していることが証明されれば業務起因性が認められることとなる。

○ **021** 必修基本書……該当ページなし

（昭28.12.18基収4466号）本肢のとおりである。

○ **022** 必修基本書 労働科目……239p

（昭27.9.6基発収3026号）本肢のとおりである。作業中に発生した災害は、大部分が業務災害と認定される。ただし、その災害が私的行為や業務逸脱行為、天災事変等（業務外の要因）により発生して場合や業務逸脱中、担当業務外の行為に従事中等に発生した場合には、業務外とされることがある。本問の事例の場合は、業務上と認定された。

023 □□□ 難　H27.5-B

医師、看護師等医療従事者の新型インフルエンザの予防接種（以下、本肢において「予防接種」という。）については、必要な医療体制を維持する観点から業務命令等に基づいてこれを受けざるを得ない状況にあると考えられるため、予防接種による疾病、障害又は死亡（以下、本肢において「健康被害」という。）が生じた場合（予防接種と健康被害との間に医学的な因果関係が認められる場合に限る。）、当該予防接種が明らかに私的な理由によるものと認められる場合を除き、労働基準法施行規則第35条別表第1の2の6号の5の業務上疾病又はこれに起因する死亡等と取り扱うこととされている。

024 □□□ 普通　H27.5-A

業務に従事している場合又は通勤途上である場合において被った負傷であって、他人の故意に基づく暴行によるものについては、当該故意が私的怨恨に基づくもの、自招行為によるものその他明らかに業務に起因しないものを除き、業務に起因する又は通勤によるものと推定することとされている。

025 □□□ 普通　H28.2-E

以前にも退勤時に約10分間意識を失ったことがある労働者が、工場の中の2℃の場所で作業している合間に暖を採るためストーブに近寄り、急な温度変化のために貧血を起こしてストーブに倒れ込み火傷により死亡した場合、業務上の死亡と認められる。

026 □□□ 普通　R4.4-オ

鉄道事業者の乗客係の労働者が、T駅発N駅行きの列車に乗車し、折り返しのT駅行きの列車に乗車することとなっており、N駅で帰着点呼を受けた後、指定された宿泊所に赴き、数名の同僚と飲酒・雑談ののち就寝し、起床後、宿泊所に食事の設備がないことから、食事をとるために、同所から道路に通じる石段を降りる途中、足を滑らせて転倒し、負傷した場合、業務災害と認められる。

027 □□□ 普通　R4.4-イ

日雇労働者が工事現場での一日の作業を終えて、人員点呼、器具の点検の後、現場責任者から帰所を命じられ、器具の返還と賃金受領のために事業場事務所へと村道を歩き始めた時、交通事故に巻き込まれて負傷した場合、業務災害と認められる。

○ **023** 必修基本書……該当ページなし

（平21.10.30厚生労働省ホームページ　新型インフルエンザに関する事業者・職場のQ＆A）本肢のとおりである。

○ **024** 必修基本書……該当ページなし

（昭49.3.4基収69号、昭49.6.19基収1276号ほか）本肢のとおりである。

○ **025** 必修基本書……該当ページなし

（昭38.9.30基収2868号）本肢のとおりである。

○ **026** 必修基本書……該当ページなし

（昭41.6.8基災収38号ほか）本肢のとおりである。

○ **027** 必修基本書……該当ページなし

（昭28.11.14基収5088号ほか）本肢のとおりである。なお、適用事業に使用され、賃金を支払われている場合は、その雇用形態にかかわらず、労災保険の適用労働者とされる。したがって、本肢の日雇労働者についても、労働者に該当する限り、労災保険の適用労働者となる。

028 □□□ 普通 H28.2-C

戸外での作業の開始15分前に、いつもと同様に、同僚とドラム缶に薪を投じて暖をとっていた労働者が、あまり薪が燃えないため、若い同僚が機械の掃除用に作業場に置いてあった石油を持ってきて薪にかけて燃やした際、火が当該労働者のズボンに燃え移って火傷した場合、業務上の負傷と認められる。

029 □□□ 普通 R4.6-B

労働者が上司の命により、同じ社員寮に住む病気欠勤中の同僚の容体を確認するため、出勤してすぐに社員寮に戻る途中で、電車にはねられ死亡した場合、通勤災害と認められる。

030 □□□ 普通 H28.5-イ

業務に従事している労働者が緊急行為を行ったとき、事業主の命令がある場合には、当該業務に従事している労働者として行うべきものか否かにかかわらず、その行為は業務として取り扱われる。

031 □□□ 普通 H28.5-ウ

業務に従事していない労働者が、使用されている事業の事業場又は作業場等において災害が生じている際に、業務に従事している同僚労働者等とともに、労働契約の本旨に当たる作業を開始した場合には、事業主から特段の命令がないときであっても、当該作業は業務に当たると推定される。

032 □□□ 普通 R4.4-ウ

海岸道路の開設工事の作業に従事していた労働者が、12時に監督者から昼食休憩の指示を受け、遠く離れた休憩施設ではなく、いつもどおり、作業場のすぐ近くの崖下の日陰の平らな場所で同僚と昼食をとっていた時に、崖を落下してきた岩石により負傷した場合、業務災害と認められる。

033 □□□ 普通 R4.4-エ

仕事で用いるトラックの整備をしていた労働者が、ガソリンの出が悪いため、トラックの下にもぐり、ガソリンタンクのコックを開いてタンクの掃除を行い、その直後に職場の喫煙所でたばこを吸うため、マッチに点火した瞬間、ガソリンのしみこんだ被服に引火し火傷を負った場合、業務災害と認められる。

○ **028** 必修基本書……該当ページなし

（昭23,6.1基発1458号）本肢のとおりである。

× **029** 必修基本書 労働科目……240p

（昭24.12.15基収3001号ほか）本肢の場合、「業務災害」と認められる。

○ **030** 必修基本書 労働科目……240p

（コンメンタールほか）本肢のとおりである。本肢のような事業主の命令がある場合、当該業務に従事している労働者として行うべきものであるか否かにかかわらず業務行為として認められる。

○ **031** 必修基本書 労働科目……240p

（コンメンタールほか）本肢のとおりである。本肢のような業務に従事していない労働者が、災害等で、業務に従事している同僚労働者等とともに、労働契約の本旨に当たる作業を開始した場合には、事業主から特段の命令がないときであっても、当該作業は業務に当たると推定される。

○ **032** 必修基本書……該当ページなし

（昭27.10.13基災収3552号ほか）本肢のとおりである。本肢の休憩は、事業主の管理下において行動していることから、事業主の支配下を離れていないと判断された。

○ **033** 必修基本書……該当ページなし

（昭30.5.12基発298号）本肢のとおりである。

034 □□□ 普通 H28.2-A

道路清掃工事の日雇い労働者が、正午から休憩時間中に同僚と作業場内の道路に面した柵にもたれて休憩していたところ、道路を走っていた乗用車が運転操作を誤って柵に激突した時に逃げ遅れ、柵と自動車に挟まれて胸骨を骨折した場合、業務上の負傷と認められる。

035 □□□ 普通 H28.2-B

炭鉱で採掘の仕事に従事している労働者が、作業中泥に混じっているのを見つけて拾った不発雷管を、休憩時間中に針金でつついて遊んでいるうちに爆発し、手の指を負傷した場合、業務上の負傷と認められる。

036 □□□ 普通 R4.4-ア

工場に勤務する労働者が、作業終了後に更衣を済ませ、班長に挨拶して職場を出て、工場の階段を降りる途中に足を踏み外して転落して負傷した場合、業務災害と認められる。

037 □□□ 普通 R4.6-A

労働者が上司から直ちに2泊3日の出張をするよう命じられ、勤務先を出てすぐに着替えを取りに自宅に立ち寄り、そこから出張先に向かう列車に乗車すべく駅に向かって自転車で進行中に、踏切で列車に衝突し死亡した場合、その路線が通常の通勤に使っていたものであれば、通勤災害と認められる。

038 □□□ 普通 R3.1-A

業務上左脛骨横骨折をした労働者が、直ちに入院して加療を受け退院した後に、医師の指示により通院加療を続けていたところ、通院の帰途雪の中ギプスなしで歩行中に道路上で転倒して、ゆ合不完全の状態であった左脛骨を同一の骨折線で再骨折した場合、業務災害と認められる。

○ **034** 必修基本書……該当ページなし

(昭25.6.8基災収1252号) 本肢のとおりである。

× **035** 必修基本書……該当ページなし

(昭27.12.1基災収3907号) 本肢の負傷は、業務上の負傷とは認められず「業務外」とされる。

○ **036** 必修基本書……該当ページなし

(昭50.12.25基収1724号) 本肢のとおりである。本件は、①事業場施設内における業務に就くための出勤又は業務を終えた後の退勤で「業務」と接続しているものは、業務行為そのものではないが、業務に通常附随する準備後始末と認められること、②本件に係る退勤は、終業直後の行為であって、業務と接続する行為と認められること、当該業務災害が労働者の積極的な私的行為又は恣意行為によるものとは認められないこと及び当該業務災害は、通常発生しうるような業務災害であることからみて事業主の支配下に伴う危険が具現化した業務災害であると認められる。したがって、本件は、業務災害と認められる。

× **037** 必修基本書 労働科目……240p

(昭34.7.15基収2980号ほか) 本肢の場合は、業務災害と認められる。出張中は、特別の事情がない限り、出張過程の全般について事業主の支配下にあると言ってよく、その過程全般 (積極的な私的行為、恣意的行為等を除く) が業務行為とみられる。

○ **038** 必修基本書 労働科目……240~241p

(昭34.5.11基収2212号) 本肢のとおりである。本肢の通達において、医師の意見では再骨折の骨折線は、当初のそれと同一であること、当初の骨折はまだ治ゆしておらず、ゆ合不完全の状態であったことから、このような状態においてギブスもつけず長距離を歩行すれば一寸した拍子で再骨折しかねないことを認めていることから、本件は業務災害と認められた。

039 □□□ 普通 R3.1-B

業務上右大腿骨を骨折し入院手術を受け退院して通院加療を続けていた労働者が、会社施設の浴場に行く途中、弟の社宅に立ち寄り雑談した後に、浴場へ向かうため同社宅の玄関から土間に降りようとして転倒し、前回の骨折部のやや上部を骨折したが、既に手術後は右下肢の短縮と右膝関節の硬直を残していたため、通常の者より転倒しやすく、また骨が幾分細くなっていたため骨折しやすい状態だった場合、業務災害と認められる。

040 □□□ 普通 R3.1-C

業務上右腓骨を不完全骨折し、病院で手当を受け、帰宅して用便のため松葉伺を使用して土間を隔てた便所へ行き、用便後便所から土間へ降りる際に松葉伺が滑って転倒し当初の骨折を完全骨折した場合、業務災害と認められる。

041 □□□ 普通 R3.1-D

業務上脊髄を損傷し入院加療中の労働者が、医師の指示に基づき療養の一環としての手動式自転車に乗車する機能回復訓練中に、第三者の運転する軽四輪貨物自動車に自転車を引っかけられ転倒し負傷した場合、業務災害と認められる。

042 □□□ 普通 R3.1-E

業務上右大腿骨を骨折し入院治療を続けて骨折部のゆ合がほぼ完全となりマッサージのみを受けていた労働者が、見舞いに来た友人のモーターバイクに乗って運転中に車体と共に転倒し、右大腿部を再度骨折した場合、業務災害と認められない。

043 □□□ 難 H28.2-D

建設中のクレーンが未曽有の台風の襲来により倒壊するおそれがあるため、暴風雨のおさまるのを待って倒壊を防ぐ応急措置を施そうと、監督者が労働者16名に、建設現場近くの、山腹谷合の狭地にひな壇式に建てられた労働者の宿舎で待機するよう命じたところ、風で宿舎が倒壊しそこで待機していた労働者全員が死亡した場合、その死亡は業務上の死亡と認められる。

044 □□□ 易 H28.5-ア

業務上の疾病の範囲は、労働基準法施行規則別表第一の二の各号に掲げられているものに限定されている。

× **039** 必修基本書……該当ページなし

（昭27.6.5基災収1241号）本肢の場合は、業務外の災害とされる。

○ **040** 必修基本書……該当ページなし

（昭34.10.13基収5040号）本肢のとおりである。本肢に係る再骨折は、当初の不完全骨折の療養の過程における必要な日常の動作によって、当初の骨折部を再骨折したものと認められるから、当初の骨折との間に因果関係の中断がないものと認められる。

○ **041** 必修基本書……該当ページなし

（昭42.1.24　41基収7808号）本肢のとおりである。本肢の災害は、入院療養中の労働者が、医師の指示にもとづき療養の一環としての機能回復訓練中に発生したもので、当初の業務上の負傷との間に相当因果関係が認められる。

○ **042** 必修基本書……該当ページなし

（昭32.12.25基収6636号）本肢のとおりである。本肢の災害は、事業主の支配下にない労働者の私的行為に基づくものである。

○ **043** 必修基本書……該当ページなし

（昭29.11.24基収5664号）本肢のとおりである。

○ **044** 必修基本書 労働科目……241～242p

（労働基準法施行規則別表1の2ほか）本肢のとおりである。労働基準法施行規則別表1の2及びこれに基づく告示においては、一定の疾病を例示列挙するとともに包括的な救済規定を補足的に設けている。

045 □□□ 難 R5.3-ア

「血管病変等を著しく増悪させる業務による脳血管疾患及び虚血性心疾患等の認定基準について」（令和3年9月14日付け基発0914第1号）で取り扱われる対象疾病に「狭心症」は含まれる。

046 □□□ 難 R5.3-イ

「血管病変等を著しく増悪させる業務による脳血管疾患及び虚血性心疾患等の認定基準について」（令和3年9月14日付け基発0914第1号）で取り扱われる対象疾病に「心停止（心臓性突然死を含む。）」は含まれる。

047 □□□ 難 R5.3-ウ

「血管病変等を著しく増悪させる業務による脳血管疾患及び虚血性心疾患等の認定基準について」（令和3年9月14日付け基発0914第1号）で取り扱われる対象疾病に「重篤な心不全」は含まれる。

048 □□□ 難 R5.3-エ

「血管病変等を著しく増悪させる業務による脳血管疾患及び虚血性心疾患等の認定基準について」（令和3年9月14日付け基発0914第1号）で取り扱われる対象疾病に「くも膜下出血」は含まれる。

049 □□□ 難 R5.3-オ

「血管病変等を著しく増悪させる業務による脳血管疾患及び虚血性心疾患等の認定基準について」（令和3年9月14日付け基発0914第1号）で取り扱われる対象疾病に「大動脈解離」は含まれる。

050 □□□ 普通 R元.3-B

厚生労働省労働基準局長通知（「血管病変等を著しく増悪させる業務における脳血管疾患及び虚血性心疾患等の認定基準について」令和3年9月14日付け基発0914第1号）における発症に近接した時期において、特に過重な業務（以下「短期間の過重業務」という。）について、発症に近接した時期とは、発症前おおむね1週間をいう。

○ **045** 必修基本書……該当ページなし

（令3.9.14基発0914第1号）本肢のとおりである。「狭心症」は、虚血性心疾患等として、血管病変等を著しく増悪させる業務による脳血管疾患及び虚血性心疾患等の認定基準における対象疾病に該当する。

○ **046** 必修基本書……該当ページなし

（令3.9.14基発0914第1号）本肢のとおりである。「心停止（心臓性突然死を含む）」は、虚血性心疾患等として、血管病変等を著しく増悪させる業務による脳血管疾患及び虚血性心疾患等の認定基準における対象疾病に該当する。

○ **047** 必修基本書……該当ページなし

（令3.9.14基発0914第1号）本肢のとおりである。「重篤な心不全」は、虚血性心疾患等として、血管病変等を著しく増悪させる業務による脳血管疾患及び虚血性心疾患等の認定基準における対象疾病に該当する。

○ **048** 必修基本書……該当ページなし

（令3.9.14基発0914第1号）本肢のとおりである。「くも膜下出血」は、脳血管疾患として、血管病変等を著しく増悪させる業務による脳血管疾患及び虚血性心疾患等の認定基準における対象疾病に該当する。

○ **049** 必修基本書……該当ページなし

（令3.9.14基発0914第1号）本肢のとおりである。「大動脈解離」は、虚血性心疾患等として、血管病変等を著しく増悪させる業務による脳血管疾患及び虚血性心疾患等の認定基準における対象疾病に該当する。

○ **050** 必修基本書 労働科目……243p

（令3.9.14基発0914第1号）本肢のとおりである。なお、本肢の短期間の過重業務と発症との関連性を時間的にみた場合、医学的には、発症に近いほど影響が強く、発症から遡るほど関連性は希薄となるとされている。

051 □□□ 普通 R4.1-C

厚生労働省労働基準局長通知（「血管病変等を著しく増悪させる業務における脳血管疾患及び虚血性心疾患等の認定基準について」令和3年9月14日付け基発0914第1号）において、短期間の過重業務については、発症直前から前日までの間に特に過度の長時間労働が認められる場合や、発症前おおむね1週間継続して深夜時間帯に及ぶ時間外労働を行うなど過度の長時間労働が認められる場合に、業務と発症との関連性が強いと評価できるとされている。

052 □□□ 普通 R4.1-D

厚生労働省労働基準局長通知（「血管病変等を著しく増悪させる業務における脳血管疾患及び虚血性心疾患等の認定基準について」令和3年9月14日付け基発0914第1号）において、急激な血圧変動や血管収縮等を引き起こすことが医学的にみて妥当と認められる「異常な出来事」と発症との関連性については、発症直前から1週間前までの間が評価期間とされている。

053 □□□ 普通 R4.1-A

厚生労働省労働基準局長通知（「血管病変等を著しく増悪させる業務における脳血管疾患及び虚血性心疾患等の認定基準について」令和3年9月14日付け基発0914第1号）において、発症前1か月間におおむね100時間又は発症前2か月間ないし6か月間にわたって、1か月当たりおおむね80時間を超える時間外労働が認められない場合には、これに近い労働時間が認められたとしても、業務と発症との関連性が強いと評価することはできない。

054 □□□ 普通 R元.3-A

厚生労働省労働基準局長通知（「血管病変等を著しく増悪させる業務における脳血管疾患及び虚血性心疾患等の認定基準について」令和3年9月14日付け基発0914第1号）における発症に近接した時期において、特に過重な業務（以下「短期間の過重業務」という。）について、特に過重な業務とは、日常業務に比較して特に過重な身体的、精神的負荷を生じさせたと客観的に認められる業務をいうものであり、ここでいう日常業務とは、通常の所定労働時間内の所定業務内容をいう。

○ **051** 必修基本書 労働科目……243p

（令3.9.14基発0914第1号）本肢のとおりである。なお、労働時間の長さは、業務量の大きさを示す指標であり、また、過重性の評価の最も重要な要因であるので、評価期間における労働時間については十分に考慮し、発症直前から前日までの間の労働時間数、発症前1週間の労働時間数、休日の確保の状況等の観点から検討し、評価されるが、労働時間の長さのみで過重負荷の有無を判断できない場合には、労働時間と労働時間以外の負荷要因を総合的に考慮して判断する必要があるとされている。

× **052** 必修基本書 労働科目……243p

（令3.9.14基発0914第1号）本肢の異常な出来事と発症との関連性についての評価期間は、「発症直前から前日までの間」とされている。

× **053** 必修基本書 労働科目……243p

（令3.9.14基発0914第1号）労働時間以外の負荷要因において一定の負荷が認められる場合には、労働時間の状況をも総合的に考慮し、業務と発症との関連性が強いといえるかどうかを適切に判断することとされており、その際、本肢前段の時間外労働時間の水準には至らないがこれに近い時間外労働が認められる場合には、特に他の負荷要因の状況を十分考慮し、そのような時間外労働に加えて一定の労働時間以外の負荷が認められるときには、業務と発症との関連性が強いと評価できることを踏まえて判断することとされており、本肢の場合であっても、業務と発症との関連性が「強いと評価することができる場合がある」。

○ **054** 必修基本書……該当ページなし

（令3.9.14基発0914第1号）本肢のとおりである。なお、本肢の日常業務に就労する上で受ける負荷の影響は、血管病変等の自然経過の範囲にとどまるものとされている。

055 □□□ 普通 R元.3-C

厚生労働省労働基準局長通知（「血管病変等を著しく増悪させる業務における脳血管疾患及び虚血性心疾患等の認定基準について」令和3年9月14日付け基発0914第1号）における発症に近接した時期において、特に過重な業務（以下「短期間の過重業務」という。）について、特に過重な業務に就労したと認められるか否かについては、業務量、業務内容、作業環境等を考慮し、同僚労働者又は同種労働者（以下「同僚等」という。）にとっても、特に過重な身体的、精神的負荷と認められるか否かという観点から、客観的かつ総合的に判断することとされているが、ここでいう同僚等とは、当該疾病を発症した労働者と同程度の年齢、経験等を有する健康な状態にある者をいい、基礎疾患を有する者は含まない。

056 □□□ 難 R元.3-D

厚生労働省労働基準局長通知（「血管病変等を著しく増悪させる業務における脳血管疾患及び虚血性心疾患等の認定基準について」令和3年9月14日付け基発0914第1号）における発症に近接した時期において、特に過重な業務（以下「短期間の過重業務」という。）について、業務の過重性の具体的な評価に当たって十分検討すべき負荷要因の一つとして、拘束時間の長い勤務が挙げられており、拘束時間数、実労働時間数、労働密度（実作業時間と手待時間との割合等）、業務内容、休憩・仮眠時間数、休憩・仮眠施設の状況（広さ、空調、騒音等）等の観点から検討し、評価することとされている。

057 □□□ 難 R元.3-E

厚生労働省労働基準局長通知（「血管病変等を著しく増悪させる業務における脳血管疾患及び虚血性心疾患等の認定基準について」令和3年9月14日付け基発0914第1号）における発症に近接した時期において、特に過重な業務（以下「短期間の過重業務」という。）について、業務の過重性の具体的な評価に当たって十分検討すべき負荷要因の一つとして、精神的緊張を伴う業務が挙げられており、精神的緊張と脳・心臓疾患の発症との関連性については、医学的に十分な解明がなされていないこと、精神的緊張は業務以外にも多く存在すること等から、精神的緊張の程度が特に著しいと認められるものについて評価することとされている。

× **055** 必修基本書……該当ページなし

（令3.9.14基発0914第1号）本肢の「同僚等」とは、当該労働者と同程度の年齢、経験等を有する健康な状態にある者のほか、「基礎疾患を有していたとしても日常業務を支障なく遂行できる者」をいう。本肢前段の記述は正しい。

○ **056** 必修基本書……該当ページなし

（令3.9.14基発0914第1号）本肢のとおりである。なお、業務の過重性の具体的な評価に当たって十分検討すべき負荷要因の一つとして、不規則な勤務が挙げられており、予定された業務スケジュールの変更の頻度・程度、事前の通知状況、予測の度合、業務内容の変更の程度等の観点から検討し、評価することとされている。

○ **057** 必修基本書……該当ページなし

（令3.9.14基発0914第1号）本肢のとおりである。なお、業務の過重性の具体的な評価に当たって十分検討すべき負荷要因の一つとして、出張の多い業務が挙げられており、出張中の業務内容、出張（特に時差のある海外出張）の頻度、交通手段、移動時間及び移動時間中の状況、宿泊の有無、宿泊施設の状況、出張中における睡眠を含む休憩・休息の状況、出張による疲労の回復状況等の観点から検討し、評価することとされている。

058 □□□ 難　R4.1-B

厚生労働省労働基準局長通知（「血管病変等を著しく増悪させる業務における脳血管疾患及び虚血性心疾患等の認定基準について」令和3年9月14日付け基発0914第1号）において、心理的負荷を伴う業務については、精神障害の業務起因性の判断に際して、負荷の程度を評価する視点により検討、評価がなされるが、脳・心臓疾患の業務起因性の判断に際しては、同視点による検討、評価の対象外とされている。

059 □□□ 普通　R4.1-E

厚生労働省労働基準局長通知（「血管病変等を著しく増悪させる業務における脳血管疾患及び虚血性心疾患等の認定基準について」令和3年9月14日付け基発0914第1号）において、業務の過重性の検討、評価に当たり、2以上の事業の業務による「長期間の過重業務」については、異なる事業における労働時間の通算がなされるのに対して、「短期間の過重業務」については労働時間の通算はなされない。

060 □□□ 普通　R6.3-ア

厚生労働省労働基準局長通知「心理的負荷による精神障害の認定基準」（令和5年9月1日付け基発0901第2号）において、対象疾病（当該認定基準で対象とする疾病をいう。）には、統合失調症や気分障害等のほか、頭部外傷等の器質性脳疾患に付随する精神障害、及びアルコールや薬物等による精神障害も含まれる。

061 □□□ 普通　H30.1-A

厚生労働省労働基準局長通知（「心理的負荷による精神障害の認定基準について」令和5年9月1日付け基発0901第2号。以下「認定基準」という。）においては、次の①、②、③のいずれの要件も満たす認定基準で対象とする疾病（対象疾病）は、労働基準法施行規則別表第1の2第9号に規定する精神及び行動の障害又はこれに付随する疾病に該当する業務上の疾病として取り扱うこととされている。

①対象疾病を発病していること。

②対象疾病の発病前おおむね6か月の間に、業務による強い心理的負荷が認められること。

③業務以外の心理的負荷及び個体側要因により対象疾病を発病したとは 認められないこと。

×　**058**　必修基本書……該当ページなし

（令3.9.14基発0914第1号）心理的負荷を伴う業務については、「脳・心臓疾患の業務起因性の判断に際しても」、本肢の認定基準の別表1及び別表2に掲げられている日常的に心理的負荷を伴う業務又は心理的負荷を伴う具体的出来事等について、「負荷の程度を評価する視点により検討し、評価することとされている」。

×　**059**　必修基本書……該当ページなし

（令3.9.14基発0914第1号）業務の過重性の検討、評価に当たり、2以上の事業の業務による『長期間の過重業務』についてのみならず、「『短期間の過重業務』についても」、異なる事業における労働時間の通算がなされる。

×　**060**　必修基本書……該当ページなし

（令5.9.1基発0901第2号）統合失調症や気分障害等は対象疾病に含まれるが、頭部外傷等の器質性脳疾患による精神障害やアルコール、薬物等による精神障害は「対象疾病に含まれない」。

○　**061**　必修基本書 労働科目……243p

（令5.9.1基発0901第2号）本肢のとおりである。なお、本肢の対象疾病の発病に至る原因の考え方は、「**ストレス－脆弱性理論**」に依拠している。

062 □□□ 普通 R6.3-オ

厚生労働省労働基準局長通知「心理的負荷による精神障害の認定基準」（令和5年9月1日付け基発0901第2号）において、業務によりうつ病を発病したと認められる者が自殺を図り死亡した場合には、当該疾病によって正常の認識、行為選択能力が著しく阻害され、あるいは自殺行為を思いとどまる精神的抑制力が著しく阻害されている状態に至ったものと推定し、当該死亡につき業務起因性を認める。

063 □□□ 普通 H30.1-B

厚生労働省労働基準局長通知（「心理的負荷による精神障害の認定基準について」令和5年9月1日付け基発0901第2号）において、業務による強い心理的負荷とは、精神障害を発病した労働者がその出来事及び出来事後の状況が持続する程度を主観的にどう受け止めたかという観点から評価されるものであるとされている。

064 □□□ 普通 H30.1-C

厚生労働省労働基準局長通知（「心理的負荷による精神障害の認定基準について」令和5年9月1日付け基発0901第2号。以下「認定基準」という。）においては、業務による心理的負荷の強度の判断に当たっては、精神障害発病前おおむね6か月の間に、認定基準で対象とする疾病（対象疾病）の発病に関与したと考えられる業務によるどのような出来事があり、また、その後の状況がどのようなものであったのかを具体的に把握し、それらによる心理的負荷の強度はどの程度であるかについて、「業務による心理的負荷評価表」を指標として「強」、「弱」の二段階に区分することとされている。

065 □□□ 難 R5.1-A

「心理的負荷による精神障害の認定基準について」（令和5年9月1日付け基発1226第1号）における「業務による心理的負荷の強度の判断」において、複数の出来事のうち、いずれかの出来事が「強」の評価となる場合は、業務による心理的負荷を「強」と判断する。

○ **062** 必修基本書 労働科目……243p

（令5.9.1基発0901第2号）本肢のとおりである。

× **063** 必修基本書……該当ページなし

（令5.9.1基発0901第2号）本肢の業務による強い心理的負荷とは、精神障害を発病した労働者がその出来事及び出来事後の状況が持続する程度を主観的にどう受け止めたかではなく、「同種の労働者が一般的にどう受け止めるかという観点」から評価されるものである。

× **064** 必修基本書……該当ページなし

（令5.9.1基発0901第2号）心理的負荷の強度は「強」、『中』、「弱」の「3段階」に区分される。その他の記述は正しい。

○ **065** 必修基本書……該当ページなし

（令5.9.1基発0901第2号）本肢のとおりである。なお、業務による心理的負荷の評価に当たっては、業務上の傷病により6か月を超えて療養中の者が、その傷病によって生じた強い苦痛や社会復帰が困難な状況を原因として対象疾病を発病したと判断される場合には、当該苦痛等の原因となった傷病が生じた時期は発病の6か月よりも前であったとしても、発病前おおむね6か月の間に生じた苦痛等が、ときに強い心理的負荷となることにかんがみ、特に当該苦痛等を出来事とみなす。

066 □□□ 難　R5.1-B

「心理的負荷による精神障害の認定基準について」（令和5年9月1日付け基発0901第2号）における「業務による心理的負荷の強度の判断」において、複数の出来事が関連して生じている場合、「中」である出来事があり、それに関連する別の出来事（それ単独では「中」の評価）が生じた場合には、後発の出来事は先発の出来事の出来事後の状況とみなし、当該後発の出来事の内容、程度により「強」又は「中」として全体を評価する。

067 □□□ 難　R5.1-C

「心理的負荷による精神障害の認定基準について」（令和5年9月1日付け基発0901第2号）における「業務による心理的負荷の強度の判断」において、単独の出来事の心理的負荷が「中」である複数の出来事が関連なく生じている場合、全体評価は「中」又は「強」となる。

068 □□□ 難　R5.1-D

「心理的負荷による精神障害の認定基準について」（令和5年9月1日付け基発0901第2号）における「業務による心理的負荷の強度の判断」において、単独の出来事の心理的負荷が「中」である出来事一つと、「弱」である複数の出来事が関連なく生じている場合、原則として全体評価も「中」となる。

069 □□□ 難　R5.1-E

「心理的負荷による精神障害の認定基準について」（令和5年9月1日付け基発0901第2号）における「業務による心理的負荷の強度の判断」において、単独の出来事の心理的負荷が「弱」である複数の出来事が関連なく生じている場合、原則として全体評価は「中」又は「弱」となる。

070 □□□ 普通　H30.1-E

厚生労働省労働基準局長通知（「心理的負荷による精神障害の認定基準について」令和5年9月1日付け基発0901第2号）においては、「ハラスメントやいじめのように、出来事が繰り返されるものについては、発病の6か月よりも前にそれが開始されている場合でも、発病前6か月以内の行為のみを評価の対象とする。」とされている。

○ 066

必修基本書……該当ページなし

(令5.9.1基発0901第2号)本肢のとおりである。なお、本肢の認定基準において、いずれの出来事でも単独では「強」の評価とならない場合であって、それらの複数の出来事が関連して生じているときには、その全体を一つの出来事として評価することとし、原則として最初の出来事を「具体的出来事」として 当該認定基準の別表1に当てはめ、関連して生じた各出来事は出来事後の状況とみなす方法により、その全体評価を行う。

○ 067

必修基本書……該当ページなし

(令5.9.1基発0901第2号)本肢のとおりである。なお、本肢の認定基準において、いずれの出来事でも単独では「強」の評価とならない場合であって、一つの出来事のほかに、それとは関連しない他の出来事が生じているときには、主としてそれらの出来事の数、各出来事の内容（心理的負荷の強弱)、各出来事の時間的な近接の程度を元に、その全体的な心理的負荷を評価する

○ 068

必修基本書……該当ページなし

(令5.9.1基発0901第2号) 本肢のとおりである。なお、業務による心理的負荷の評価に当たっては、本人が主張する出来事の発生時期は発病の6か月より前である場合であっても、発病前おおむね6か月の間における出来事の有無等についても調査し、例えば当該期間における業務内容の変化や新たな業務指示等が認められるときは、これを出来事として発病前おおむね6か月の間の心理的負荷を評価する。

× 069

必修基本書……該当ページなし

(令5.9.1基発0901第2号)「弱」である複数の出来事が関連なく生じている場合には、原則として全体評価は『弱』となる。

○ 070

必修基本書 労働科目……243p

(令5.9.1基発0901第２号) ハラスメントやいじめのように、出来事が繰り返されるものについては、発病の6か月よりも前にそれが開始されている場合でも、発病前6か月以内の期間にも継続しているときは、「開始時からのすべての行為」が評価の対象となる。

071 □□□ 普通 H30.1-D

厚生労働省労働基準局長通知（「心理的負荷による精神障害の認定基準について」令和5年9月1日付け基発0901第2号）においては、「極度の長時間労働は、心身の極度の疲弊、消耗を来し、うつ病等の原因となることから、発病日から起算した直前の1か月間におおむね120時間を超える時間外労働を行った場合等には、当該極度の長時間労働に従事したことのみで心理的負荷の総合評価を「強」とする。」とされている。

072 □□□ 普通 H27.1-A

厚生労働省労働基準局長通知（「心理的負荷による精神障害の認定基準について」令和5年9月1日付け基発0901第2号）によると当該認定基準においては、うつ病エピソードの発病直前の2か月間連続して1月当たりおおむね80時間の時間外労働を行い、その業務内容が通常その程度の労働時間を要するものであった場合、心理的負荷の総合評価は「強」と判断される。

073 □□□ 普通 H27.1-B

厚生労働省労働基準局長通知（「心理的負荷による精神障害の認定基準について」令和5年9月1日付け基発0901第2号）によると当該認定基準においては、同僚から治療を要する程度のひどい暴行を受けてうつ病エピソードを発病した場合、心理的負荷の総合評価は「強」と判断される。

074 □□□ 普通 H27.1-C

厚生労働省労働基準局長通知（「心理的負荷による精神障害の認定基準について」令和5年9月1日付け基発0901第2号）によると認定基準においては、身体接触のない性的発言のみのセクシュアルハラスメントである場合には、これによりうつ病エピソードを発病しても、心理的負荷の総合評価が「強」になることはない。

075 □□□ 普通 H27.1-D

厚生労働省労働基準局長通知（「心理的負荷による精神障害の認定基準について」令和5年9月1日付け基発0901第2号）によると当該認定基準においては、発病前おおむね6か月の間の出来事について評価することから、胸を触るなどのセクシュアルハラスメントを繰り返し受け続けて9か月あまりでうつ病エピソードを発病した場合、6か月より前の出来事については、評価の対象にならない。

× **071** 必修基本書 労働科目……244p

(令5.9.1基発0901第2号) 極度の長時間労働は、心身の極度の疲弊、消耗を来し、うつ病等の原因となることから、発病日から起算した直前の1か月間におおむね「160時間」を超える時間外労働を行った場合等には、当該極度の長時間労働に従事したことのみで心理的負荷の総合評価は「強」となる。

× **072** 必修基本書 労働科目……244p

(令5.9.1基発0901第2号) 認定基準においては、うつ病エピソードの発病直前の2か月間連続して1月当たりおおむね「120時間」の時間外労働を行い、その業務内容が通常その程度の労働時間を要するものであった場合、心理的負荷の総合評価は「強」と判断される。

○ **073** 必修基本書……該当ページなし

(令5.9.1基発0901第2号) 本肢のとおりである。

× **074** 必修基本書……該当ページなし

(令5.9.1基発0901第2号) 本肢のようなセクシュアルハラスメントにおいても発言の中に人格を否定するようなものを含み、かつ、継続してなされた場合等、心理的負荷の評価基準が「強」となる。

× **075** 必修基本書 労働科目……243p

(令5.9.1基発0901第2号) 本肢のセクシュアルハラスメントのように、出来事が繰り返されるものについては、発病の6か月よりも前にそれが開始されている場合でも、発病前6か月以内の期間にも継続しているときは、開始時からのすべての行為を評価の対象とすることとされている。

076 □□□ 普通 H27.1-E

厚生労働省労働基準局長通知（「心理的負荷による精神障害の認定基準について」令和5年9月1日付け基発0901第2号）によると当該認定基準においては、うつ病エピソードを発病した労働者がセクシュアルハラスメントを受けていた場合の心理的負荷の程度の判断は、その労働者がその出来事及び出来事後の状況が持続する程度を主観的にどう受け止めたかで判断される。

077 □□□ 難 R3.4-A

心理的負荷による精神障害の認定基準（令和5年9月1日付け基発0901第2号）において、人格や人間性を否定するような、業務上明らかに必要性がない精神的攻撃が行われたが、その行為が反復・継続していない場合、他に会社に相談しても適切な対応がなく改善されなかった等の事情がなければ、当該認定基準の業務による心理的負荷評価表に係る心理的負荷の程度は「中」になるとされている。

078 □□□ 難 R3.4-B

心理的負荷による精神障害の認定基準（令和5年9月1日付け基発0901第2号）において、人格や人間性を否定するような、業務の目的を逸脱した精神的攻撃が行われたが、その行為が反復・継続していない場合、他に会社に相談しても適切な対応がなく改善されなかった等の事情がなければ、当該認定基準の業務による心理的負荷評価表に係る心理的負荷の程度は「中」になるとされている。

079 □□□ 難 R3.4-C

心理的負荷による精神障害の認定基準（令和5年9月1日付け基発0901第2号）において、他の労働者の面前における威圧的な叱責など、態様や手段が社会通念に照らして許容される範囲を超える精神的攻撃が行われたが、その行為が反復・継続していない場合、他に会社に相談しても適切な対応がなく改善されなかった等の事情がなければ、当該認定基準の業務による心理的負荷評価表に係る心理的負荷の程度は「中」になるとされている。

080 □□□ 難 R3.4-D

心理的負荷による精神障害の認定基準（令和5年9月1日付け基発0901第2号）において、治療等を要さない程度の暴行による身体的攻撃が行われた場合、その行為が反復・継続していなくても、また、他に会社に相談しても適切な対応がなく改善されなかった等の事情がなくても、当該認定基準の業務による心理的負荷評価表に係る心理的負荷の程度は「強」になるとされている。

× **076** 必修基本書……該当ページなし

（令5.9.1基発0901第２号）うつ病エピソードを発病した労働者がセクシャルハラスメントを受けていた場合の心理的負荷の程度の判断は、その労働者がその出来事及び出来事後の状況が持続する程度を主観的にどう受け止めたかで判断するのではなく、「**同種の労働者**が一般的にどう受け止めるかという観点」から評価される。

○ **077** 必修基本書……該当ページなし

（令5.9.1基発0901第２号）本肢のとおりである。なお、本肢の場合であっても、会社に相談しても適切な対応がなく改善されなかったときは、心理的負荷の程度は「強」になる。

○ **078** 必修基本書……該当ページなし

（令5.9.1基発0901第２号）本肢のとおりである。なお、「必要以上に長時間にわたる厳しい叱責、他の労働者の面前における大声での威圧的な叱責など、態様や手段が社会通念に照らして許容される範囲を超える精神的攻撃」を反復・継続するなどして執拗に受けたときは、心理的負荷の程度は「強」になるとされている。

○ **079** 必修基本書……該当ページなし

（令5.9.1基発0901第２号）本肢のとおりである。なお、本肢の認定基準の業務による心理的負荷評価表の「平均的な心理的負荷の強度」の「具体的出来事」の1つである「上司とのトラブルがあった」のうち、「業務をめぐる方針等において、周囲からも客観的に認識されるような大きな対立が上司との間に生じ、その後の業務に大きな支障を来した」ときは、心理的負荷の程度は「強」になるとされている。

× **080** 必修基本書……該当ページなし

（令5.9.1基発0901第２号）本肢の心理的負荷の程度は「中」となる。

081 □□□ 難 R3.4-E

心理的負荷による精神障害の認定基準（令和5年9月1日付け基発0901第2号）における「上司等」には、同僚又は部下であっても業務上必要な知識や豊富な経験を有しており、その者の協力が得られなければ業務の円滑な遂行を行うことが困難な場合、同僚又は部下からの集団による行為でこれに抵抗又は拒絶することが困難である場合も含む。

082 □□□ 普通 R6.3-イ

厚生労働省労働基準局長通知「心理的負荷による精神障害の認定基準」（令和5年9月1日付け基発0901第2号）において、対象疾病（当該認定基準で対象とする疾病をいう。）を発病して治療が必要な状態にある者について、当該認定基準別表1の特別な出来事があり、その後おおむね6か月以内に当該対象疾病が自然経過を超えて著しく悪化したと医学的に認められる場合には、当該特別な出来事による心理的負荷が悪化の原因であると推認し、当該悪化した部分について業務起因性を認める。

083 □□□ 普通 R6.3-ウ

厚生労働省労働基準局長通知「心理的負荷による精神障害の認定基準」（令和5年9月1日付け基発0901第2号）において、対象疾病（当該認定基準で対象とする疾病をいう。）を発病して治療が必要な状態にある者について、当該認定基準別表1の特別な出来事がない場合には、当該対象疾病の悪化の前おおむね6か月以内の業務による強い心理的負荷によって当該対象疾病が自然経過を超えて著しく悪化したものと精神医学的に判断されたとしても、当該悪化した部分について業務起因性は認められない。

084 □□□ 難 R6.3-エ

厚生労働省労働基準局長通知「心理的負荷による精神障害の認定基準」（令和5年9月1日付け基発0901第2号）において、対象疾病（当該認定基準で対象とする疾病をいう。）の症状が現れなくなった又は症状が改善し安定した状態が一定期間継続している場合や、社会復帰を目指して行ったリハビリテーション療法等を終えた場合であって、通常の就労が可能な状態に至ったときには、投薬等を継続していても通常は治ゆ（症状固定）の状態にあると考えられるところ、当該対象疾病がいったん治ゆ（症状固定）した後において再びその治療が必要な状態が生じた場合は、新たな疾病と取り扱う。

○ **081** 必修基本書……該当ページなし

(令5.9.1基発0901第2号) 本肢のとおりである。なお、本肢の認定基準の業務による心理的負荷評価表の「平均的な心理的負荷の強度」の「具体的出来事」の1つである「同僚等から、暴行又は(ひどい)いじめ·嫌がらせを受けた」のうち、「同僚等から、治療を要さない程度の暴行を受け、行為が反復・継続していない場合」であって、他に会社に相談しても適切な対応がなく改善されなかった等の事情がなければ、心理的負荷の程度は「中」になるとされている。

○ **082** 必修基本書……該当ページなし

(令5.9.1基発0901第2号) 本肢のとおりである。なお、本肢の「特別な出来事」として、生死にかかわる、極度の苦痛を伴う、又は永久労働不能となる後遺障害を残す業務上の病気やケガをした(業務上の傷病による療養中に症状が急変し極度の苦痛を伴った場合を含む) 場合がある。

× **083** 必修基本書……該当ページなし

(令5.9.1基発0901第2号) 対象疾病を発病して治療が必要な常態にある者について、特別な出来事がない場合であっても、悪化の前に業務による強い心理的負荷が認められる場合には、当該業務による強い心理的負荷、本人の個体側要因と業務以外の心理的負荷、悪化の態様やこれに至る経緯等を十分に検討し、業務による強い心理的負荷によって精神障害が自然経過を超えて著しく悪化したものと精神医学的に判断されるときには、悪化した部分について「業務起因性を認める」。

○ **084** 必修基本書……該当ページなし

(令5.9.1基発0901第2号) 本肢のとおりである。なお、治ゆ後に増悪の予防のため診察や投薬等が必要とされる場合には、アフターケア (平19.4.23基発0423002号) を、一定の障害を残した場合には障害 (補償) 等給付 (法15条) を、それぞれ適切に実施するものとされている。

085 □□□ 難　R3.7-A

上肢作業に基づく疾病の業務上外の認定基準（平成9年2月3日付け基発第65号）における当該認定要件の運用基準又は認定に当たって、「相当期間」とは原則として6か月程度以上をいうが、腱鞘炎等については、作業従事期間が6か月程度に満たない場合でも、短期間のうちに集中的に過度の負担がかかった場合には、発症することがあるので留意することとされている。

086 □□□ 難　R3.7-B

上肢作業に基づく疾病の業務上外の認定基準（平成9年2月3日付け基発第65号）における当該認定要件の運用基準又は認定に当たって、業務以外の個体要因（例えば年齢、素因、体力等）や日常生活要因（例えば家事労働、育児、スポーツ等）をも検討した上で、上肢作業者が、業務により上肢を過度に使用した結果発症したと考えられる場合に、業務に起因することが明らかな疾病として取り扱うものとされている。

087 □□□ 難　R3.7-C

上肢作業に基づく疾病の業務上外の認定基準（平成9年2月3日付け基発第65号）における当該認定要件の運用基準又は認定に当たって、上肢障害には、加齢による骨・関節系の退行性変性や関節リウマチ等の類似疾病が関与することが多いことから、これが疑われる場合には、専門医からの意見聴取や鑑別診断等を実施することとされている。

088 □□□ 難　R3.7-D

上肢作業に基づく疾病の業務上外の認定基準（平成9年2月3日付け基発第65号）における当該認定要件の運用基準又は認定に当たって、「上肢等に負担のかかる作業」とは、⑴上肢の反復動作の多い作業、⑵上肢を上げた状態で行う作業、⑶頸部、肩の動きが少なく、姿勢が拘束される作業、⑷上肢等の特定の部位に負担のかかる状態で行う作業のいずれかに該当する上肢等を過度に使用する必要のある作業をいうとされている。

○ **085** 必修基本書……該当ページなし

（平9.2.3基発65号）本肢のとおりである。なお、本肢の認定基準が対象とする疾病は、上肢等に過度の負担の係る業務によって、後頭部、頸部、肩甲帯、上腕、前腕、手及び指に発生した運動器の障害（上肢障害）とされている。

○ **086** 必修基本書……該当ページなし

（平9.2.3基発65号）本肢のとおりである。

○ **087** 必修基本書……該当ページなし

（平9.2.3基発65号）本肢のとおりである。なお、上肢障害と類似の症状を呈する疾病としては、頸・背部の脊椎、脊髄あるいは周辺軟部の腫瘍等が原因とする場合が考えられるが、これらは、上肢障害に該当しない。しかしながら、これらに該当する疾病の中には、上肢障害以外の疾病として、別途業務起因性の判断を要するものもあることに留意することとされている。

○ **088** 必修基本書……該当ページなし

（平9.2.3基発65号）本肢のとおりである。

089 □□□ 難 R3.7-E

上肢作業に基づく疾病の業務上外の認定基準（平成9年2月3日付け基発第65号）における当該認定要件の運用基準又は認定に当たって、一般に上肢障害は、業務から離れ、あるいは業務から離れないまでも適切な作業の指導・改善等を行い就業すれば、症状は軽快し、また、適切な療養を行うことによっておおむね1か月程度で症状が軽快すると考えられ、手術が施行された場合でも一般的におおむね3か月程度の療養が行われれば治ゆするものと考えられるので留意することとされている。

× 089 必修基本書……該当ページなし

（平9.2.3基発65号）一般的に上肢障害は、適切な療養を行うことによっておおむね「3か月」程度で症状が軽快すると考えられ、手術が施行された場合でも一般的におおむね「6か月」程度の療養が行われれば治ゆするものと考えられるとされている。本肢前段の記述は正しい。

③ 通勤災害

090 □□□ 易 H29.5-C

移動の途中の災害であれば、業務の性質を有する場合であっても、通勤災害と認められる。

091 □□□ 普通 H28.3-C

午前の勤務を終了し、平常通り、会社から約300メートルのところにある自宅で昼食を済ませた労働者が、午後の勤務に就くため12時45分頃に自宅を出て県道を徒歩で勤務先会社に向かう途中、県道脇に駐車中のトラックの脇から飛び出した野犬に下腿部をかみつかれて負傷した場合、通勤災害と認められる。

092 □□□ 難 H28.3-A

商店が閉店した後は人通りがなくなる地下街入口付近の暗いところで、勤務先から帰宅途中に、暴漢に後頭部を殴打され財布をとられたキャバレー勤務の労働者が負った後頭部の裂傷は、通勤災害と認められる。

093 □□□ 難 H28.3-E

マイカー通勤をしている労働者が、勤務先会社から市道を挟んだところにある同社の駐車場に車を停車し、徒歩で職場に到着しタイムカードを押した後、フォグライトの消し忘れに気づき、徒歩で駐車場へ引き返すべく市道を横断する途中、市道を走ってきた軽自動車にはねられ負傷した場合、通勤災害と認められる。

094 □□□ 普通 R6.2-A

マイカー通勤をしている労働者が、勤務先会社から市道を挟んだところにある同社の駐車場に車を停車し、徒歩で職場に到着しタイムカードを打刻した後、フォグライトの消し忘れに気づき、徒歩で駐車場へ引き返すべく市道を横断する途中、市道を走ってきた軽自動車にはねられ負傷した場合、通勤災害とは認められない。

095 □□□ 普通 R6.2-B

マイカー通勤をしている労働者が、同一方向にある配偶者の勤務先を経由するため、通常通り自分の勤務先を通り越して通常の通勤経路を450メートル走行し、配偶者の勤務先で配偶者を下車させて自分の勤務先に向かって走行中、踏切で鉄道車両と衝突して負傷した場合、通勤災害とは認められない。

× **090** 必修基本書 労働科目……246p

（法7条2項）移動のうち業務の性質を有するものは通勤とはされないため、本肢の場合、「通勤災害とは認められない」。

○ **091** 必修基本書……該当ページなし

（昭53.5.30基収1172号）本肢のとおりである。通勤の途中で発生した災害は、原則として、通勤によるものと認められる。

○ **092** 必修基本書……該当ページなし

（昭49.6.19基収1276号）本肢のとおりである。通勤と当該災害との間に相当因果関係が認められるため、通勤災害と認められる。

○ **093** 必修基本書……該当ページなし

（昭49.6.19基収1739号）本肢のとおりである。

× **094** 必修基本書……該当ページなし

（昭49.6.19基収1739号）本肢のようにマイカー通勤者が車のライト消し忘れなどに気づき駐車場に引き返すことは一般にあり得ることであって、通勤とかけ離れた行為でなく、この場合、いったん事業場構内に入った後であっても、まだ時間の経過もほとんどないことなどから「通勤災害として取り扱う」ことが妥当とされている。

× **095** 必修基本書……該当ページなし

（昭49.3.4基収289号）マイカー通勤の共稼ぎの労働者で勤務先が同一方向にあって、しかも夫の通勤経路からさほど離れていなければ、2人の通勤をマイカーの相乗りで行い、妻の勤務先を経由することは通常行われることであり、このような場合は合理的な経路として扱うのが妥当とされているため、本肢の災害は「通勤災害と認められる」。

096 □□□ 普通 R6.2-C

頸椎を手術した配偶者の看護のため、手術後1か月ほど姑と交替で1日おきに病院に寝泊まりしていた労働者が、当該病院から徒歩で出勤する途中、横断歩道で軽自動車にはねられ負傷した場合、当該病院から勤務先に向かうとすれば合理的である経路・方法をとり逸脱・中断することなく出勤していたとしても、通勤災害とは認められない。

097 □□□ 普通 R6.2-D

労働者が、退勤時にタイムカードを打刻し、更衣室で着替えをして事業場施設内の階段を降りる途中、ズボンの裾が靴に絡んだために足を滑らせ、階段を5段ほど落ちて腰部を強打し負傷した場合、通勤災害とは認められない。

098 □□□ 普通 R6.2-E

長年営業に従事している労働者が、通常通りの時刻に通常通りの経路を徒歩で勤務先に向かっている途中に突然倒れ、急性心不全で死亡した場合、通勤災害と認められる。

099 □□□ 普通 H29.5-D

通勤災害における合理的な経路とは、住居等と就業の場所等との間を往復する場合の最短距離の唯一の経路を指す。

100 □□□ 普通 H29.5-A

退勤時に長男宅に立ち寄るつもりで就業の場所を出たものであれば、就業の場所から普段利用している通勤の合理的経路上の災害であっても、通勤災害とは認められない。

× **096** 必修基本書……該当ページなし

（昭52.12.25基収981号）看護のために配偶者が病院に寝泊まりすることは社会慣習上通常行われることであり、かつ、手術当日から長期間継続して寝泊まりしていた事実があることからして、被災当日の当該病院は、被災労働者にとって就業のための拠点としての性格を有する住居と認められる。したがって、本肢の災害は「通勤災害と認められる」。

○ **097** 必修基本書……該当ページなし

（昭49.4.9基収314号）本肢のとおりである。本肢の災害は事業主の支配管理下において発生した災害であり、住居と就業の場所との間の災害に該当しないため、通勤災害とは認められない。

× **098** 必修基本書……該当ページなし

（昭50.6.9基収4039号）本肢の急性心不全による死亡については、特に発病の原因となるような通勤による負傷又は通勤に関連する突発的なできごと等が認められないことから「通勤に伴う危険が具体化したもの」とは認められないため、「通勤災害とは認められない」。

× **099** 必修基本書 労働科目……246～247p

（平18.3.31基発0331042号ほか）通勤災害における合理的な経路とは、住居等と就業の場所等との間を往復する場合の最短距離の唯一の経路に「限られるわけではない」。例えば、タクシー等を利用する場合に、通常利用することが考えられる経路が2、3あるような場合には、その経路は、いずれも合理的な経路となる。

× **100** 必修基本書……該当ページなし

（昭50.1.17基収2653号）通勤とは、被災労働者の行為を外形的、かつ、客観的にとらえて判断するものであり、たとえ長男宅に立ち寄るつもりで就業の場所を出たものであっても、いまだ通常の合理的な通勤経路上にある限りにおいては、当該被災労働者の行為は通勤と認められるのが妥当であるとされており、本肢の場合は、「通勤災害と認められる」。なお、労働者が、法7条2項各号の移動を逸脱し又は中断した場合は、当該逸脱又は中断の間及びその後の移動は、原則として、通勤とされない。

101 □□□ 難　R元.4-C

派遣労働者に係る通勤災害の認定に当たっては、派遣元事業主又は派遣先事業主の指揮命令により業務を開始し、又は終了する場所が「就業の場所」となるため、派遣労働者の住居と派遣元事業場又は派遣先事業場との間の往復の行為は、一般に「通勤」となるものとして取り扱うこととされている。

102 □□□ 普通　R3.2-D

配偶者と小学生の子と別居して単身赴任し、月に1 ～2回、家族の住む自宅に帰っている労働者が、1週間の夏季休暇の1日目は交通機関の状況等は特段の問題はなかったが単身赴任先で洗濯や買い物等の家事をし、2日目に家族の住む自宅へ帰る途中に交通事故に遭い負傷した。この場合は、通勤災害と認められない。

103 □□□ 普通　R3.2-A

3歳の子を養育している一人親世帯の労働者がその子をタクシーで託児所に預けに行く途中で追突事故に遭い、負傷した。その労働者は、通常、交通法規を遵守しつつ自転車で託児所に子を預けてから職場に行っていたが、この日は、大雨であったためタクシーに乗っていた。タクシーの経路は、自転車のときとは違っていたが、車であれば、よく利用される経路であった。この場合は、通勤災害と認められる。

104 □□□ 普通　R4.6-D

マイカー通勤の労働者が、経路上の道路工事のためにやむを得ず通常の経路を迂回して取った経路は、ふだんの通勤経路を外れた部分についても、通勤災害における合理的な経路と認められる。

105 □□□ 普通　R4.6-E

他に子供を監護する者がいない共稼ぎ労働者が、いつもどおり親戚に子供を預けるために、自宅から徒歩10分ほどの勤務先会社の前を通り過ぎて100メートルのところにある親戚の家まで、子供とともに歩き、子供を預けた後に勤務先会社まで歩いて戻る経路のうち、勤務先会社と親戚の家との間の往復は、通勤災害における合理的な経路とは認められない。

○ **101** 必修基本書……該当ページなし

（昭61.6.30基発383号）本肢のとおりである。なお、通勤による疾病の範囲については、**労災保険法施行規則**において「**通勤による負傷に起因する疾病**その他**通勤に起因することの明らかな疾病**」と規定されており、業務上の疾病と異なり**具体的な疾病名は例示されていない**（則18条の4）。

○ **102** 必修基本書……該当ページなし

（法7条2項3号、昭48.11.22基発644号、平18.3.31基労官発0331001号ほか）本肢のとおりである。転任の場合における赴任先住居から帰省先住居への移動については、実態等を踏まえて、当該移動が業務に従事した**当日又は翌日**に行われた場合は、就業との関連性が認められるが、本肢の移動は、交通機関の状況等の**合理的な理由**もなく業務に従事した翌々日に行われており、就業との関連性は認められない。

○ **103** 必修基本書 労働科目……246～247p

（昭48.11.22基発644号ほか）本肢のとおりである。本肢のようにタクシー等を利用する場合に、通常利用することが考えられる経路が2、3あるようなときには、その経路は、いずれも法7条2項に規定する「合理的な経路」に該当する。

○ **104** 必修基本書 労働科目……246～247p

（昭48.11.22.基発644号ほか）本肢のとおりである。

× **105** 必修基本書 労働科目……246～247p

（昭48.11.22.基発644号ほか）本肢の勤務先と親戚の家との間の往復は、通勤災害における「合理的な経路と認められる」。

106 □□□ 普通 R3.2-E

自家用車で通勤していた労働者Xが通勤途中、他の自動車との接触事故で負傷したが、労働者Xは所持している自動車運転免許の更新を失念していたため、当該免許が当該事故の1週間前に失効しており、当該事故の際、労働者Xは、無免許運転の状態であった。この場合は、諸般の事情を勘案して給付の支給制限が行われることはあるものの、通勤災害と認められる可能性はある。

107 □□□ 普通 R4.5-B

アパートの2階の一部屋に居住する労働者が、いつも会社に向かって自宅を出発する時刻に、出勤するべく靴を履いて自室のドアから出て1階に降りようとした時に、足が滑り転倒して負傷した場合、通勤災害に当たらない。

108 □□□ 普通 R4.5-C

一戸建ての家に居住している労働者が、いつも退社する時刻に仕事を終えて自宅に向かってふだんの通勤経路を歩き、自宅の門をくぐって玄関先の石段で転倒し負傷した場合、通勤災害に当たらない。

109 □□□ 普通 R4.5-A

同一市内に住む長女が出産するため、15日間、幼児2人を含む家族の世話をするために長女宅に泊まり込んだ労働者にとって、長女宅は、就業のための拠点としての性格を有する住居と認められる。

110 □□□ 普通 R4.5-E

労働者が、長期入院中の夫の看護のために病院に1か月間継続して宿泊した場合、当該病院は就業のための拠点としての性格を有する住居と認められる。

111 □□□ 普通 H29.5-E

労働者が転任する際に配偶者が引き続き就業するため別居することになった場合の、配偶者が住む居宅は、「住居」と認められることはない。

○ **106** 必修基本書 労働科目……246~247p

（昭48.11.22基発644号ほか）本肢のとおりである。本肢のように免許更新忘れによる無免許運転の場合のほか、飲酒運転の場合、単なる免許証不携帯の場合とは、必ずしも、合理性を欠くものとして取り扱う必要はないが、諸般の事情を勘案し、給付の支給制限が行われる。

× **107** 必修基本書 労働科目……247p

（昭49.4.9基収314号）アパートの場合、部屋の外戸が住居と通勤経路との境界であるので、当該アパートの階段は、通勤の経路と認められるため、本肢の場合、「通勤災害と認められる」。

○ **108** 必修基本書 労働科目……247p

（昭49.7.15基収2110号）本肢のとおりである。一戸建ての屋敷構えの住居の玄関先は、住居内であって、住居と就業場所との間とは言えないため、本肢の場合、通勤災害に当たらない。

○ **109** 必修基本書 労働科目……247p

（昭52.12.23基収1027号）本肢のとおりである。本肢の場合、被災労働者が長女宅に居住しそこから通勤する行為は、客観的に一定の持続性が認められるので、当該長女宅は被災労働者にとっての就業のための拠点としての性格を有する住居と認められる。

○ **110** 必修基本書 労働科目……247p

（昭52.12.23基収981号）本肢のとおりである。

× **111** 必修基本書 労働科目……247p

（法7条2項、則7条1号、平18.3.31基発0331042号ほか）本肢の配偶者が住む住居は、通勤災害における「住居と認められることがある」。一定の要件を満たした赴任先住居と帰省先住居との間の移動については、その移動に反復・継続性（おおむね毎月1回以上の移動）が認められるときは、通勤と認められる。また、単身赴任者が就業の場所と家族住む家屋との間を往復する場合のその往復行為に反復・継続性（おおむね毎月1回以上の往復）が認められるときは、当該家屋は住居として認められる。

112 □□□ 普通 R4.5-D

外回りの営業担当の労働者が、夕方、得意先に物品を届けて直接帰宅する場合、その得意先が就業の場所に当たる。

113 □□□ 易 R6.1-A

労災保険法第7条に規定する通勤の途中で合理的経路を逸脱・中断した場合でも、当該逸脱・中断が日常生活上必要な行為であって、厚生労働省令で定めるものをやむを得ない事由により最小限度の範囲で行う場合には、当該逸脱・中断の後、合理的な経路に復した後は、同条の通勤と認められることとされているが、この日常生活上必要な行為として、「経路の近くにある公衆トイレを使用する行為」は、同法施行規則第8条が定めるものに含まれない。

114 □□□ 易 R6.1-B

労災保険法第7条に規定する通勤の途中で合理的経路を逸脱・中断した場合でも、当該逸脱・中断が日常生活上必要な行為であって、厚生労働省令で定めるものをやむを得ない事由により最小限度の範囲で行う場合には、当該逸脱・中断の後、合理的な経路に復した後は、同条の通勤と認められることとされているが、この日常生活上必要な行為として、「帰途で惣菜等を購入する行為」は、同法施行規則第8条が定めるものに含まれない。

115 □□□ 易 R6.1-C

労災保険法第7条に規定する通勤の途中で合理的経路を逸脱・中断した場合でも、当該逸脱・中断が日常生活上必要な行為であって、厚生労働省令で定めるものをやむを得ない事由により最小限度の範囲で行う場合には、当該逸脱・中断の後、合理的な経路に復した後は、同条の通勤と認められることとされているが、この日常生活上必要な行為として、「はり師による施術を受ける行為」は、同法施行規則第8条が定めるものに含まれない。

116 □□□ 易 R6.1-D

労災保険法第7条に規定する通勤の途中で合理的経路を逸脱・中断した場合でも、当該逸脱・中断が日常生活上必要な行為であって、厚生労働省令で定めるものをやむを得ない事由により最小限度の範囲で行う場合には、当該逸脱・中断の後、合理的な経路に復した後は、同条の通勤と認められることとされているが、この日常生活上必要な行為として、「職業能力開発校で職業訓練を受ける行為」は、同法施行規則第8条が定めるものに含まれない。

○ 112
必修基本書 労働科目……248p

（昭48.11.22基発644号ほか）本肢のとおりである。

○ 113
必修基本書 労働科目……249～250p

（則8条、昭48.11.22基発644号）本肢のとおりである。本肢の行為は通常経路の途中で行うようなささいな行為に該当し、そもそも逸脱・中断に該当しない。

× 114
必修基本書 労働科目……249～250p

（則8条、昭48.11.22基発644号）本肢の行為は日常生活上必要な行為に含まれる。

× 115
必修基本書 労働科目……249～250p

（則8条、昭48.11.22基発644号）本肢の行為は日常生活上必要な行為に含まれる。

× 116
必修基本書 労働科目……249～250p

（則8条、昭48.11.22基発644号）本肢の行為は日常生活上必要な行為に含まれる。

117 □□□ 易 R6.1-E

労災保険法第7条に規定する通勤の途中で合理的経路を逸脱・中断した場合でも、当該逸脱・中断が日常生活上必要な行為であって、厚生労働省令で定めるものをやむを得ない事由により最小限度の範囲で行う場合には、当該逸脱・中断の後、合理的な経路に復した後は、同条の通勤と認められることとされているが、この日常生活上必要な行為として、「要介護状態にある兄弟姉妹の介護を継続的に又は反復して行う行為」は、同法施行規則第8条が定めるものに含まれない。

118 □□□ 普通 H28.3-D

勤務を終えてバスで退勤すべくバス停に向かった際、親しい同僚と一緒になったので、お互いによく利用している会社の隣の喫茶店に立ち寄り、コーヒーを飲みながら雑談し、40分程度過ごした後、同僚の乗用車で合理的な経路を通って自宅まで送られた労働者が、車を降りようとした際に乗用車に追突され負傷した場合、通勤災害と認められる。

119 □□□ 普通 H28.3-B

会社から退勤の途中に、定期的に病院で、比較的長期間の人工透析を受ける場合も、終了して直ちに合理的経路に復した後については、通勤に該当する。

120 □□□ 易 H28.5-オ

労災保険法第7条に規定する通勤の途中で合理的経路を逸脱した場合でも、日常生活上必要な行為であって厚生労働省令で定めるものをやむ得ない事由により行うための最小限度のものである場合は、当該逸脱中断の間も含め同条の通勤とする。

121 □□□ 普通 R3.2-B

腰痛の治療のため、帰宅途中に病院に寄った労働者が転倒して負傷した。病院はいつも利用している駅から自宅とは反対方向にあり、負傷した場所はその病院から駅に向かう途中の路上であった。この場合は、通勤災害と認められない。

× **117** 必修基本書 労働科目……249~250p

(則8条、昭48.11.22基発644号) 本肢の行為は日常生活上必要な行為に含まれる。

× **118** 必修基本書……該当ページなし

(昭49.11.15基収1867号) 被災労働者が喫茶店に立ち寄って過ごした行為は、通常通勤の途中で行うような「**ささいな行為**」には該当せず、また、「日用品の購入その他これに準ずる**日常生活上必要な行為**をやむを得ない事由により行うための**最小限度**のもの」とも認められない。よって、通勤災害とは認められない。

○ **119** 必修基本書 労働科目……249~250p

(法7条3項ほか) 本肢のとおりである。本肢の行為は、**日常生活上必要な行為**と認められ、終了して直ちに合理的経路に復した後については、通勤に該当する。

× **120** 必修基本書 労働科目……249~250p

(法7条3項) 労働者が通勤に係る移動の経路を**逸脱**した場合には、原則として、当該**逸脱の間及びその後の移動**は通勤とされないが、当該逸脱が、**日常生活上必要な行為**であって厚生労働省令で定めるものをやむを得ない事由により行うための**最小限度**のものである場合は、当該**逸脱**の「間を除き」、**通常の経路に復した後**は通勤と認められる。

○ **121** 必修基本書……該当ページなし

(法7条3項、則8条) 本肢のとおりである。本肢の逸脱は、**日常生活上必要な行為**であって厚生労働省令で定めるものをやむを得ない事由により行うための**最小限度**のものであるが、本肢の場合、いまだ合理的な通勤の経路に復していない逸脱の間に負傷しており、通勤災害と認められない。

122 □□□ 普通　　R3.2-C

従業員が業務終了後に通勤経路の駅に近い自動車教習所で教習を受けて駅から自宅に帰る途中で交通事故に遭い負傷した。この従業員の勤める会社では、従業員が免許取得のため自動車教習所に通う場合、奨励金として費用の一部を負担している。この場合は、通勤災害と認められる。

123 □□□ 普通　　H27.3-D

業務終了後に、労働組合の執行委員である労働者が、事業場内で開催された賃金引上げのための労使協議会に6時間ほど出席した後、帰宅途上で交通事故にあった場合、通勤災害とは認められない。

124 □□□ 普通　　H27.3-E

会社からの退勤の途中で美容院に立ち寄った場合、髪のセットを終えて直ちに合理的な経路に復した後についても、通勤に該当しない。

125 □□□ 普通　　R4.6-C

通常深夜まで働いている男性労働者が、半年ぶりの定時退社の日に、就業の場所からの帰宅途中に、ふだんの通勤経路を外れ、要介護状態にある義父を見舞うために義父の家に立ち寄り、一日の介護を終えた妻とともに帰宅の途につき、ふだんの通勤経路に復した後は、通勤に該当する。

× **122** 必修基本書 労働科目……249～250p

（法7条3項、則8条、昭48.11.22基発644号ほか）本肢の自動車教習所に通う行為は、**日常生活上必要な行為**であって厚生労働省令で定めるものには該当しないため、本肢の場合、「通勤災害とは認められない」。

○ **123** 必修基本書……該当ページなし

（昭50.11.4基収2043号）本肢のとおりである。

× **124** 必修基本書 労働科目……249～250p

（法7条3項、昭58.8.2基発420号ほか）会社からの退勤の途中で美容院に立ち寄った行為は、則8条に規定する「**日常生活上必要な行為**」の範囲に含まれるため、本肢のように、当該行為後、**直ちに合理的な経路に復した後**については、通勤に該当する。

× **125** 必修基本書 労働科目……249～250p

（法7条3項、則8条）本肢の場合、「通勤に該当しない」。労働者が通勤の経路を逸脱した場合であっても、当該逸脱が日常生活上必要な行為であって厚生労働省令で定めるものをやむを得ない事由により行うための最小限度のものである場合は、当該逸脱の間を除き、通常の経路に復した後は通勤とされるが、本肢の「要介護状態にある労働者の配偶者の父の介護」は、継続的に又は反復して行われるものではなく、「日常生活上必要な行為であって厚生労働省令で定めるもの」には該当しない。したがって、本肢の通勤経路に復した後は「通勤に該当しない」。

❹ 給付基礎日額

126 □□□ 易　R5.7-E

新卒で甲会社に正社員として入社した労働者Pは、入社1年目の終了時に、脳血管疾患を発症しその日のうちに死亡した。Pは死亡前の1年間、毎週月曜から金曜に1日8時間甲会社で働くと同時に、学生時代からパートタイム労働者として勤務していた乙会社との労働契約も継続し、日曜に乙会社で働いていた。また、死亡6か月前から4か月前は丙会社において、死亡3か月前から死亡時までは丁会社において、それぞれ3か月の期間の定めのある労働契約でパートタイム労働者として、毎週月曜から金曜まで甲会社の勤務を終えた後に働いていた。Pの遺族は、Pの死亡は業務災害又は複数業務要因災害によるものであるとして所轄労働基準監督署長に対し遺族補償給付又は複数事業労働者遺族給付の支給を求めた。当該署長は、甲会社の労働時間のみでは業務上の過重負荷があったとはいえず、Pの死亡は業務災害によるものとは認められず、また甲会社と乙会社の労働時間を合計しても業務上の過重負荷があったとはいえないが、甲会社と丙会社・丁会社の労働時間を合計した場合には業務上の過重負荷があったと評価でき、個体側要因や業務以外の過重負荷により発症したとはいえないことから、Pの死亡は複数業務要因災害によるものと認められると判断した。Pの遺族への複数事業労働者遺族給付を行う場合における給付基礎日額の算定に当たって基礎とする額は、甲会社・乙会社・丁会社それぞれにつき算定した給付基礎日額に相当する額を合算した額である。

127 □□□ 難　R6.4-C

複数事業労働者については、その疾病が業務災害による遅発性疾病である場合で、その診断が確定した日において、災害発生事業場（業務災害が発生した事業場をいう。）を離職している場合の当該事業場に係る平均賃金相当額の算定については、当該災害発生事業場を離職した日を基準に、その日（賃金の締切日がある場合は直前の賃金締切日をいう。）以前3か月間に当該災害発生事業場において支払われた賃金により算定し、当該金額を基礎として、診断によって当該疾病発生が確定した日までの賃金水準の上昇又は変動を考慮して算定する。なお、本問は当該複数事業労働者の離職時の賃金が不明である場合は考慮しないものとする。

○ **126** 必修基本書 労働科目……253〜254p

（則9条の2の2、令2.8.21基発0821第2号）本肢のとおりである。労働者Pは複数事業労働者に該当する。複数事業労働者の給付基礎日額は、原則として、当該複数事業労働者を使用する事業ごとに算定した給付基礎日額に相当する額を合算した額である。本問の場合、脳血管疾患を発症して死亡した日が算定事由発生日となり、その算定事由発生日前3か月間に支払われた賃金額を基礎として各事業ごとの給付基礎日額相当額を算定、合算して給付基礎日額を算定する。なお、算定事由発生日時点において複数業務要因災害に係る事業場の一部について既に離職している場合であっても、現在就業中の事業場がある場合は、算定事由発生日前3か月間に支払われた賃金額を基礎として給付基礎日額を算定するため、算定事由発生日から3か月前の時点において既に離職し、賃金の支払を受けていない丙会社における賃金額は給付基礎日額の算定の基礎に算入されない。したがって、Pの遺族への複数事業労働者遺族給付を行う場合における給付基礎日額の算定に当たって基礎とする額は、甲会社・乙会社・丁会社それぞれにつき算定した給付基礎日額に相当する額を合算した額である。

○ **127** 必修基本書……該当ページなし

（令2.8.21基発0821第2号）本肢のとおりである。なお、複数事業労働者の離職時の賃金が不明であるときには、算定事由発生日における同種労働者の1日平均の賃金額等に基づいて算定する。

128 □□□ 難 R6.4-D

複数事業労働者については、その疾病が業務災害による遅発性疾病である場合で、その診断が確定した日において、災害発生事業場（業務災害が発生した事業場をいう。）を離職している場合の非災害発生事業場（当該災害発生事業場以外の事業場をいう。）に係る平均賃金相当額については、算定事由発生日に当該事業場を離職しているか否かにかかわらず、遅発性疾病の診断が確定した日から3か月前の日を始期として、当該診断が確定した日までの期間中に、当該非災害発生事業場から賃金を受けている場合は、その3か月間に当該非災害発生事業場において支払われた賃金により算定する。なお、本問は当該複数事業労働者の離職時の賃金が不明である場合は考慮しないものとする。

129 □□□ 難 R6.4-E

複数事業労働者に係る平均賃金相当額の算定において、雇用保険法等の一部を改正する法律（令和2年法律第14号。以下「改正法」という。）の施行日後に発生した業務災害たる傷病等については、当該傷病等の原因が生じた時点が改正法の施行日前であっても、当該傷病等が発生した時点において事業主が同一人でない2以上の事業に使用されていた場合は、給付基礎日額相当額を合算する必要がある。

130 □□□ 易 H27.7-イ

年金たる保険給付の支給に係る給付基礎日額に1円未満の端数があるときは、その端数については切り捨てる。

× **128** 　必修基本書……該当ページなし

（令2.8.21基発0821第2号）複数事業労働者について、その疾病が業務災害による遅発性疾病である場合で、その診断が確定した日において、災害発生事業場を離職している場合の非災害発生事業場に係る平均賃金相当額については、算定事由発生日に当該事業場を離職しているか否かにかかわらず、「災害発生事業場を離職した日」から3か月前の日を始期として、「災害発生事業場における離職日まで」の期間中に、非災害発生事業場から賃金を受けている場合は、災害発生事業場を離職した日の直前の賃金締切日以前3か月間に非災害発生事業場等において支払われた賃金により算定し当該金額を基礎として、診断によって疾病発生が確定した日までの賃金水準の上昇又は変動を考慮して算定する。

○ **129** 　必修基本書……該当ページなし

（令2.8.21基発0821第2号）本肢のとおりである。

× **130** 　必修基本書 労働科目……260p

（法8条の5）給付基礎日額に1円未満の端数があるときは、1円に切り上げることとされている。

❺ 保険給付の概要

131 □□□ 難　H29.7-A

労災保険法による保険給付は、同法所定の手続により行政機関が保険給付の決定をすることにより給付の内容が具体的に定まり、受給者は、それ以前においては政府に対し具体的な一定の保険給付請求権を有しないとするのが、最高裁判所の判例の趣旨である。

132 □□□ 普通　H28.5-エ

業務上の疾病が治って療養の必要がなくなった場合には、その後にその疾病が再発しても、新たな業務上の事由による発病でない限り、業務上の疾病とは認められない。

133 □□□ 普通　R4.7-ア

業務起因性が認められる傷病が一旦治ゆと認定された後に「再発」した場合は、保険給付の対象となるが、「再発」であると認定する要件として、当初の傷病と「再発」とする症状の発現との間に医学的にみて相当因果関係が認められることがある。

134 □□□ 普通　R4.7-イ

業務起因性が認められる傷病が一旦治ゆと認定された後に「再発」した場合は、保険給付の対象となるが、「再発」であると認定する要件として、当初の傷病の治ゆから「再発」とする症状の発現までの期間が3年以内であることがある。

○ 131　必修基本書……該当ページなし

（最高裁第二小法廷判決 昭29.11.26 労働者災害補償保険金給付請求事件）本肢のとおりである。なお、労災保険の保険給付（傷病（補償）等年金を除く）を受ける権利は、①労働者等が所轄労働基準監督署長に対して保険給付の支給決定を請求する権利（抽象的請求権）と、②所轄労働基準監督署長が支給決定をした結果その者の権利として確定した保険給付の支払いを請求する権利（具体的請求権）との2つに分けて考えることができ、法12条の8に規定する「請求」は、①の抽象的請求権の行使であるとされている。

× 132　必修基本書……該当ページなし

（昭23.1.9基災発13号）業務上の負傷又は疾病が再発した場合の取扱いについては、再発は、原因である業務上の負傷又は疾病の連続であって、独立した別個の負傷又は疾病ではないから引続き災害補償は行われるべきであるとされており、業務上の疾病が再発した場合には、新たな業務上の事由による疾病でなくても、業務上の疾病と「認められる」。

○ 133　必修基本書……該当ページなし

（神戸地裁判決 昭51.1.16 療養補償給付不支給処分取消請求事件ほか）本肢のとおりである。判例によると、「再発が治ゆによって一旦消滅した労災保険法上の療養補償給付義務を再び発生させるものである以上および前記治ゆの定義からみて、①現傷病と業務上の傷病である旧傷病との間に医学上の相当因果関係が存在し、②治ゆ時の症状に比し現傷病の症状が増悪しており、③かつ治療効果が期待できるものでなければならず、かつこれをもって足ると解するのが相当である」とされている。なお、当該判例では、「右再発の要件①の存否については、労災保険法が労働者の業務上の傷病等につき『迅速かつ公正な保護（同法第1条）』を目的としている点、および、再発が業務上の傷病の連続であり、独立した別個の負傷または疾病でない点に照らすと、旧傷病が現傷病の一原因となっておりかつそれが医学上相当程度有力な原因であることが認められれば足るものと解する」とされている。

× 134　必修基本書……該当ページなし

本肢は、「再発」であると認定する要件に含まれていない（神戸地裁判決 昭51.1.16 療養補償給付不支給処分取消事件ほか）。

135 □□□ 普通　R4.7-ウ

業務起因性が認められる傷病が一旦治ゆと認定された後に「再発」した場合は、保険給付の対象となるが、「再発」であると認定する要件として、療養を行えば、「再発」とする症状の改善が期待できると医学的に認められることがある。

136 □□□ 普通　R4.7-エ

業務起因性が認められる傷病が一旦治ゆと認定された後に「再発」した場合は、保険給付の対象となるが、「再発」であると認定する要件として、治ゆ時の症状に比べ「再発」時の症状が増悪していることがある。

○ **135** 必修基本書……該当ページなし

（神戸地裁判決 昭51.1.16 療養補償給付不支給処分取消事件ほか）本肢のとおりである。なお、本肢の「治ゆ」とは、症状が安定し、疾病が固定した状態にあるものをいうのであって、治療の必要がなくなったものをいう。

○ **136** 必修基本書……該当ページなし

（神戸地裁判決 昭51.1.16 療養補償給付不支給処分取消事件ほか）本肢のとおりである。

⑥ 療養補償給付

137 □□□ 易 H30.2-D

療養補償給付としての療養の給付の範囲には、病院又は診療所における療養に伴う世話その他の看護のうち、政府が必要と認めるものは含まれるが、居宅における療養に伴う世話その他の看護が含まれることはない。

138 □□□ 普通 H30.2-E

療養補償給付たる療養の費用の支給を受けようとする者は、①労働者の氏名、生年月日及び住所、②事業の名称及び事業場の所在地、③負傷又は発病の年月日、④災害の原因及び発生状況、⑤傷病名及び療養の内容、⑥療養に要した費用の額、⑦療養の給付を受けなかった理由、⑧労働者が複数事業労働者である場合には、その旨を記載した請求書を、所轄労働基準監督署長に提出しなければならないが、そのうち③及び⑥について事業主の証明を受けなければならない。

139 □□□ 易 H27.2-A

療養の給付は、社会復帰促進等事業として設置された病院若しくは診療所又は都道府県労働局長の指定する病院若しくは診療所、薬局若しくは訪問看護事業者において行われる。

140 □□□ 易 R元.5-A

療養の給付は、社会復帰促進等事業として設置された病院若しくは診療所又は都道府県労働局長の指定する病院若しくは診療所、薬局若しくは訪問看護事業者（「指定病院等」という。以下本問において同じ。）において行われ、指定病院等に該当しないときは、厚生労働大臣が健康保険法に基づき指定する病院であっても、療養の給付は行われない。

141 □□□ 普通 H27.2-B

療養の給付は、その傷病が療養を必要としなくなるまで行われるので、症状が安定して疾病が固定した状態になり、医療効果が期待しえない状態になっても、神経症状のような傷病の症状が残っていれば、療養の給付が行われる。

142 □□□ 普通 H28.4-A

被災労働者が、災害現場で医師の治療を受けず医療機関への搬送中に死亡した場合、死亡に至るまでに要した搬送費用は、療養のためのものと認められるので移送費として支給される。

× **137** 必修基本書 労働科目……263p

(法13条2項) 療養補償給付としての療養の給付の範囲には、「居宅における療養上の管理及びその療養に伴う世話その他の看護が含まれる」。本肢前段の記述は正しい。

× **138** 必修基本書……該当ページなし

(則12条の2第1項・2項) 療養補償給付たる療養の費用の支給を受けようとする場合において、請求書に記載する事項のうち、事業主の証明を受けなければならないものは、③負傷又は発病の年月日及び「④災害の原因及び発生状況」である。本肢前段の記述は正しい。

○ **139** 必修基本書 労働科目……263p

(則11条1項) 本肢のとおりである。

○ **140** 必修基本書 労働科目……263p

(則11条1項) 本肢のとおりである。なお、都道府県労働局長は、本肢の指定病院等に係る指定を取り消すときは、以下の事項を公告しなければならない(同条2項)。

①病院若しくは診療所、薬局若しくは訪問看護事業者の名称及び所在地

②診療科名

× **141** 必修基本書……該当ページなし

(昭23.1.13基災発3号) 療養の給付は、その傷病が療養を必要としなくなるまで行われることとされており、症状が安定して疾病が固定した状態になり、医療効果が期待し得ない状態になった場合には、それ以降は行われることはない。なお、本肢のように、神経症状のような傷病の症状が残っている場合には、障害として障害(補償)等給付の対象となり得る。

○ **142** 必修基本書 労働科目……263p

(昭30.7.13基収841号)本肢のとおりである。被災労働者の医療機関への搬送は、療養行為のためであるため本肢の移送は療養のためとされ、支給対象となる。

143 □□□ 普通 H28.4-E

医師が直接の指導を行わない温泉療養については、療養補償費は支給されない。

144 □□□ 普通 R元.5-C

病院等の付属施設で、医師が直接指導のもとに行う温泉療養については、療養補償給付の対象となることがある。

145 □□□ 普通 H28.4-B

労働者が遠隔地において死亡した場合の火葬料及び遺骨の移送に必要な費用は、療養補償費の範囲に属さない。

146 □□□ 普通 H28.4-C

業務災害の発生直後、救急患者を災害現場から労災病院に移送する場合、社会通念上妥当と認められる場合であれば移送に要した費用全額が支給される。

147 □□□ 普通 H28.4-D

死体のアルコールによる払拭のような本来葬儀屋が行うべき措置であっても、医師が代行した場合は療養補償費の範囲に属する。

148 □□□ 普通 R元.5-D

被災労働者が、災害現場から医師の治療を受けるために医療機関に搬送される途中で死亡したときは、搬送費用が療養補償給付の対象とはなり得ない。

149 □□□ 易 H27.2-C

療養補償給付たる療養の給付を受けようとする者は、厚生労働省令に規定された事項を記載した請求書を、直接、所轄労働基準監督署長に提出しなければならない。

150 □□□ 普通 R元.5-B

療養の給付を受ける労働者は、当該療養の給付を受けている指定病院等を変更しようとするときは、所定の事項を記載した届書を、新たに療養の給付を受けようとする指定病院等を経由して所轄労働基準監督署長に提出するものとされている。

○ **143** 必修基本書 労働科目……263～264p

(昭25.10.6基発916号) 本肢のとおりである。なお、病院等の付属施設で医師の**直接指導**のもとに行う温泉療養については、療養補償給付の支給が認められる。

○ **144** 必修基本書 労働科目……263～264p

(昭25.10.6基発916号) 本肢のとおりである。医師が直接の指導を行わない温泉療養については、原則として、療養補償給付の対象とならないが、病院等の付属施設で医師が直接指導のもとに行うものについては、療養補償給付の対象となる。

○ **145** 必修基本書……該当ページなし

(昭24.7.22基収2303号) 本肢のとおりである。火葬料及び遺骨の移送は、療養行為に伴う移送ではないため、療養(補償)等給付の範囲に属さない。

○ **146** 必修基本書……該当ページなし

(昭37.9.18基発951号ほか) 本肢のとおりである。

× **147** 必修基本書……該当ページなし

(昭23.7.10基災発97号) 本肢の場合の費用は、「**葬祭料**」の範囲に属するものとみるべきであるとされている。

× **148** 必修基本書……該当ページなし

(昭30.7.13基収841号) 被災労働者が死亡に至るまでに要した搬送の費用は、療養のためのものと認められるので、移送たる**療養補償給付**の対象となる。

× **149** 必修基本書 労働科目……263p

(則12条) 療養補償給付たる療養の給付を受けようとする者は、厚生労働省令に規定された事項を記載した請求書を、**指定病院等**を経由して、所轄**労働基準監督署長**に提出しなければならない。

○ **150** 必修基本書……該当ページなし

(則12条3項) 本肢のとおりである。

151 □□□ 易　H27.2-D

事業主は、療養補償給付たる療養の給付を受けるべき者から保険給付を受けるために必要な証明を求められたときは、30日以内に証明しなければならない旨、厚生労働省令で規定されている。

× 151 必修基本書……該当ページなし

（則12条1項・2項）療養補償給付たる療養の給付を受ける者は、一定の事項につき事業主から証明を受けなければならないが、当該事業主が当該証明を求められた場合において、30日以内に証明をしなければならない旨の規定はない。

❼ 休業補償給付

152 □□□ 普通 H30.5-D

会社の所定休日においては、労働契約上賃金請求権が生じないので、業務上の傷病による療養中であっても、当該所定休日分の休業補償給付は支給されない。

153 □□□ 普通 H30.5-E

業務上の傷病により、所定労働時間のうちその一部分についてのみ労働する日又は賃金が支払われる休暇（以下「部分算定日」という。）又は複数事業労働者の部分算定日に係る休業補償給付の額は、療養開始後1年6か月未満の場合には、休業給付基礎日額から当該部分算定日に対して支払われる賃金の額を控除して得た額の100分の60に相当する額である。

154 □□□ 普通 R2.6-A

労働者が業務上の負傷又は疾病による療養のため所定労働時間のうちその一部分のみについて労働し、当該労働に対して支払われる賃金の額が給付基礎日額の20%に相当する場合、休業補償給付と休業特別支給金とを合わせると給付基礎日額の100%となる。

155 □□□ 易 H30.5-A

休業補償給付は、業務上の傷病による療養のため労働できないために賃金を受けない日の4日目から支給されるが、休業の初日から第3日目までの期間は、事業主が労働基準法第76条に基づく休業補償を行わなければならない。

156 □□□ 易 H30.5-B

業務上の傷病により、所定労働時間の全部労働不能で半年間休業している労働者に対して、事業主が休業中に平均賃金の6割以上の金額を支払っている場合には、休業補償給付は支給されない。

× **152** 必修基本書 労働科目……266p

（法14条1項）所定休日であっても、その日が「業務上の負傷又は疾病による療養のため労働することができないために賃金を受けない日の第4日目以後の日」である限り、休業補償給付は支給される。

○ **153** 必修基本書 労働科目……265〜266p

（法14条1項）本肢のとおりである。なお、業務上の傷病による療養のため、そのすべてにおいて労働することができない場合（全部労働不能）に係る休業補償給付の額は、休業1日につき休業給付基礎日額の**100分の60**に相当する額とされている。

× **154** 必修基本書 労働科目……265p

（法14条1項ただし書き、特別支給金規則3条1項ただし書き）所定労働時間のうちその一部分についてのみ労働する日（以下「部分算定日」とする）に係る休業補償給付の額は、給付基礎日額から当該部分算定日に対して支払われる賃金の額を控除して得た額の**100分の60**に相当する額であり、当該部分算定日に係る休業特別支給金の額は、給付基礎日額から当該労働に対して支払われる賃金の額を控除して得た額の100分の20に相当する額とされるため、当該休業補償給付と当該休業特別支給金とを合わせると、給付基礎日額から当該部分算定日に対して支払われる賃金の額を控除して得た額の100の80に相当する額となり、「給付基礎日額の100%とはならない」。本肢の場合、休業補償給付の額は、（給付基礎日額の100%－支払われた賃金の額である給付基礎日額の20%）×60%＝給付基礎日額の48%であり、休業特別支給金の額は、（給付基礎日額の100%－支払われた賃金の額である給付基礎日額の20%）×20%＝給付基礎日額の16%である。これらを合わせると、給付基礎日額の64%となる。

○ **155** 必修基本書 労働科目……266p

（法14条1項、労働基準法76条1項）本肢のとおりである。なお、疾病が旧事業場における業務上の疾病の再発と認定される限り、平均賃金の算定は旧事業場で支払われた賃金によって旧事業場の事業主が補償すべきである（昭25.5.13基収843号）。

○ **156** 必修基本書 労働科目……265〜266p

（法14条1項）本肢のとおりである。本肢の場合は「賃金を受けない日」に該当しないため、休業補償給付は支給されない。

157 □□□ 難 R6.4-A

休業補償給付が支給される三要件のうち「労働することができない」に関して、業務災害に被災した複数事業労働者が、現に一の事業場において労働者として就労しているものの、他方の事業場において当該業務災害に係る通院のため、所定労働時間の全部又は一部について労働することができない場合には、「労働することができない」に該当すると認められることがある。なお、休業補償給付は、①「療養のため」②「労働することができない」ために③「賃金を受けない日」という三要件を満たした日の第4日目から支給されるものである（労災保険法第14条第1項本文）。

158 □□□ 難 R6.4-B

休業補償給付が支給される三要件のうち「賃金を受けない日」に関して、被災した複数事業労働者については、複数の就業先のうち、一部の事業場において、年次有給休暇等により当該事業場における平均賃金相当額（複数事業労働者を使用する事業ごとに算定した平均賃金に相当する額をいう。）の60%以上の賃金を受けることにより「賃金を受けない日」に該当しない状態でありながら、他の事業場において、当該業務災害による傷病等により無給での休業をしているため、「賃金を受けない日」に該当する状態があり得る。なお、休業補償給付は、①「療養のため」②「労働することができない」ために③「賃金を受けない日」という三要件を満たした日の第4日目から支給されるものである（労災保険法第14条第1項本文）。

○ **157** 必修基本書……該当ページなし

（令3.3.18基管発0318第1号）本肢のとおりである。なお、本肢の「労働することができない」とは、必ずしも負傷直前と同一の労働ができないという意味ではなく、一般的に働けないことをいうことから、軽作業に就くことによって症状の悪化が認められない場合、あるいはその作業に実際に就労した場合には、休業補償給付の対象とはならない。

○ **158** 必修基本書……該当ページなし

（令3.3.18基管発0318第1号）本肢のとおりである。なお、複数事業労働者の休業（補償）等給付に係る「賃金を受けない日」の判断については、まず複数就業先における事業場ごとに行い、その結果、一部の事業場でも賃金を受けない日に該当する場合には、当該日は法14条1項の「賃金を受けない日」に該当するものとして取り扱う一方、すべての事業場において賃金を受けない日に該当しない場合は、当該日は法14条1項の「賃金を受けない日」に該当せず、保険給付を行わない。

❽ 傷病補償年金

159 □□□ 易 H30.2-A

傷病補償年金は、業務上負傷し、又は疾病にかかった労働者が、当該負傷又は疾病に係る療養の開始後1年を経過した日において次の①、②のいずれにも該当するとき、又は同日後次の①、②のいずれにも該当することとなったときに、その状態が継続している間、当該労働者に対して支給する。
①当該負傷又は疾病が治っていないこと。
②当該負傷又は疾病による障害の程度が厚生労働省令で定める傷病等級に該当すること。

160 □□□ 易 H29.2-B

傷病補償年金の支給要件について、障害の程度は、6か月以上の期間にわたって存する障害の状態により認定するものとされている。

161 □□□ 普通 H29.2-A

所轄労働基準監督署長は、業務上の事由により負傷し、又は疾病にかかった労働者が療養開始後1年6か月経過した日において治っていないときは、同日以降1か月以内に、当該労働者から「傷病の状態等に関する届」に医師又は歯科医師の診断書等の傷病の状態の立証に関し必要な資料を添えて提出させるものとしている。

162 □□□ 易 H27.7-ウ

傷病補償年金は、休業補償給付と併給されることはない。

163 □□□ 易 H30.5-C

休業補償給付と傷病補償年金は、併給されることはない。

× **159** 必修基本書 労働科目……267p

（法12条の8第3項）傷病補償年金は、業務上負傷し、又は疾病にかかった労働者が、当該負傷又は疾病に係る療養の開始後「**1年6箇月**」を経過した日において本肢①及び②のいずれにも該当するとき、又は同日後本肢①及び②のいずれにも該当することとなったときに、その状態が継続している間、当該労働者に対して支給される。

○ **160** 必修基本書 労働科目……267p

（則18条2項）本肢のとおりである。なお、傷病補償年金は、業務上負傷し、又は疾病にかかった労働者が、その傷病に係る療養の開始後**1年6箇月**を経過した日、又は同日後において、次のいずれにも該当するときに支給される。

①当該傷病が**治っていない**こと

②当該傷病による障害の程度が傷病等級表に定める傷病等級（第1級～第**3**級）に該当していること

○ **161** 必修基本書 労働科目……268p

（則18の2第2項・3項）本肢のとおりである。

○ **162** 必修基本書 労働科目……269p

（法18条2項）本肢のとおりである。

○ **163** 必修基本書 労働科目……269p

（法18条2項）本肢のとおりである。**休業補償給付**及び**傷病補償年金**は、ともに**治ゆ前**の給付であり、いずれも所得保障を目的としているため、**同一目的の給付は調整される**という原則により基づき、**併給**はされない。

164 □□□ 普通 H29.2-D

傷病補償年金を受ける労働者の障害の程度に変更があり、新たに他の傷病等級に該当するに至った場合には、所轄労働基準監督署長は、裁量により、新たに該当するに至った傷病等級に応ずる傷病補償年金を支給する決定ができる。

165 □□□ 普通 H29.2-C

傷病補償年金の受給者の障害の程度が軽くなり、厚生労働省令で定める傷病等級に該当しなくなった場合には、当該傷病補償年金の受給権は消滅するが、なお療養のため労働できず、賃金を受けられない場合には、労働者は休業補償給付を請求することができる。

166 □□□ 易 H29.2-E

業務上負傷し、又は疾病にかかった労働者が、当該負傷又は疾病に係る療養の開始後3年を経過した日において傷病補償年金を受けている場合には、労働基準法第19条第1項の規定の適用については、当該使用者は、当該3年を経過した日において同法第81条の規定による打切補償を支払ったものとみなされる。

167 □□□ 易 R2.6-B

業務上負傷し、又は疾病にかかった労働者が、当該負傷又は疾病に係る療養の開始後3年を経過した日において傷病補償年金を受けている場合に限り、その日において、使用者は労働基準法第81条の規定による打切補償を支払ったものとみなされ、当該労働者について労働基準法第19条第1項の規定によって課せられた解雇制限は解除される。

× 164　　必修基本書 労働科目……269p

（則18条の2）本肢の場合、所轄労働基準監督署長は、「裁量により」、新たに該当するに至った傷病等級に応ずる傷病補償年金を支給する「決定ができる」わけではなく、「**職権**により」、傷病等級の変更による傷病補償年金の変更に関する「決定をしなければならない」。

○ 165　　必修基本書 労働科目……269p

（法14条1項、則18条の2第1項ほか）本肢のとおりである。なお、傷病補償年金は、以下の傷病等級に応じた額が支給される。

傷病等級	傷病補償年金の額	支払方法
第１級	給付基礎日額の313日分	年６期に分割して支払われる
第２級	給付基礎日額の277日分	
第３級	給付基礎日額の245日分	

○ 166　　必修基本書 労働科目……269p

（法19条）本肢のとおりである。本肢の打切補償の額は、平均賃金の1,200日分とされている。

× 167　　必修基本書 労働科目……269p

（法19条）本肢の場合のみならず、「業務上傷病に係る療養開始後3年を経過した日後において傷病補償年金を受けることとなった場合についても」、当該「傷病補償年金を受けることとなった日」において、使用者は、労働基準法81条の規定による**打切補償**を支払ったものとみなされ、当該労働者について労働基準法19条1項の規定によって課せられた解雇制限は解除される。

❾ 障害補償給付

168 □□□ 難　H30.6-A

厚生労働省令で定める障害等級表に掲げるもの以外の身体障害は、その障害の程度に応じて、同表に掲げる身体障害に準じて障害等級を定めることとされている。

169 □□□ 普通　R5.2-A

業務上の災害により、ひじ関節の機能に障害を残し（第12級の6）、かつ、四歯に対し歯科補てつを加えた（第14級の2）場合の、障害補償給付を支給すべき身体障害の障害等級は、併合第10級である。

170 □□□ 普通　R5.2-B

業務上の災害により、ひじ関節の機能に障害を残し（第12級の6）、かつ、四歯に対し歯科補てつを加えた（第14級の2）場合の、障害補償給付を支給すべき身体障害の障害等級は、併合第11級である。

171 □□□ 普通　R5.2-C

業務上の災害により、ひじ関節の機能に障害を残し（第12級の6）、かつ、四歯に対し歯科補てつを加えた（第14級の2）場合の、障害補償給付を支給すべき身体障害の障害等級は、併合第12級である。

172 □□□ 普通　R5.2-D

業務上の災害により、ひじ関節の機能に障害を残し（第12級の6）、かつ、四歯に対し歯科補てつを加えた（第14級の2）場合の、障害補償給付を支給すべき身体障害の障害等級は、併合第13級である。

173 □□□ 普通　R5.2-E

業務上の災害により、ひじ関節の機能に障害を残し（第12級の6）、かつ、四歯に対し歯科補てつを加えた（第14級の2）場合の、障害補償給付を支給すべき身体障害の障害等級は、併合第14級である。

○ 168　必修基本書 労働科目……271p

(則14条4項) 本肢のとおりである。厚生労働省令で定める障害等級表には、類型的な障害を定めているにすぎないことから、本肢の規定が設けられている。

× 169　必修基本書 労働科目……272p

(則14条2項)同一の事故によって系列を異にする2以上の身体障害を残した場合、併合により、「重い方」の身体障害の該当する障害等級が、その複数の身体障害の障害等級となる。したがって、本問の身体障害の障害等級は「併合第12級」となる。なお、併合繰上げは、同一の事故によって系列を異にする第13級以上の身体障害を2以上残した場合に行われるため、本問の場合には併合繰上げは行われない。

× 170　必修基本書 労働科目……272p

(則14条2項)本問の身体障害の障害等級は「併合第12級」となる。前記「R5.2-A」の解説参照。

○ 171　必修基本書 労働科目……272p

(則14条2項) 本肢のとおりである。前記「R5.2-A」の解説参照。なお、障害補償給付の支給を受けようとする者は、所定の事項を記載した請求書を、所轄労働基準監督署長に提出しなければならず、当該請求書には、負傷又は疾病がなおったこと及びなおった日並びにそのなおったときにおける障害の部位及び状態に関する医師又は歯科医師の診断書を添え、必要があるときは、そのなおったときにおける障害の状態の立証に関するエックス線写真その他の資料を添えなければならない (則14条の2第1項・3項)。

× 172　必修基本書 労働科目……272p

(則14条2項)本問の身体障害の障害等級は「併合第12級」となる。前記「R5.2-A」の解説参照。

× 173　必修基本書 労働科目……272p

(則14条2項)本問の身体障害の障害等級は「併合第12級」となる。前記「R5.2-A」の解説参照。

174 □□□ 普通 R2.6-D

障害補償給付を支給すべき身体障害の障害等級については、同一の業務災害により身体障害が2以上ある場合で、一方の障害が第14級に該当するときは、重い方の身体障害の該当する障害等級による。

175 □□□ 普通 H30.6-E

障害等級表に該当する障害が2以上あって厚生労働省令の定める要件を満たす場合には、その障害等級は、厚生労働省令の定めに従い繰り上げた障害等級による。具体例は次の通りである。

① 第5級、第7級、第9級の3障害がある場合　第3級
② 第4級、第5級の2障害がある場合　第2級
③ 第8級、第9級の2障害がある場合　第7級

176 □□□ 普通 H30.6-C

既に業務災害による障害補償年金を受ける者が、新たな業務災害により同一の部位について身体障害の程度を加重した場合には、現在の障害の該当する障害等級に応ずる障害補償年金の額から、既存の障害の該当する障害等級に応ずる障害補償年金の額を差し引いた額の障害補償年金が支給され、その差額の年金とともに、既存の障害に係る従前の障害補償年金も継続して支給される。

× **174** 必修基本書 労働科目……272p

（則14条2項）本肢は、障害等級第13級以上の身体障害が2以上ある場合があることから、則14条3項（いわゆる併合繰上げ）の規定が適用される余地があり、必ずしも「重い方の身体障害の該当する障害等級によるわけではない」。

× **175** 必修基本書 労働科目……272p

（則14条3項）本肢の具体例による場合、併合繰上げ後の障害等級は次のとおりである。

①第5級、第7級、第9級の3障害がある場合
第8級以上に該当する身体障害が2以上ある場合に該当するため、最も重い等級である第5級を**2**級繰り上げる　→　第3級

②第4級、第5級の2障害がある場合
第5級以上に該当する身体障害が2以上ある場合に該当するため、重い方の障害等級である第4級を**3**級繰り上げる　→　「第1級」

③第8級、第9級の2障害がある場合
第13級以上に該当する身体障害が2以上ある場合に該当するため、重い方の障害等級である第8級を**1**級繰り上げる　→　第7級

○ **176** 必修基本書 労働科目……272～273p

（則14条5項）本肢のとおりである。なお、本肢の「加重」とは、業務上の負傷又は疾病によって障害等級が加重することをいい、**自然的経過**によって障害の程度を重くしたとしても、当該加重には該当しない。

177 □□□ 普通 R2.5-A

障害等級認定基準についての行政通知によれば、既に右示指の用を廃していた（障害等級第12級の9、障害補償給付の額は給付基礎日額の156日分）者が、新たに同一示指を亡失した場合には、現存する身体障害に係る障害等級は第11級の6（障害補償給付の額は給付基礎日額の223日分）となるが、この場合の障害補償給付の額は、給付基礎日額の67日分である。

178 □□□ 普通 R2.5-B

障害等級認定基準についての行政通知によれば、既に右示指の用を廃していた（障害等級第12級の9、障害補償給付の額は給付基礎日額の156日分）者が、新たに同一示指を亡失した場合には、現存する身体障害に係る障害等級は第11級の6（障害補償給付の額は給付基礎日額の223日分）となるが、この場合の障害補償給付の額は、給付基礎日額の156日分である。

179 □□□ 普通 R2.5-C

障害等級認定基準についての行政通知によれば、既に右示指の用を廃していた（障害等級第12級の9、障害補償給付の額は給付基礎日額の156日分）者が、新たに同一示指を亡失した場合には、現存する身体障害に係る障害等級は第11級の6（障害補償給付の額は給付基礎日額の223日分）となるが、この場合の障害補償給付の額は、給付基礎日額の189日分である。

180 □□□ 普通 R2.5-D

障害等級認定基準についての行政通知によれば、既に右示指の用を廃していた（障害等級第12級の9、障害補償給付の額は給付基礎日額の156日分）者が、新たに同一示指を亡失した場合には、現存する身体障害に係る障害等級は第11級の6（障害補償給付の額は給付基礎日額の223日分）となるが、この場合の障害補償給付の額は、給付基礎日額の223日分である。

○ **177** 必修基本書 労働科目……272~273p

(則14条5項) 本肢のとおりである。本肢は、「加重」に係る障害補償給付の額に関する問題である。既に身体障害のあった者が、傷病により同一の部位について障害の程度を加重した場合における当該事由に係る障害補償給付の額は、現在の身体障害の該当する障害等級に応ずる障害補償給付の額から、既にあった身体障害の該当する障害等級に応ずる障害補償給付の額(現在の身体障害の該当する障害等級に応ずる障害補償給付が障害補償年金であって、既にあった身体障害の該当する障害等級に応ずる障害補償給付が障害補償一時金である場合には、その障害補償一時金の額を25で除して得た額)を差し引いた額によるとされる。本問の場合、現存する身体障害に係る障害補償給付(12級の9)及び既存障害に係る障害補償給付(11級の6)はともに障害補償一時金であるため、本問の障害補償給付の額は、現存する身体障害に係る障害補償給付の額(給付基礎日額の223日分)から、既存障害に係る障害補償給付の額(給付基礎日額の156日分)を差し引いた額である「給付基礎日額の67日分」となる。

× **178** 必修基本書 労働科目……272~273p

(則14条5項) 本肢の障害補償給付の額は、「給付基礎日額の67日分」である。

× **179** 必修基本書 労働科目……272~273p

(則14条5項) 本肢の障害補償給付の額は、「給付基礎日額の67日分」である。なお、同一部位に障害等級に該当する身体障害が新たに加わっても、その結果、既存の身体障害の該当する障害等級よりも現存する身体障害の該当する障害等級が高くなければ、本肢の加重にならない。

× **180** 必修基本書 労働科目……272~273p

(則14条5項) 本肢の障害補償給付の額は、「給付基礎日額の67日分」である。

181 □□□ 普通 R2.5-E

障害等級認定基準についての行政通知によれば、既に右示指の用を廃していた（障害等級第12級の9、障害補償給付の額は給付基礎日額の156日分）者が、新たに同一示指を亡失した場合には、現存する身体障害に係る障害等級は第11級の6（障害補償給付の額は給付基礎日額の223日分）となるが、この場合の障害補償給付の額は、給付基礎日額の379日分である。

182 □□□ 普通 R3.5-A

業務上の災害により既に1上肢の手関節の用を廃し第8級の6（給付基礎日額の503日分）と障害等級を認定されていた者が、復帰直後の新たな業務上の災害により同一の上肢の手関節を亡失した場合、現存する障害は第5級の2（当該障害の存する期間1年につき給付基礎日額の184日分）となるが、この場合の障害補償の額は、当該障害の存する期間1年につき給付基礎日額の163.88日分となる。

183 □□□ 普通 R3.5-B

業務上の災害により既に1上肢の手関節の用を廃し第8級の6（給付基礎日額の503日分）と障害等級を認定されていた者が、復帰直後の新たな業務上の災害により同一の上肢の手関節を亡失した場合、現存する障害は第5級の2（当該障害の存する期間1年につき給付基礎日額の184日分）となるが、この場合の障害補償の額は、当該障害の存する期間1年につき給付基礎日額の166.64日分となる。

184 □□□ 普通 R3.5-C

業務上の災害により既に1上肢の手関節の用を廃し第8級の6（給付基礎日額の503日分）と障害等級を認定されていた者が、復帰直後の新たな業務上の災害により同一の上肢の手関節を亡失した場合、現存する障害は第5級の2（当該障害の存する期間1年につき給付基礎日額の184日分）となるが、この場合の障害補償の額は、当該障害の存する期間1年につき給付基礎日額の184日分となる。

185 □□□ 普通 R3.5-D

業務上の災害により既に1上肢の手関節の用を廃し第8級の6（給付基礎日額の503日分）と障害等級を認定されていた者が、復帰直後の新たな業務上の災害により同一の上肢の手関節を亡失した場合、現存する障害は第5級の2（当該障害の存する期間1年につき給付基礎日額の184日分）となるが、この場合の障害補償の額は、当該障害の存する期間1年につき給付基礎日額の182.35日分となる。

× **181** 必修基本書 労働科目……273p

（則14条5項）本肢の障害補償給付の額は、「給付基礎日額の67日分」である。

○ **182** 必修基本書 労働科目……273p

（則14条5項）本肢のとおりである。本肢は障害補償給付の加重についての問題であり、本肢の障害補償給付（年金）の額は、現在の身体障害の該当する障害等級5級の障害補償年金の額（給付基礎日額の184日分）から、既存の身体障害の該当する障害等級8級の障害補償一時金の額（給付基礎日額の503日分）を25で除して得た額を差し引いた額（給付基礎日額の「163.88日分」）となる。

× **183** 必修基本書 労働科目……273p

（則14条5項）本肢の場合における障害補償の額は、当該障害の存する期間1年につき給付基礎日額の「163.88日分」となる。

× **184** 必修基本書 労働科目……273p

（則14条5項）本肢の場合における障害補償の額は、当該障害の存する期間1年につき給付基礎日額の「163.88日分」となる。

× **185** 必修基本書 労働科目……273p

（則14条5項）本肢の場合における障害補償の額は、当該障害の存する期間1年につき給付基礎日額の「163.88日分」となる。

186 □□□ 普通 R3.5-E

業務上の災害により既に1上肢の手関節の用を廃し第8級の6（給付基礎日額の503日分）と障害等級を認定されていた者が、復帰直後の新たな業務上の災害により同一の上肢の手関節を亡失した場合、現存する障害は第5級の2（当該障害の存する期間1年につき給付基礎日額の184日分）となるが、この場合の障害補償の額は、当該障害の存する期間1年につき給付基礎日額の182.43日分となる。

187 □□□ 易 H30.6-B

障害補償一時金を受けた者については、障害の程度が自然的経過により増進しても、障害補償給付の変更が問題となることはない。

188 □□□ 普通 H30.6-D

同一の負傷又は疾病が再発した場合には、その療養の期間中は、障害補償年金の受給権は消滅する。

× **186** 必修基本書 労働科目……273p

（則14条5項）本肢の場合における障害補償の額は、当該障害の存する期間1年につき給付基礎日額の「163.88日分」となる。

○ **187** 必修基本書 労働科目……274〜275p

（法15条の2）本肢のとおりである。本肢の規定（障害補償給付の改定）が適用されるのは、労働者が障害補償年金を受けている場合に限られる。

○ **188** 必修基本書 労働科目……275p

（平27.12.22基補発1222第1号）本肢のとおりである。なお、再発した傷病の**再治ゆ後**に残った障害に係る障害補償給付は、**従前**に受けていたものが**障害補償年金**であれば**改定の取扱い**に準じ、**従前**に受けていたものが**障害補償一時金**の場合であって、再治ゆ後に残った障害の程度が従前の障害の程度より**悪化したとき**は、**加重の取扱い**に準ずる。

⑩ 介護補償給付

189 □□□ 易 H30.2-B

介護補償給付は、障害補償年金又は傷病補償年金を受ける権利を有する労働者が、その受ける権利を有する障害補償年金又は傷病補償年金の支給事由となる障害であって厚生労働省令で定める程度のものにより、常時又は随時介護を要する状態にあり、かつ、常時又は随時介護を受けているときに、当該介護を受けている間、当該労働者に対し、その請求に基づいて行われるものであり、病院又は診療所に入院している間も行われる。

190 □□□ 易 H30.2-C

介護補償給付は、月を単位として支給するものとし、その月額は、常時又は随時介護を受ける場合に通常要する費用を考慮して厚生労働大臣が定める額とする。

191 □□□ 普通 R2.6-E

介護補償給付は、親族又はこれに準ずる者による介護についても支給されるが、介護の費用として支出した額が支給されるものであり、「介護に要した費用の額の証明書」を添付しなければならないことから、介護費用を支払わないで親族又はこれに準ずる者による介護を受けた場合は支給されない。

× **189** 必修基本書 労働科目……279p

（法12条の8第4項）介護補償給付は、病院又は診療所に入院している間は、行われない。その他の記述は正しい。

○ **190** 必修基本書 労働科目……279p

（法19条の2）本肢のとおりである。なお、介護補償給付の月額は、介護を要する状態の区分及び介護に要する費用の支出に関する区分に従い、定められている。

× **191** 必修基本書 労働科目……280p

（法19条の2、則18条の3の4）その月において介護に要する費用を支出して介護を受けた日がない場合であっても、親族又はこれに準ずる者による介護を受けた日があるときは、支給すべき事由が生じた月を除き、最低保証額の適用があることから、本肢の場合、「介護補償給付が支給され得る」。

⑪ 遺族補償給付・葬祭料

192 □□□ 易　R5.5-A

妻である労働者の死亡当時、無職であった障害の状態にない50歳の夫は、労働者の死亡の当時その収入によって生計を維持していたものであるから、遺族補償年金の受給資格者である。

193 □□□ 普通　R2.6-C

業務上の災害により死亡した労働者Ｙには2人の子がいる。1人はＹの死亡の当時19歳であり、Ｙと同居し、Ｙの収入によって生計を維持していた大学生で、もう1人は、Ｙの死亡の当時17歳であり、Ｙと離婚した元妻と同居し、Ｙが死亡するまで、Ｙから定期的に養育費を送金されていた高校生であった。2人の子は、遺族補償年金の受給資格者であり、同順位の受給権者となる。

194 □□□ 普通　R5.5-C

労働者の死亡当時、胎児であった子は、労働者の死亡の当時その収入によって生計を維持していたものとはいえないため、出生後も遺族補償年金の受給資格者ではない。

195 □□□ 普通　R5.5-B

労働者の死亡当時、負傷又は疾病が治らず、身体の機能又は精神に労働が高度の制限を受ける程度以上の障害があるものの、障害基礎年金を受給していた子は、労働者の死亡の当時その収入によって生計を維持していたものとはいえないため、遺族補償年金の受給資格者ではない。

196 □□□ 普通　R5.5-D

労働者が就職後極めて短期間の間に死亡したため、死亡した労働者の収入で生計を維持するに至らなかった遺族でも、労働者が生存していたとすればその収入によって生計を維持する関係がまもなく常態となるに至ったであろうことが明らかな場合は、遺族補償年金の受給資格者である。

× **192** 必修基本書 労働科目……282p

（法16条の2第1項、昭40法附則43条1項）夫が遺族補償年金の受給資格者となるためには、労働者の死亡の当時労働者の収入によって生計を維持し、かつ、その死亡の当時55歳以上であるか、又は所定の障害の状態にあることが必要となる。本肢の夫は労働者の死亡の当時55歳未満（50歳）であり、障害の状態にもないため、本肢の夫は「遺族補償年金の受給資格者とならない」。

× **193** 必修基本書 労働科目……282p

（法16条の2第1項）本肢の場合、死亡したYの子2人のうち「19歳の子は、遺族補償年金の受給資格者及び受給権者にならない」。

× **194** 必修基本書 労働科目……282p

（法16条の2第2項）労働者の死亡の当時胎児であった子が出生したときは、将来に向かって、その子は、労働者の死亡の当時その収入によって生計を維持していた子とみなされるため、「遺族補償年金の受給資格者となる」。

× **195** 必修基本書 労働科目……282p

（昭41.10.22基発1108号）「労働者の死亡の当時その収入によって生計を維持していた」とは、労働者の死亡当時において、その収入によって日常の消費生活の全部又は一部を営んでおり、死亡労働者の収入がなければ通常の生活水準を維持することが困難となるような関係が常態であったかにより判断し、また、死亡労働者が遺族と同居し、ともに収入を得ていた場合においては相互に生計維持関係がないことが明らかに認められる場合を除き、生計維持関係を認めて差し支えないこととされている。したがって、障害基礎年金を受給していたからといって直ちに生計維持関係が否定されるわけではないため、本肢の子は遺族補償年金の受給資格者ではないとはいえない。

○ **196** 必修基本書……該当ページなし

（昭41.10.22基発1108号）本肢のとおりである。なお、労働者の死亡当時において、業務外の疾病その他の事情により当該遺族と生計維持関係が失われていても、それが一時的な事情によるものであることが明らかであるときは、生計維持関係が「常態であった」ものと認められる。

197 □□□ 普通 H28.6-イ

労働者が業務災害により死亡した場合、当該労働者と同程度の収入があり、生活費を分担して通常の生活を維持していた妻は、一般に「労働者の死亡当時その収入によって生計を維持していた」ものにあたらないので、遺族補償年金を受けることはできない。

198 □□□ 普通 H28.6-ア

傷病補償年金の受給者が当該傷病が原因で死亡した場合には、その死亡の当時その収入によって生計を維持していた妻は、遺族補償年金を受けることができる 。

199 □□□ 普通 H27.7-エ

遺族補償年金を受ける権利を有する者の所在が1年以上明らかでない場合には、当該遺族補償年金は、同順位者があるときは同順位者の、同順位者がないときは次順位者の申請によって、その所在が明らかでない間、その支給を停止されるが、これにより遺族補償年金の支給を停止された遺族は、いつでも、その支給の停止の解除を申請することができる。

200 □□□ 普通 R5.5-E

労働者の死亡当時、30歳未満であった子のない妻は、遺族補償年金の受給開始から5年が経つと、遺族補償年金の受給権を失う。

201 □□□ 普通 H28.6-ウ

遺族補償年金を受ける権利は、その権利を有する遺族が、自分の伯父の養子となったときは、消滅する。

202 □□□ 易 R6.5-ア

遺族補償年金の受給権は、遺族補償年金を受ける権利を有する遺族が死亡したときには消滅する。

× **197** 必修基本書 労働科目……282～283p

（昭41.10.22基発1108号ほか）労働者の死亡の当時における遺族の生活水準が年齢、職業等の事情が類似する一般人のそれをいちじるしく上回る場合を除き、当該遺族が死亡労働者の収入によって消費生活の全部又は一部を営んでいた関係（「生計依存関係」という）が認められる限り、当該遺族と死亡労働者との間に「生計維持関係」があったものと認めて差し支えないとされており、本肢の妻は、「労働者の死亡の当時その収入によって生計を維持していたものに当たり」、遺族補償年金を受けることが「できる」。

○ **198** 必修基本書 労働科目……282～283p

（法16条の2ほか）本肢のとおりである。遺族補償年金は、労働者が業務災害で死亡した場合、その遺族に対し、請求に基づき支給するものであるため、業務災害により傷病補償年金の受給者であった者と死亡の当時その収入によって**生計を維持していた**妻は、遺族補償年金を受けることができる。

○ **199** 必修基本書 労働科目……284p

（法16条の5）本肢のとおりである。所在不明による支給停止は、所在不明となった日の**翌月**から支給停止が解除された**月**までの間について行われるため、支給停止が解除されたときは、その**月の翌月**から遺族補償年金の支給が再開される。

× **200** 必修基本書 労働科目……285p

（法16条の4第1項）本肢のような規定はない。

○ **201** 必修基本書 労働科目……285p

（法16条の4第1項3号）本肢のとおりである。遺族補償年金を受ける権利は、その権利を有する遺族が**直系血族**又は**直系姻族**「**以外の者**」の**養子**（届出をしていないが、**事実上養子縁組関係**と同様の事情にある者を含む）となったときは、消滅することとされている。伯父は**直系血族**又は**直系姻族**ではないことから、本肢の遺族補償年金を受ける権利は消滅する。

○ **202** 必修基本書 労働科目……285p

（法16条の4第1項）本肢のとおりである。

203 □□□ 易 R6.5-イ

遺族補償年金の受給権は、遺族補償年金を受ける権利を有する遺族が婚姻（届出をしていないが、事実上婚姻関係と同様の事情にある者を含む。）をしたときには消滅する。

204 □□□ 易 R6.5-ウ

遺族補償年金の受給権は、遺族補償年金を受ける権利を有する遺族が直系血族又は直系姻族以外の者の養子（届出をしていないが、事実上養子縁組関係と同様の事情にある者を含む。）となったときには消滅する。

205 □□□ 易 R6.5-エ

遺族補償年金の受給権は、当該遺族である子・孫が18歳に達した日以後の最初の3月31日が終了したときには消滅する。

206 □□□ 易 R6.5-オ

遺族補償年金の受給権は、遺族補償年金を受ける権利を有する遺族である兄弟姉妹が18歳に達した日以後の最初の3月31日が終了したときには消滅する。

207 □□□ 易 R3.6-A

遺族補償一時金を受けるべき遺族の順位において、労働者の死亡当時その収入によって生計を維持していた父母は、労働者の死亡当時その収入によって生計を維持していなかった配偶者より先順位となる。

○ 203　必修基本書 労働科目……285p

（法16条の4第1項）本肢のとおりである。

○ 204　必修基本書 労働科目……285p

（法16条の4第1項）本肢のとおりである。なお、本肢の直系血族とは、遺族補償年金の受給権者の父母、祖父母、曽祖父母など直系の尊属又は卑属の者であり、血族については自然血族又は法定血族の別を問わない。

○ 205　必修基本書 労働科目……285p

（法16条の4第1項）本肢のとおりである。なお、本肢は労働者の死亡の時から引き続き所定の障害の状態にある場合は、18歳に達した日以後の最初の3月31日が終了しても遺族補償年金の受給権は消滅しないが、本肢においては障害の状態にある旨の特段の記述がないため、所定の障害の状態にはないものと判断して、正しい記述としている。

○ 206　必修基本書 労働科目……285p

（法16条の4第1項）本肢のとおりである。なお、労働者の死亡の時から引き続き所定の障害の状態にある場合は、18歳に達した日以後の最初の3月31日が終了しても遺族補償年金の受給権は消滅しないが、本肢においては障害の状態にある旨の特段の記述がないため、所定の障害の状態にはないものと判断して、正しい記述としている。

× 207　必修基本書 労働科目……287～288p

（法16条の7）遺族補償一時金を受けることができる遺族の順位について、本肢の父母は、本肢の配偶者より「後順位」となる。遺族補償一時金を受けることができる遺族の順位は、①配偶者、②労働者の死亡の当時その収入によって生計を維持していた子、父母、孫及び祖父母、③前記②に該当しない子、父母、孫及び祖父母、④兄弟姉妹とされており、②及び③に掲げる者のうちにあっては、それぞれ、②及び③に掲げる順序によるものとされている。

208 □□□ 易 R3.6-B

遺族補償一時金を受けるべき遺族の順位において、労働者の死亡当時その収入によって生計を維持していた祖父母は、労働者の死亡当時その収入によって生計を維持していなかった父母より先順位となる。

209 □□□ 易 R3.6-C

遺族補償一時金を受けるべき遺族の順位において、労働者の死亡当時その収入によって生計を維持していた孫は、労働者の死亡当時その収入によって生計を維持していなかった子より先順位となる。

210 □□□ 易 R3.6-D

遺族補償一時金を受けるべき遺族の順位において、労働者の死亡当時その収入によって生計を維持していた兄弟姉妹は、労働者の死亡当時その収入によって生計を維持していなかった子より後順位となる。

211 □□□ 易 R3.6-E

遺族補償一時金を受けるべき遺族の順位において、労働者の死亡当時その収入によって生計を維持していた兄弟姉妹は、労働者の死亡当時その収入によって生計を維持していなかった父母より後順位となる。

○ **208** 必修基本書 労働科目……287〜288p

（法16条の7）本肢のとおりである。遺族補償一時金を受けることができる遺族の順位は、①配偶者、②労働者の死亡の当時その収入によって生計を維持していた子、父母、孫及び祖父母、③前記②に該当しない子、父母、孫及び祖父母、④兄弟姉妹とされており、②及び③に掲げる者のうちにあっては、それぞれ、②及び③に掲げる順序によるものとされている。したがって、遺族補償一時金を受けることができる遺族の順位について、本肢の祖父母は、本肢の父母より「先順位」となる。

○ **209** 必修基本書 労働科目……287〜288p

（法16条の7）本肢のとおりである。遺族補償一時金を受けることができる遺族の順位は、①配偶者、②労働者の死亡の当時その収入によって生計を維持していた子、父母、孫及び祖父母、③前記②に該当しない子、父母、孫及び祖父母、④兄弟姉妹とされており、②及び③に掲げる者のうちにあっては、それぞれ、②及び③に掲げる順序によるものとされている。したがって、遺族補償一時金を受けることができる遺族の順位について、本肢の孫は、本肢の子より「先順位」となる。

○ **210** 必修基本書 労働科目……287〜288p

（法16条の7）本肢のとおりである。遺族補償一時金を受けることができる遺族の順位は、①配偶者、②労働者の死亡の当時その収入によって生計を維持していた子、父母、孫及び祖父母、③前記②に該当しない子、父母、孫及び祖父母、④兄弟姉妹とされており、②及び③に掲げる者のうちにあっては、それぞれ、②及び③に掲げる順序によるものとされている。したがって、遺族補償一時金を受けることができる遺族の順位について、本肢の兄弟姉妹は、本肢の子より「後順位」となる。

○ **211** 必修基本書 労働科目……287〜288p

（法16条の7）本肢のとおりである。遺族補償一時金を受けることができる遺族の順位は、①配偶者、②労働者の死亡の当時その収入によって生計を維持していた子、父母、孫及び祖父母、③前記②に該当しない子、父母、孫及び祖父母、④兄弟姉妹とされており、②及び③に掲げる者のうちにあっては、それぞれ、②及び③に掲げる順序によるものとされている。したがって、遺族補償一時金を受けることができる遺族の順位について、本肢の兄弟姉妹は、本肢の父母より「後順位」となる。

212 □□□ 普通　H28.6-エ

遺族補償年金の受給権を失権したものは、遺族補償一時金の受給権者になることはない。

213 □□□ 普通　H28.6-オ

労働者が業務災害により死亡した場合、その兄弟姉妹は、当該労働者の死亡の当時、その収入により生計を維持していなかった場合でも、遺族補償一時金の受給者となることがある。

214 □□□ 易　R6.7-イ

労働者を重大な過失により死亡させた遺族補償給付の受給資格者は、遺族補償給付を受けることができる遺族としない。

215 □□□ 普通　H27.7-オ

遺族補償年金を受けることができる遺族が、遺族補償年金を受けることができる先順位又は同順位の他の遺族を故意に死亡させたときは、その者は、遺族補償年金を受けることができる遺族でなくなり、この場合において、その者が遺族補償年金を受ける権利を有する者であるときは、その権利は、消滅する。

× **212** 必修基本書 労働科目……287～288p

（法16条の7ほか）遺族補償一時金を受けることができる遺族は、労働者の死亡の当時の身分によるものとされており、労働者の死亡の当時その身分を有していた者であれば、遺族補償年金の受給権者が失権した場合であっても、遺族補償一時金の受給権者と「なることがある」。

○ **213** 必修基本書 労働科目……287～288p

（法16条の7）本肢のとおりである。

× **214** 必修基本書 労働科目……288p

（法16条の9第1項）労働者を「**故意**」に死亡させた者は、遺族補償給付を受けることができる遺族としない。

○ **215** 必修基本書 労働科目……288～289p

（法16条の9）本肢のとおりである。

⑫ 通勤災害に関する保険給付

216 □□□ 易 H29.5-B

療養給付を受ける労働者は、一部負担金を徴収されることがある。

217 □□□ 易 R元.5-E

療養給付を受ける労働者から一部負担金を徴収する場合には、労働者に支給される休業給付であって最初に支給すべき事由の生じた日に係るものの額から一部負担金の額に相当する額を控除することにより行われる。

218 □□□ 易 H27.2-E

政府が療養給付を受ける労働者から徴収する一部負担金は、第三者の行為によって生じた交通事故により療養給付を受ける者からも徴収する。

○ **216** 必修基本書 労働科目……294p

(法31条2項) 本肢のとおりである。なお、本肢の一部負担金の額は、原則として、200円 (健康保険法の日雇特例被保険者は100円) とされる。

○ **217** 必修基本書 労働科目……294p

(法22条の2第3項、則44条の2第3項) 本肢のとおりである。なお、一部負担金の額は、原則として、200円 (健康保険法の日雇特例被保険者は100円) とされる。ただし、現に療養に要した費用の総額がこの額に満たない場合には、当該現に療養に要した費用の総額に相当する額となる (法31条2項、則44条の2第2項)。

× **218** 必修基本書 労働科目……294p

(則44条の2第1号) 政府が療養給付を受ける労働者から徴収する一部負担金は、第三者の行為によって生じた交通事故により療養給付を受ける者からは徴収しないこととされている。

⑬ 二次健康診断等給付

219 □□□ 易　H30.7-A

一次健康診断の結果その他の事情により既に脳血管疾患又は心臓疾患の症状を有すると認められる場合には、二次健康診断等給付は行われない。

220 □□□ 易　H30.7-B

特定保健指導は、医師または歯科医師による面接によって行われ、栄養指導もその内容に含まれる。

221 □□□ 易　H30.7-C

二次健康診断の結果その他の事情により既に脳血管疾患又は心臓疾患の症状を有すると認められる労働者については、当該二次健康診断に係る特定保健指導は行われない。

222 □□□ 普通　H30.7-E

二次健康診断等給付を受けようとする者は、所定の事項を記載した請求書をその二次健康診断等給付を受けようとする健診給付病院等を経由して所轄都道府県労働局長に提出しなければならない。

223 □□□ 普通　H30.7-D

二次健康診断を受けた労働者から、当該二次健康診断の実施の日から3か月以内にその結果を証明する書面の提出を受けた事業者は、二次健康診断の結果に基づき、当該健康診断項目に異常の所見があると診断された労働者につき、当該労働者の健康を保持するために必要な措置について、医師の意見をきかなければならない。

○ **219** 必修基本書 労働科目……296p

（法26条1項）本肢のとおりである。なお、一次健康診断とは労働安全衛生法66条1項の規定による健康診断等のうち、直近のものをいう。

× **220** 必修基本書 労働科目……297p

（法26条2項2号、平13.3.30基発233号）特定保健指導は、医師又は「**保健師**」による面接によって行われる。その他の記述は正しい。

○ **221** 必修基本書 労働科目……297p

（法26条3項）本肢のとおりである。なお、脳血管疾患及び心臓疾患の発生の予防を目的としたものであることから、本肢の労働者については、特定保健指導は行われず、健康保険法の保険給付や療養（補償）等給付の対象となりうる。

○ **222** 必修基本書 労働科目……296p

（則18条の19第1項）本肢のとおりである。なお、本肢の健診給付病院等とは、**社会復帰促進等事業**として設置された病院若しくは診療所又は都道府県労働局長の指定する病院若しくは診療所をいう（則11条の3第1項）。

○ **223** 必修基本書 労働科目……297p

（法27条、則18条の17、則18条の18、労働安全衛生法66条の4）本肢のとおりである。本肢の異常の所見とは、原則として、二次健康診断に係る検査の数値が高い場合（HDLコレステロールにあっては、低い場合）であって、「異常なし」以外の所見をいう（平13.3.30基準発第233号）。

⑭ 保険給付の通則

224 □□□ 易 R元.1-A

年金たる保険給付の支給は、支給すべき事由が生じた月の翌月から始めるものとされている。

225 □□□ 易 H27.7-ア

年金たる保険給付の支給は、支給すべき事由が生じた月から始められ、支給を受ける権利が消滅した月で終了する。

226 □□□ 普通 H27.5-D

船舶が沈没し、転覆し、滅失し、若しくは行方不明となった際現にその船舶に乗っていた労働者又は船舶に乗っていてその船舶の航行中に行方不明となった労働者の生死が3か月間わからない場合には、遺族補償給付、葬祭料、遺族給付及び葬祭給付の支給に関する規定の適用については、その船舶が沈没し、転覆し、滅失し、若しくは行方不明となった日又は労働者が行方不明となった日に、当該労働者は、死亡したものと推定することとされている。

227 □□□ 普通 H27.5-E

航空機が墜落し、滅失し、若しくは行方不明となった際現にその航空機に乗っていた労働者又は航空機に乗っていてその航空機の航行中行方不明となった労働者の生死が3か月間わからない場合には、遺族補償給付、葬祭料、遺族給付及び葬祭給付の支給に関する規定の適用については、その航空機が墜落し、滅失し、若しくは行方不明となった日又は労働者が行方不明となった日に、当該労働者は、死亡したものと推定することとされている。

228 □□□ 易 R2.2-A

船舶が沈没した際現にその船舶に乗っていた労働者の死亡が3か月以内に明らかとなり、かつ、その死亡の時期がわからない場合には、遺族補償給付、葬祭料、遺族給付及び葬祭給付の支給に関する規定の適用については、その船舶が沈没した日に、当該労働者は、死亡したものと推定する。

229 □□□ 易 R2.2-B

航空機に乗っていてその航空機の航行中行方不明となった労働者の生死が3か月間わからない場合には、遺族補償給付、葬祭料、遺族給付及び葬祭給付の支給に関する規定の適用については、労働者が行方不明となって3か月経過した日に、当該労働者は、死亡したものと推定する。

○ **224** 必修基本書 労働科目……298p

（法9条1項）本肢のとおりである。なお、**年金**たる保険給付の**支給**は、支給すべき事由が生じた**月の翌月**から始め、支給を受ける権利が消滅した**月**で終わるものする。

× **225** 必修基本書 労働科目……298p

（法9条1項）年金たる保険給付の支給は、支給すべき事由が生じた「**月の翌月**」から始められ、支給を受ける権利が消滅した**月**で終了する。

○ **226** 必修基本書 労働科目……299p

（法10条1項）本肢のとおりである。

○ **227** 必修基本書 労働科目……299p

（法10条1項）本肢のとおりである。

○ **228** 必修基本書 労働科目……299p

（法10条）本肢のとおりである。なお、本肢の規定は、しばしば生死不明の事故のみられる船舶及び航空機に乗り込む労働者について、民法に定める失踪宣告及び行政庁による死亡認定に対する特例として短期の死亡推定規定を設け、迅速な補償を行うことにより、遺族等の保護を図っている。

× **229** 必修基本書 労働科目……299p

（法10条）本肢の労働者は、「**行方不明となった日**」に、死亡したものと推定する。

⑮ 未支給の保険給付・内払・充当

230 □□□ 易 H30.4-ア

労災保険法に基づく遺族補償年金を受ける権利を有する者が死亡した場合において、その死亡した者に支給すべき遺族補償年金でまだその者に支給しなかったものがあるときは、当該遺族補償年金を受けることができる他の遺族は、自己の名で、その未支給の遺族補償年金の支給を請求することができる。

231 □□□ 易 H30.4-イ

労災保険法に基づく遺族補償年金を受ける権利を有する者が死亡した場合において、その死亡した者が死亡前にその遺族補償年金を請求していなかったときは、当該遺族補償年金を受けることができる他の遺族は、自己の名で、その遺族補償年金を請求することができる。

232 □□□ 易 H30.4-ウ

労災保険法に基づく保険給付を受ける権利を有する者が死亡し、その者が死亡前にその保険給付を請求していなかった場合、未支給の保険給付を受けるべき同順位者が2人以上あるときは、その1人がした請求は、全員のためその全額につきしたものとみなされ、その1人に対してした支給は、全員に対してしたものとみなされる。

233 □□□ 易 R2.2-E

労災保険法に基づく保険給付を受ける権利を有する者が死亡した場合において、その死亡した者に支給すべき保険給付でまだその者に支給しなかったものがあるときは、その者の配偶者（婚姻の届出をしていないが、事実上婚姻関係と同様の事情にあった者を含む。)、子、父母、孫、祖父母又は兄弟姉妹であって、その者の死亡の当時その者と生計を同じくしていたもの（遺族補償年金については当該遺族補償年金を受けることができる他の遺族、複数事業労働者遺族年金については当該複数事業労働者遺族年金を受けることができる他の遺族、遺族年金については当該遺族年金を受けることができる他の遺族）は、自己の名で、その未支給の保険給付の支給を請求することができる。

○ **230** 必修基本書 労働科目……300p

（法11条1項）本肢のとおりである。なお、本肢に規定する未支給の保険給付の請求権者がいない場合には、死亡した受給権者の民法上の**相続人**が未支給の保険給付の請求権者となる（昭41.1.31基発73号）。

○ **231** 必修基本書 労働科目……300p

（法11条1項･2項）本肢のとおりである。なお、未支給の保険給付の請求権者が、その未支給の保険給付を受けないうちに死亡した場合には、その死亡した未支給の保険給付の請求権者の**相続人**が請求権者となる（昭41.1.31基発73号）。

○ **232** 必修基本書 労働科目……300～301p

（法11条4項）本肢のとおりである。なお、本肢の「未支給の保険給付」とは、支給事由が生じた保険給付であって、①その請求されていないもの、②その請求があったがまだ支給決定がないもの及び③支給決定はあったがまだ現実に支払われていないものをいう（昭41.1.31基発第73号）。

○ **233** 必修基本書 労働科目……300p

（法11条1項）本肢のとおりである。なお、未支給の保険給付については、手続きを簡素化するため、同順位者が2人以上ある場合について、特別の規定が設けられているので、請求人の1人に全額を支給すればよいことになるが、2人以上が同時に請求した場合に、請求人の人数で等分して各人に支給することを排除する趣旨のものではない。

⑯ 受給権の保護・保険給付の非課税・届出報告等

234 □□□ 易 R6.7-エ

労働者が退職したときは、保険給付を受ける権利は消滅する。

235 □□□ 易 H27.6-イ

労災保険給付を受ける権利は、労働者の退職によって変更されることはない。

236 □□□ 普通 H29.7-D

保険給付を受ける権利は、労働者の退職によって変更されることはない。

237 □□□ 易 H27.6-ア

労災保険給付として支給を受けた金品を標準として租税その他の公課を課することはできない。

238 □□□ 易 R元.2-イ

保険給付の原因である事故が第三者の行為によって生じたときは、保険給付を受けるべき者は、その事実、第三者の氏名及び住所（第三者の氏名及び住所がわからないときは、その旨）並びに被害の状況を、遅滞なく、所轄労働基準監督署長に届け出なければならない。

239 □□□ 普通 R元.2-ア

所轄労働基準監督署長は、年金たる保険給付の支給の決定の通知をするときは、①年金証書の番号、②受給権者の氏名及び生年月日、③年金たる保険給付の種類、④支給事由が生じた年月日を記載した年金証書を当該受給権者に交付しなければならない。

240 □□□ 難 R元.2-ウ

保険給付を受けるべき者が、事故のため、自ら保険給付の請求その他の手続を行うことが困難である場合でも、事業主は、その手続を行うことができるよう助力する義務はない。

241 □□□ 普通 R元.2-エ

事業主は、保険給付を受けるべき者から保険給付を受けるために必要な証明を求められたときは、すみやかに証明をしなければならない。

× **234** 必修基本書 労働科目……305p

（法12条の5第1項）保険給付を受ける権利は、労働者の退職によって変更されることはないとされているため、労働者が退職しても保険給付を受ける権利は「消滅しない」。

○ **235** 必修基本書 労働科目……305p

（法12条の5）本肢のとおりである。

○ **236** 必修基本書 労働科目……305p

（法12条の5）本肢のとおりである。使用者による解雇、労働者の自由意思による任意退職、労働契約の期間満了による自動退職、定年退職、事業の廃止に伴う労働関係の終了等、退職の理由にかかわらず、受給権が変更されることはない。

○ **237** 必修基本書 労働科目……305p

（法12条の6）本肢のとおりである。労災保険に係る書類は印紙税は課されない。

○ **238** 必修基本書 労働科目……306p

（則22条）本肢のとおりである。なお、政府は、保険給付の原因である事故が第三者の行為によって生じた場合において、保険給付をしたときは、その給付の価額の限度で、保険給付を受けた者が第三者に対して有する損害賠償の請求権を取得する（法12条の4第1項）。

○ **239** 必修基本書……該当ページなし

（則20条）本肢のとおりである。なお、年金証書を交付された受給権者は、当該年金証書を亡失し若しくは著しく損傷し、又は受給権者の氏名に変更があったときは、年金証書の再交付を所轄労働基準監督署長に請求することができる（則20条の2第1項）。

× **240** 必修基本書……該当ページなし

（則23条1項）保険給付を受けるべき者が、事故のため、自ら保険給付の請求その他の手続を行うことが困難である場合には、事業主は、その手続を行うことができるように「助力しなければならない」。

○ **241** 必修基本書……該当ページなし

（則23条2項）本肢のとおりである。

242 □□□ 普通 R元.2-オ

事業主は、当該事業主の事業に係る業務災害又は通勤災害に関する保険給付の請求について、所轄労働基準監督署長に意見を申し出ることはできない。

243 □□□ 難 R元.4-D

派遣労働者の保険給付の請求に当たっては、当該派遣労働者に係る労働者派遣契約の内容等を把握するため、当該派遣労働者に係る「派遣元管理台帳」の写しを保険給付請求書に添付することとされている。

244 □□□ 難 R元.4-E

派遣労働者の保険給付の請求に当たっては、保険給付請求書の事業主の証明は派遣先事業主が行うこととされている。

245 □□□ 普通 H29.7-E

労働者が、故意に負傷、疾病、障害若しくは死亡又はその直接の原因となった事故を生じさせたときは、政府は、保険給付を行わない。

246 □□□ 易 R6.7-ア

労働者が、重大な過失により、負傷、疾病、障害若しくは死亡又はこれらの原因となった事故を生じさせたときは、政府は、保険給付の全部又は一部を行わないことができる。

247 □□□ 易 R2.1-A

業務遂行中の負傷であれば、労働者が過失により自らの負傷の原因となった事故を生じさせた場合、それが重大な過失でない限り、政府は保険給付の全部又は一部を行わないとすることはできない。

× **242** 必修基本書……該当ページなし

（則23条の2第1項）事業主は、当該事業主の事業に係る業務災害又は通勤災害に関する保険給付の請求について、所轄労働基準監督署長に意見を申し出ることが「できる」。

○ **243** 必修基本書……該当ページなし

（昭61.6.30基発383号）本肢のとおりである。なお、療養（補償）等給付のみの請求がなされる場合にあっては、派遣先事業主に、療養（補償）等給付に係る請求書の記載事項のうち、事業主が証明する事項の記載内容が事実と相違ない旨、当該請求書の余白又は裏面に記載することとされている。

× **244** 必修基本書……該当ページなし

（昭61.6.30基発383号）派遣労働者の保険給付の請求に当たっては、保険給付請求書の事業主の証明は「派遣元事業主」が行うこととされている。

○ **245** 必修基本書……該当ページなし

（法12条の2の2第1項）本肢のとおりである。なお、本肢の「故意」とは、**自分の行為が一定の結果を生ずべきことを認識し、かつ、この結果を生ずることを認容すること**をいう。ただし、被災労働者が結果の発生を認容していても業務との因果関係が認められる事故については、法12条の2の2第1項（支給制限）の適用はない（昭40.7.31基発901号）。

○ **246** 必修基本書 労働科目……306p

（法12条の2の2第2項）本肢のとおりである。

○ **247** 必修基本書 労働科目……306p

（法12条の2の2第2項）本肢のとおりである。なお、本肢の規定は、保険給付の「全部又は一部を行わないことができる」ものとされ（裁量的給付制限）、法12条の2の2第1項は、保険給付「そのものを行わない」ものとされている（絶対的給付制限）。

248 □□□ 易 R2.1-C

業務遂行中の負傷であれば、労働者が過失により自らの負傷を生じさせた場合、それが重大な過失でない限り、政府は保険給付の全部又は一部を行わないとすることはできない。

249 □□□ 易 R2.1-D

業務起因性の認められる疾病に罹患した労働者が、療養に関する指示に従わないことにより疾病の程度を増進させた場合であっても、指示に従わないことに正当な理由があれば、政府は保険給付の全部又は一部を行わないとすることはできない。

250 □□□ 易 R2.1-E

業務起因性の認められる疾病に罹患した労働者が、療養に関する指示に従わないことにより疾病の回復を妨げた場合であっても、指示に従わないことに正当な理由があれば、政府は保険給付の全部又は一部を行わないとすることはできない。

251 □□□ 易 R2.1-B

業務遂行中の負傷であれば、負傷の原因となった事故が、負傷した労働者の故意の犯罪行為によって生じた場合であっても、政府は保険給付の全部又は一部を行わないとすることはできない。

252 □□□ 易 R6.7-ウ

労働者が、懲役、禁固若しくは拘留の刑の執行のため刑事施設に拘置されている場合には、休業補償給付は行わない。

○ **248** 必修基本書 労働科目……306p

（法12条の2の2第2項）本肢のとおりである。なお、故意の犯罪行為又重大な過失に当たるものとして保険給付の支給制限の対象とするのは、事故発生後の直接の原因となった行為が、労働基準法等における危害防止に関する規定で罰則の付されているものに違反すると認められる場合とされている（昭40.7.31基発第906号）。

○ **249** 必修基本書 労働科目……306p

（法12条の2の2第2項）本肢のとおりである。なお、本肢の規定の適用にあたっては、療養の指示に従わないため、当該傷病の程度を増進させ又は回復を妨げることが、医学上明らかに認められることを要する。

○ **250** 必修基本書 労働科目……306p

（法12条の2の2第2項）本肢のとおりである。なお、本肢の「正当な理由」とは、そのような事情があれば誰しもが療養の指示に従うことができなかったであろうと認められる場合をいい、労働者の**単なる主観的事情**は含まれない（昭40.7.31基発第906号）。

× **251** 必修基本書 労働科目……306p

（法12条の2の2第2項）業務遂行中の負傷であっても、負傷の原因となった事故が、負傷した労働者の**故意の犯罪行為**によって生じた場合には、政府は、保険給付の全部又は一部を**行わないことが**「できる」。

○ **252** 必修基本書 労働科目……267p

（法14条の2、則12条の4）本肢のとおりである。なお、本肢の休業補償給付独自の支給制限の規定は、複数事業労働者休業給付及び休業給付についても準用されている（法20条の4第2項、法22条の2第2項）。

⑰ 事業主からの費用徴収

253 □□□ 難　H27.4-A

事業主が、労災保険法第31条第1項第1号の事故（事業主が故意又は重大な過失により保険関係成立届を提出していない期間（政府が当該事業について概算保険料の認定決定をしたときは、その決定後の期間を除く）に係る事故）に係る事業に関し、保険手続に関する指導を受けたにもかかわらず、その後10日以内に保険関係成立届を提出していなかった場合、「故意」と認定した上で、原則、保険給付に要した費用における費用徴収率を100%とする。

254 □□□ 難　H27.4-B

事業主が、労災保険法第31条第1項第1号の事故（事業主が故意又は重大な過失により保険関係成立届を提出していない期間（政府が当該事業について概算保険料の認定決定をしたときは、その決定後の期間を除く）中に生じた事故）に係る事業に関し、加入勧奨を受けたにもかかわらず、その後10日以内に保険関係成立届を提出していなかった場合、原則、保険給付に要した費用における費用徴収率を100%とする。

255 □□□ 難　H27.4-C

事業主が、労災保険法第31条第1項第1号の事故（事業主が故意又は重大な過失により保険関係成立届を提出していない期間（政府が当該事業について概算保険料の認定決定をしたときは、その決定後の期間を除く）中に生じた事故）に係る事業に関し、保険手続に関する指導又は加入勧奨を受けておらず、労働保険徴収法第3条に規定する保険関係が成立した日から1年を経過してなお保険関係成立届を提出していなかった場合、原則、「重大な過失」と認定した上で、原則、保険給付に要した費用における費用徴収率を40%とする。

256 □□□ 難　H27.4-D

事業主が、保険手続に関する指導又は加入勧奨を受けておらず、かつ、事業主が、その雇用する労働者について、取締役の地位にある等労働者性の判断が容易でないといったやむを得ない事情のために、労働者に該当しないと誤認し、労働保険徴収法第3条に規定する保険関係が成立した日から1年を経過してなお保険関係成立届を提出していなかった場合、その事業において、当該保険関係成立日から1年を経過した後に生じた事故については、労災保険法第31条第1項第1号（事業主が故意又は重大な過失により保険関係成立届を提出していない期間（政府が当該事業について概算保険料の認定決定をしたときは、その決定後の期間を除く）中に生じた事故）の「重大な過失」と認定しない。

○ **253** 必修基本書 労働科目……308～309p

（平17.9.22基発0922001号）本肢のとおりである。

○ **254** 必修基本書 労働科目……308～309p

（平17.9.22基発0922001号）本肢のとおりである。

○ **255** 必修基本書 労働科目……308～309p

（平17.9.22基発0922001号）本肢のとおりである。

○ **256** 必修基本書 労働科目……308～309p

（平17.9.22基発0922001号）本肢のとおりである。

257 □□□ 難　　H27.4-E

事業主が、労災保険法第31条第1項第1号の事故（事業主が故意又は重大な過失により保険関係成立届を提出していない期間（政府が当該事業について概算保険料の認定決定をしたときは、その決定後の期間を除く）中に生じた事故）に係る事業に関し、保険手続に関する指導又は加入勧奨を受けておらず、かつ、事業主が、本来独立した事業として取り扱うべき出張所等について、独立した事業には該当しないと誤認したために、当該事業の保険関係について直近上位の事業等他の事業に包括して手続をとり、独立した事業としては、労働保険徴収法第3条に規定する保険関係が成立した日から1年を経過してなお保険関係成立届を提出していなかった場合、「重大な過失」と認定した上で、原則、保険給付に要した費用における費用徴収率を40%とする。

× **257** 必修基本書 労働科目……308～309p

（平17.9.22基発0922001号）本肢のように、事業主が、本来独立した事業として取り扱うべき出張所等について、独立した事業には該当しないと誤認したために、当該事業の保険関係について直近上位の事業等他の事業に包括して手続をとっている場合には、「重大な過失」と認定しないこととされており、費用徴収も行われないこととされている。

⑱ 不正受給者からの費用徴収

258 □□□ 易 R2.2-C

偽りその他不正の手段により労災保険に係る保険給付を受けた者があるときは、政府は、その保険給付に要した費用に相当する金額の全部又は一部をその者から徴収することができる。

259 □□□ 易 R6.7-オ

偽りその他不正の手段により労働者が保険給付を受けたときは、政府は、その保険給付に要した費用に相当する金額の全部又は一部を当該労働者を使用する事業主から徴収することができる。

260 □□□ 易 R2.2-D

偽りその他不正の手段により労災保険に係る保険給付を受けた者があり、事業主が虚偽の報告又は証明をしたためその保険給付が行われたものであるときは、政府は、その事業主に対し、保険給付を受けた者と連帯してその保険給付に要した費用に相当する金額の全部又は一部である徴収金を納付すべきことを命ずることができる。

261 □□□ 易 H27.6-ウ

不正の手段により労災保険に係る保険給付を受けた者があるときは、政府は、その保険給付に要した費用に相当する金額の全部又は一部をその者から徴収することができる。

○ **258** 必修基本書 労働科目……310p

（法12条の3第1項）本肢のとおりである。なお、本肢の「偽りその他不正の手段」とは、保険給付を受ける手段として不正が行われた場合のすべてをいい、その不正行為は**保険給付を受けた者**の行為に限られない。

× **259** 必修基本書 労働科目……310p

（法12条の3第1項）偽りその他不正の手段により保険給付を受けた者があるときは、政府は、その保険給付に要した費用に相当する金額の全部又は一部を「その者（不正受給者）」から徴収することができる。

○ **260** 必修基本書 労働科目……310p

（法12条の3第2項）本肢のとおりである。なお、本肢の「保険給付を受けた者」とは、偽りその他不正の手段により、現実に、かつ、直接に保険給付を受けた者をいい、**受給権を有する者**に限られない。

○ **261** 必修基本書 労働科目……310p

（法12条の3）本肢のとおりである。なお、「全部又は一部」とは、保険給付を受けた者が受けた保険給付のうち、偽りその他不正の手段により受けた部分のすべて、不当利得分に相当する価額に限っている。

19 他の制度との調整

262 □□□ 難 R5.4-ア

同一の事由により障害補償年金と障害厚生年金及び障害基礎年金を受給する場合、障害補償年金の支給額は、0.73の調整率を乗じて得た額となる。なお、昭和60年改正前の厚生年金保険法、船員保険法又は国民年金法の規定による年金給付が支給される場合については、考慮しない。また、調整率を乗じて得た額が、調整前の労災年金額から支給される厚生年金等の額を減じた残りの額を下回る場合も考慮しない。

263 □□□ 難 R5.4-イ

障害基礎年金のみを既に受給している者が新たに障害補償年金を受け取る場合、障害補償年金の支給額は、0.83の調整率を乗じて得た額となる。なお、昭和60年改正前の厚生年金保険法、船員保険法又は国民年金法の規定による年金給付が支給される場合については、考慮しない。また、調整率を乗じて得た額が、調整前の労災年金額から支給される厚生年金等の額を減じた残りの額を下回る場合も考慮しない。

264 □□□ 難 R5.4-ウ

障害基礎年金のみを受給している者が遺族補償年金を受け取る場合、遺族補償年金の支給額は、0.88の調整率を乗じて得た額となる。なお、昭和60年改正前の厚生年金保険法、船員保険法又は国民年金法の規定による年金給付が支給される場合については、考慮しない。また、調整率を乗じて得た額が、調整前の労災年金額から支給される厚生年金等の額を減じた残りの額を下回る場合も考慮しない。

265 □□□ 難 R5.4-エ

同一の事由により遺族補償年金と遺族厚生年金及び遺族基礎年金を受給する場合、遺族補償年金の支給額は、0.80の調整率を乗じて得た額となる。なお、昭和60年改正前の厚生年金保険法、船員保険法又は国民年金法の規定による年金給付が支給される場合については、考慮しない。また、調整率を乗じて得た額が、調整前の労災年金額から支給される厚生年金等の額を減じた残りの額を下回る場合も考慮しない。

○ **262** 必修基本書 労働科目……311p

（令2条）本肢のとおりである。国民年金や厚生年金保険の年金給付と労災保険の年金たる保険給付とが併給される場合には、労災保険側の保険給付を**減額**することによって調整が図られる。

× **263** 必修基本書 労働科目……311p

（法別表1）労災保険法による年金給付と国民年金法及び厚生年金保険法による年金給付との併給調整は「同一の事由」により、これらの年金給付の受給権が生じた場合に行われるものである。本肢においては「新たに」との記載から同一の事由ではないと判断できるため、本肢の場合、「減額されない障害補償年金が支給される」。

× **264** 必修基本書 労働科目……311p

（法別表1）障害基礎年金と遺族補償年金との間では併給調整は行われないため、本肢の場合、「減額されない遺族補償年金が支給される」。

○ **265** 必修基本書 労働科目……311p

（令2条）本肢のとおりである。なお、厚生年金保険法の規定による障害手当金に係る障害の程度を定めるべき日において、同一の事由により障害（補償）等給付を受ける権利を有する者については、障害手当金は支給されず、障害（補償）等給付が支給されることとなる（厚生年金保険法56条3号）。

266 □□□ 難　R5.4-オ

遺族基礎年金のみを受給している者が障害補償年金を受け取る場合、障害補償年金の支給額は、0.88の調整率を乗じて得た額となる。なお、昭和60年改正前の厚生年金保険法、船員保険法又は国民年金法の規定による年金給付が支給される場合については、考慮しない。また、調整率を乗じて得た額が、調整前の労災年金額から支給される厚生年金等の額を減じた残りの額を下回る場合も考慮しない。

267 □□□ 普通　H29.6-C

労災保険法に基づく保険給付の原因となった事故が第三者の行為により惹起され、第三者が当該行為によって生じた損害につき賠償責任を負う場合において、当該事故により被害を受けた労働者に過失があるため損害賠償額を定めるにつきこれを一定の割合で斟酌すべきときは、保険給付の原因となった事由と同一の事由による損害の賠償額を算定するには、当該損害の額から過失割合による減額をし、その残額から当該保険給付の価額を控除する方法によるのが相当であるとするのが、最高裁判所の判例の趣旨である。

268 □□□ 普通　H29.6-E

労災保険法に基づく保険給付の原因となった事故が第三者の行為により惹起された場合において、被災労働者が、示談により当該第三者の負担する損害賠償債務を免除した場合でも、政府がその後労災保険給付を行えば、当該第三者に対し損害賠償を請求することができるとするのが、最高裁判所の判例の趣旨である。

× **266** 必修基本書 労働科目……311p

（法別表1）遺族基礎年金と障害補償年金との間では併給調整は行われないため、本肢の場合、「減額されない障害補償年金が支給される」。

○ **267** 必修基本書 労働科目……311p

（最高裁第三小法廷判決 平元.4.11 高田建設事件）本肢のとおりである。

× **268** 必修基本書……該当ページなし

（最高裁第三小法廷判決 昭38.6.4 小野運送事件）本肢の被災労働者が示談により第三者の負担する損害賠償債務を免除した場合には、「その限度において損害賠償請求権は消滅するのであるから、政府がその後保険給付をしても、その請求権がなお存することを前提とする労災保険法第12条の4第2項による法定代位権の発生する余地のないことは明らかである」とするのが、最高裁判所の判例の趣旨である。なお、当該最高裁判所の判例では、「被災労働者自らが、第三者の自己に対する損害賠償債務の全部又は一部を免除し、その限度において損害賠償請求権を喪失した場合においても、政府は、その限度において保険給付をする義務を免れるべきことは、規定をまつまでもない当然のことである」としている。

269 □□□ 普通 H29.6-A

政府が被災労働者に対し労災保険法に基づく保険給付をしたときは、当該労働者の使用者に対する損害賠償請求権は、その保険給付と同一の事由については損害の填補がされたものとしてその給付の価額の限度において減縮するが、同一の事由の関係にあることを肯定できるのは、財産的損害のうちの消極損害（いわゆる逸失利益）のみであり、保険給付が消極損害の額を上回るとしても、当該超過分を、財産的損害のうちの積極損害（入院雑費、付添看護費を含む。）及び精神的損害（慰謝料）を填補するものとして、これらとの関係で控除することは許されないとするのが、最高裁判所の判例の趣旨である。

270 □□□ 普通 H29.6-B

労働者が使用者の不法行為によって死亡し、その損害賠償請求権を取得した相続人が遺族補償年金の支給を受けることが確定したときは、損害賠償額を算定するにあたり、当該遺族補償年金の填補の対象となる損害は、特段の事情のない限り、不法行為の時に填補されたものと法的に評価して、損益相殺的な調整をすることが相当であるとするのが、最高裁判所の判例の趣旨である。

271 □□□ 普通 H29.6-D

政府が被災労働者に支給する特別支給金は、社会復帰促進等事業の一環として、被災労働者の療養生活の援護等によりその福祉の増進を図るために行われるものであり、被災労働者の損害を填補する性質を有するということはできず、したがって、被災労働者の受領した特別支給金を、使用者又は第三者が被災労働者に対し損害賠償すべき損害額から控除することはできないとするのが、最高裁判所の判例の趣旨である。

○ **269** 必修基本書……該当ページなし

（最高裁第二小法廷判決 昭62.7.10 青木鉛鉄事件）本肢のとおりである。なお、本肢の「同一の事由の関係にあること」とは、保険給付の趣旨目的と民事上の損害賠償のそれとが一致すること、すなわち、保険給付の対象となる損害と民事上の損害賠償の対象となる損害とが同性質であり、保険給付と損害賠償とが相互補完性を有する関係にある場合をいうものと解すべきであって、単に同一の事故から生じた損害であることをいうものではないとされている。

○ **270** 必修基本書……該当ページなし

（最高裁大法廷判決 平27.3.4 フォーカスシステムズ事件ほか）本肢のとおりである。

○ **271** 必修基本書……該当ページなし

（最高裁第二小法廷判決 平8.2.23 コック食品事件）本肢のとおりである。なお、本肢の判例においては、特別支給金の支給は、被災労働者の損害を填補する性質を有しないこと及び二重のてん補を受けることを避けるための規定（求償及び控除）が及ばないことから、損害賠償額から特別支給金を控除できないこととされている。

20 社会復帰促進等事業

272 □□□ 普通 H29.3-ア

社会復帰促進等事業は、業務災害を被った労働者に関する事業であり、通勤災害を被った労働者は対象とされていない。

273 □□□ 易 R元.7-A

被災労働者に係る葬祭料の給付は、政府が労災保険の適用事業に係る労働者及びその遺族について行う社会復帰促進等事業として、行われる。

274 □□□ 易 R元.7-B

被災労働者の受ける介護の援護は、政府が労災保険の適用事業に係る労働者及びその遺族について行う社会復帰促進等事業として、行われる。

275 □□□ 易 R元.7-C

被災労働者の遺族の就学の援護は、政府が労災保険の適用事業に係る労働者及びその遺族について行う社会復帰促進等事業として、行われる。

276 □□□ 易 R元.7-D

被災労働者の遺族が必要とする資金の貸付けによる援護は、政府が労災保険の適用事業に係る労働者及びその遺族について行う社会復帰促進等事業として、行われる。

277 □□□ 易 R元.7-E

業務災害の防止に関する活動に対する援助は、政府が労災保険の適用事業に係る労働者及びその遺族について行う社会復帰促進等事業として、行われる。

278 □□□ 普通 H29.3-イ

政府は、社会復帰促進等事業のうち、事業場における災害の予防に係る事項並びに労働者の健康の保持増進に係る事項及び職業性疾病の病因、診断、予防その他の職業性疾病に係る事項に関する総合的な調査及び研究を、独立行政法人労働者健康安全機構に行わせる。

× **272** 必修基本書 労働科目……318p

（法29条1項ほか）社会復帰促進等事業は、「労災保険の適用事業に係る労働者及びその遺族」について行うことができるものとされており、業務災害を被った労働者のみならず、「通勤災害を被った労働者もその対象とされている」。

× **273** 必修基本書 労働科目……318p

（法12条の8第1項、法29条1項）被災労働者に係る葬祭料の給付は、「業務災害に関する保険給付」として行われるものであり、社会復帰促進等事業として行われるものではない。

○ **274** 必修基本書 労働科目……318p

（法29条1項2号）本肢のとおりである。なお、社会復帰促進等事業は、①社会復帰促進事業、②被災労働者等援護事業及び③安全衛生・労働条件等確保事業に分けられる。

○ **275** 必修基本書 労働科目……318p

（法29条1項2号）本肢のとおりである。なお、被災労働者の遺族の就学の援護は、被災労働者等援護事業の1つであり、政府が行うものとされている。

○ **276** 必修基本書 労働科目……318p

（法29条1項2号）本肢のとおりである。

○ **277** 必修基本書 労働科目……318p

（法29条1項3号）本肢のとおりである。なお、業務災害の防止に関する活動に対する援助は、安全衛生・労働条件等確保事業の1つであり、政府が行うものとされている。

○ **278** 必修基本書……該当ページなし

（法29条3項、独立行政法人労働者健康安全機構法12条1項）本肢のとおりである。

279 □□□ 難 R4.2-A

労災就学援護費の支給対象には、傷病補償年金を受ける権利を有する者のうち、在学者等である子と生計を同じくしている者であり、かつ傷病の程度が重篤な者であって、当該在学者等に係る学資の支給を必要とする状態にあるものが含まれる。

280 □□□ 難 R4.2-B

労災就学援護費の支給対象には、障害年金を受ける権利を有する者のうち、在学者等である子と生計を同じくしている者であって、当該在学者等に係る職業訓練に要する費用の支給を必要とする状態にあるものが含まれる。

281 □□□ 難 R4.2-C

労災就学援護費の額は、支給される者と生計を同じくしている在学者等である子が中学校に在学する者である場合は、小学校に在学する者である場合よりも多い。

282 □□□ 難 R4.2-D

労災就学援護費の額は、支給される者と生計を同じくしている在学者等である子が特別支援学校の小学部に在学する者である場合と、小学校に在学する者である場合とで、同じである。

283 □□□ 難 R4.2-E

労災就学援護費は、支給される者と生計を同じくしている在学者等である子が大学に在学する者である場合、通信による教育を行う課程に在学する者か否かによって額に差はない。

○ **279** 必修基本書……該当ページなし

（則33条1項5号）本肢のとおりである。なお、労災就学援護費の支給対象には、本肢のほかに、遺族（補償）等年金を受ける権利を有する者のうち、労働者の死亡の当時その収入によって生計を維持していた当該労働者の子（当該労働者の死亡の当時胎児であった子を含む）で現に在学者等であるものと生計を同じくしている者であって、当該在学者等に係る学資等の支給を必要とする状態にあるものが含まれている（同項2号）。

○ **280** 必修基本書……該当ページなし

（則33条1項4号）本肢のとおりである。なお、労災就学援護費の支給対象には、本肢のほかに、別表第一の障害等級第1級、第2級若しくは第3級の障害（補償）等年金を受ける権利を有する者のうち、在学者等であって、学資等の支給を必要とする状態にあるものが含まれている（同項3号）。

○ **281** 必修基本書……該当ページなし

（則33条2項1号・2号）本肢のとおりである。労災就学援護費の額は、支給される者と生計を同じくしている在学者等である子が、小学校に在学する者である場合は対象者1人につき月額1万5千円、中学校に在学する者である場合は対象者1人につき月額2万1千円（ただし通信制課程に在学する者である場合にあっては対象者1人につき月額1万7千円）とされており、後者の方が額が多い。

○ **282** 必修基本書……該当ページなし

（則33条2項1号）本肢のとおりである。労災就学援護費の額は、支給される者と生計を同じくしている在学者等である子が、小学校に在学する者である場合も特別支援学校の小学部に在学する者である場合も、その額は、対象者1人につき月額1万5千円とされている。

× **283** 必修基本書……該当ページなし

（則33条2項4号）労災就学援護費の額は、支給される者と生計を同じくしている在学者等である子が、大学に在学する者である場合は対象者1人につき月額3万9千円、（ただし通信による教育を行う課程に在学する者である場合にあっては対象者1人につき月額3万円）とされており、これらの対象者に係る額には「差がある」。

284 □□□ 難　H29.3-ウ

アフターケアは、対象傷病にり患した者に対して、症状固定後においても後遺症状が動揺する場合があること、後遺障害に付随する疾病を発症させるおそれがあることから、必要に応じて予防その他の保健上の措置として診察、保健指導、検査などを実施するものである。

285 □□□ 難　H29.3-エ

アフターケアの対象傷病は、厚生労働省令によってせき髄損傷等20の傷病が定められている。

286 □□□ 難　H29.3-オ

アフターケアを受けるためには、アフターケア手帳が必要であり、新規にこの手帳の交付を受けるには、事業場の所在地を管轄する都道府県労働局長に「健康管理手帳交付申請書」を提出することとされている。

287 □□□ 普通　H29.7-B

労働基準監督署長の行う労災就学援護費の支給又は不支給の決定は、法を根拠とする優越的地位に基づいて一方的に行う公権力の行使とはいえず、被災労働者又はその遺族の権利に直接影響を及ぼす法的効果を有するものではないから、抗告訴訟の対象となる行政処分に当たらないとするのが、最高裁判所の判例の趣旨である。

〇 **284** 必修基本書……該当ページなし

（平19.4.23基発0423002号、社会復帰促進等事業としてのアフターケア実施要領ほか）本肢のとおりである。なお、アフターケアは、療養に関する施設及びリハビリテーションに関する施設の設置及び運営その他業務災害及び通勤災害を被った労働者の円滑な社会復帰を促進するために必要な事業の1つである。

× **285** 必修基本書……該当ページなし

（平19.4.23基発0423002号、社会復帰促進等事業としてのアフターケア実施要領ほか）アフターケアの対象傷病は、「社会復帰促進等事業としてのアフターケア実施要領の制定について」平成19年4月23日付け基発第0423002号に基づき、当該要領において、せき髄損傷等20の傷病が定められている。

〇 **286** 必修基本書……該当ページなし

（平19.4.23基発0423002号、社会復帰促進等事業としてのアフターケア実施要領ほか）本肢のとおりである。

× **287** 必修基本書……該当ページなし

（最高裁第一小法廷判決 平15.9.4 労災就学援護費不支給処分取消請求事件）労働基準監督署長の行う労災就学援護費の支給又は不支給の決定は、法を根拠とする優越的地位に基づいて一方的に行う「公権力の行使であり」、被災労働者又はその遺族の権利に直接影響を及ぼす法的効果を「有する」ものであるから、抗告訴訟の対象となる行政処分に「当たる」ものと解するのが相当であるとするのが、最高裁判所の判例の趣旨である。

㉑ 特別支給金

288 □□□ 易　　H28.7-B

休業特別支給金の額は、1日につき算定基礎日額の100分の20に相当する額とされる。

289 □□□ 普通　　H28.7-A

休業特別支給金の支給の申請に際しては、特別給与の総額について事業主の証明を受けたうえで、これを記載した届書を所轄労働基準監督署長に提出しなければならない。

290 □□□ 普通　　R元.6-ウ

休業特別支給金の支給を受けようとする者は、その支給申請の際に、所轄労働基準監督署長に、特別給与の総額を記載した届書を提出しなければならない。特別給与の総額については、事業主の証明を受けなければならない。

291 □□□ 普通　　R元.6-イ

傷病特別支給金の支給額は、傷病等級に応じて定額であり、傷病等級第1級の場合は、114万円である。

292 □□□ 普通　　H28.7-C

傷病特別支給金は受給権者の申請に基づいて支給決定されることになっているが、当分の間、事務処理の便宜を考慮して、傷病（補償）等年金の支給を受けた者は、傷病特別支給金の申請を行ったものとして取り扱って差し支えないこととされている。

293 □□□ 普通　　R元.6-ア

既に身体障害のあった者が、業務上の事由又は通勤による負傷又は疾病により同一の部位について障害の程度を加重した場合における当該事由に係る障害特別支給金の額は、現在の身体障害の該当する障害等級に応ずる障害特別支給金の額である。

× **288** 必修基本書 労働科目……320p

（特別支給金規則3条）休業特別支給金の額は、原則として、1日につき「**休業給付基礎日額**」の**100分の20**に相当する額とされる。

○ **289** 必修基本書……該当ページなし

（特別支給金規則12条）本肢のとおりである。休業（補償）等給付を受けることができる者は、当該休業特別支給金の支給の申請を、当該休業補償給付、複数事業労働者休業給付又は休業給付の請求と同時に行わなければならない。

○ **290** 必修基本書……該当ページなし

（特別支給金支給規則12条）本肢のとおりである。なお、休業特別支給金の支給申請は、休業特別支給金の支給の対象となる日の翌日から起算して2年以内に行わなければならない（特別支給金規則3条6項）。

○ **291** 必修基本書 労働科目……321p

（特別支給金支給規則別表1の2）本肢のとおりである。なお、傷病特別支給金の額は、傷病等級に応じて、以下のように定められている。

傷病等級	額（一時金）
第1級	114万円
第2級	107万円
第3級	100万円

○ **292** 必修基本書 労働科目……321p

（昭56.6.27基発393号ほか）本肢のとおりである。

× **293** 必修基本書 労働科目……321p

（特別支給金支給規則4条2項）同一の部位について障害の程度を加重した場合における障害特別支給金の額は、現在の身体障害の該当する障害等級に応ずる障害特別支給金の額「から、既にあった身体障害の該当する障害等級に応ずる障害特別支給金の額を差し引いた額」による。

294 □□□ 普通 R2.7-A

労災保険特別支給金支給規則第6条第1項に定める特別支給金の額の算定に用いる算定基礎年額（複数事業労働者に係る特別支給金の算定に用いる算定基礎年額を除く。）は、負傷又は発病の日以前1年間（雇入後1年に満たない者については、雇入後の期間）に当該労働者に対して支払われた特別給与（労働基準法第12条第4項の3か月を超える期間ごとに支払われる賃金をいう。）の総額とするのが原則であるが、いわゆるスライド率（労災保険法第8条の3第1項第2号の厚生労働大臣が定める率）が適用される場合でも、算定基礎年額が150万円を超えることはない。

295 □□□ 普通 R2.7-B

特別支給金の支給の申請は、原則として、関連する保険給付の支給の請求と同時に行うこととなるが、傷病特別支給金、傷病特別年金の申請については、当分の間、休業特別支給金の支給の申請の際に特別給与の総額についての届出を行っていない者を除き、傷病（補償）等年金の支給の決定を受けた者は、傷病特別支給金、傷病特別年金の申請を行ったものとして取り扱う。

296 □□□ 普通 H28.7-E

障害補償年金前払一時金が支給されたため、障害補償年金が支給停止された場合であっても、障害特別年金は支給される。

297 □□□ 普通 H28.7-D

特別給与を算定基礎とする特別支給金は、特別加入者には支給されない。

298 □□□ 普通 R元.6-エ

特別加入者にも、傷病特別支給金に加え、特別給与を算定基礎とする傷病特別年金が支給されることがある。

299 □□□ 普通 R元.6-オ

特別支給金は、社会復帰促進等事業の一環として被災労働者等の福祉の増進を図るために行われるものであり、譲渡、差押えは禁止されている。

○ **294** 必修基本書 労働科目……323p

（特別支給金規則6条1項・３～5項）本肢のとおりである。複数事業労働者に係る特別支給金の算定に用いる算定基礎年額は、本肢の規定にかかわらず、原則として、当該**複数事業労働者を使用する事業**ごとに算定した算定基礎年額に相当する額を**合算**した額とされている（特別支給金規則6条2項）。

○ **295** 必修基本書 労働科目……321、323p

（昭56.6.27基発393号、昭56.7.4基発415号ほか）本肢のとおりである。なお、傷病（補償）等年金に係る傷病等級の変更が行われた場合には、傷病特別年金の変更も行われる（特別支給金規則11条3項）。

○ **296** 必修基本書 労働科目……324p

（特別支給金規則7条ほか）本肢のとおりである。障害特別年金には前払一時金の制度はないため障害補償年金前払一時金が支給されたことにより、障害補償年金の支給が停止されている場合であっても、障害特別年金は支給される。

○ **297** 必修基本書 労働科目……327p

（特別支給金規則19条）本肢のとおりである。一般の特別支給金（休業特別支給金、傷病特別支給金、障害特別支給金、遺族特別支給金）は、特別加入者についても支給される。

× **298** 必修基本書 労働科目……327p

（特別支給金支給規則19条）特別加入者に対しては、「傷病特別年金は支給されない」。

× **299** 必修基本書 労働科目……327p

（特別支給金支給規則20条ほか）特別支給金の譲渡、差押えは「禁止されていない」。

300 □□□ 普通 R2.7-E

労災保険法による障害補償年金、傷病補償年金、遺族補償年金を受ける者が、同一の事由により厚生年金保険法の規定による障害厚生年金、遺族厚生年金等を受けることとなり、労災保険からの支給額が減額される場合でも、障害特別年金、傷病特別年金、遺族特別年金は減額されない。

301 □□□ 普通 R2.7-C

第三者の不法行為によって業務上負傷し、その第三者から同一の事由について損害賠償を受けていても、特別支給金は支給申請に基づき支給され、調整されることはない。

○ **300** 必修基本書 労働科目……327p

（法別表第1ほか）本肢のとおりである。なお、労災保険の年金たる保険給付は、同一の事由について国民年金や厚生年金保険の年金給付が支給されるときは、その額に政令で定める率を乗じて減額した額とされる。

○ **301** 必修基本書 労働科目……327p

（法12条の4ほか）本肢のとおりである。なお、年金たる特別支給金には、年金たる保険給付における法12条（年金の内払）及び法12条の2（過誤払による返還金債権への充当）と同様の規定がある（特別支給金規則14条、同則14条の2）。

22 特別加入

302 □□□ 普通 R4.3-A

常時100人以下の労働者を使用する金融業を主たる事業とする事業主であって、労働保険徴収法第33条第3項の労働保険事務組合に同条第1項の労働保険事務の処理を委託するものである者（事業主が法人その他の団体であるときは、代表者）は、労災保険に特別加入することができる。

303 □□□ 普通 R4.3-B

常時100人以下の労働者を使用する不動産業を主たる事業とする事業主であって、労働保険徴収法第33条第3項の労働保険事務組合に同条第1項の労働保険事務の処理を委託するものである者（事業主が法人その他の団体であるときは、代表者）は、労災保険に特別加入することができる。

304 □□□ 普通 R4.3-C

常時100人以下の労働者を使用する小売業を主たる事業とする事業主であって、労働保険徴収法第33条第3項の労働保険事務組合に同条第1項の労働保険事務の処理を委託するものである者（事業主が法人その他の団体であるときは、代表者）は、労災保険に特別加入することができる。

305 □□□ 普通 R4.3-D

常時100人以下の労働者を使用するサービス業を主たる事業とする事業主であって、労働保険徴収法第33条第3項の労働保険事務組合に同条第1項の労働保険事務の処理を委託するものである者（事業主が法人その他の団体であるときは、代表者）は、労災保険に特別加入することができる。

306 □□□ 普通 R4.3-E

常時100人以下の労働者を使用する保険業を主たる事業とする事業主であって、労働保険徴収法第33条第3項の労働保険事務組合に同条第1項の労働保険事務の処理を委託するものである者（事業主が法人その他の団体であるときは、代表者）は、労災保険に特別加入することができる。

× **302** 必修基本書 労働科目……332～333p

(法33条1項1号、則46条の16)。金融業を主たる事業とする事業主については、常時「50人以下」の労働者を使用する事業主が、本問の中小事業主等の特別加入をすることができる。

× **303** 必修基本書 労働科目……332～333p

(法33条1項1号、則46条の16) 不動産業を主たる事業とする事業主については、常時「50人以下」の労働者を使用する事業主が、本問の中小事業主等の特別加入をすることができる。

× **304** 必修基本書 労働科目……332～333p

(法33条1項1号、則46条の16) 小売業を主たる事業とする事業主については、常時「50人以下」の労働者を使用する事業主が、本問の中小事業主等の特別加入をすることができる。

○ **305** 必修基本書 労働科目……332～333p

(法33条1項1号、則46条の16) 本肢のとおりである。なお、常時100人以下の労働者を使用する卸売業を主たる事業とする事業主であって、労働保険徴収法33条3項の労働保険事務組合に同条第1項の労働保険事務の処理を委託するものである者(事業主が法人その他の団体であるときは、代表者)は、労災保険に特別加入することができる。

× **306** 必修基本書 労働科目……332～333p

(法33条1項1号、則46条の16) 保険業を主たる事業とする事業主については、常時「50人以下」の労働者を使用する事業主が、本問の中小事業主等の特別加入をすることができる。

307 □□□ 普通 R3.3-A

特別加入者である中小事業主が高齢のため実際には就業せず、専ら同業者の事業主団体の会合等にのみ出席するようになった場合であっても、中小企業の特別加入は事業主自身が加入する前提であることから、事業主と当該事業に従事する他の者を包括して加入しなければならず、就業実態のない事業主として特別加入者としないことは認められない。

308 □□□ 普通 H29.7-C

最高裁判所の判例においては、労災保険法第34条第1項が定める中小事業主の特別加入の制度は、労働者に関し成立している労災保険の保険関係を前提として、当該保険関係上、中小事業主又はその代表者を労働者とみなすことにより、当該中小事業主又はその代表者に対する法の適用を可能とする制度である旨解説している。

309 □□□ 難 R2.3-C

労災保険法第33条第5号の「厚生労働省令で定める種類の作業に従事する者」は労災保険に特別加入することができるが、農業（畜産及び養蚕の事業を含む。）における作業のうち、厚生労働大臣が定める規模の事業場における土地の耕作若しくは開墾、植物の栽培若しくは採取又は家畜（家きん及びみつばちを含む。）若しくは蚕の飼育の作業であって、高さが1メートル以上の箇所における作業に該当するものは、当該「厚生労働省令で定める種類の作業」に当たる。

310 □□□ 難 R2.3-A

労災保険法第33条第5号の「厚生労働省令で定める種類の作業に従事する者」は労災保険に特別加入することができるが、国又は地方公共団体が実施する訓練として行われる作業のうち求職者を作業環境に適応させるための訓練として行われる作業は、当該「厚生労働省令で定める種類の作業」に当たる。

311 □□□ 難 R2.3-B

労災保険法第33条第5号の「厚生労働省令で定める種類の作業に従事する者」は労災保険に特別加入することができるが、家内労働法第2条第2項の家内労働者又は同条第4項の補助者が行う作業のうち木工機械を使用して行う作業であって、仏壇又は木製若しくは竹製の食器の製造又は加工に係るものは、当該「厚生労働省令で定める種類の作業」に当たる。

× **307** 必修基本書……該当ページなし

（平15.5.20基発0520002号）本肢の就業実態のない事業主が、「自らを包括加入の対象から除外することを申し出た場合には、当該事業主を特別加入者としない」こととされており、この場合、当該事業主と当該事業に従事する他の者を「包括して加入する必要はない」。

○ **308** 必修基本書……該当ページなし

（最高裁第二小法廷判決 平24.2.24 労働災害補償金不支給決定処分取消請求事件）本肢のとおりである。

× **309** 必修基本書 労働科目……334p

（則46条の18第1号イ（2））本肢の作業は、本問の「厚生労働省令で定める種類の作業」には該当しない。なお、農業（畜産及び養蚕の事業を含む）における作業のうち、厚生労働大臣が定める規模の事業場における土地の耕作若しくは開墾、植物の栽培若しくは採取又は家畜（家きん及びみつばちを含む）若しくは蚕の飼育の作業であって、高さが「2メートル」以上の箇所における作業に該当するものは、本問の「厚生労働省令で定める種類の作業」に該当する。

○ **310** 必修基本書 労働科目……334p

（則46条の18第2号イ）本肢のとおりである。本肢の「厚生労働省令で定める種類の作業」には、国又は地方公共団体が実施する訓練として行われる作業のうち求職者の就職を容易にするために必要な技能を修得させるための職業訓練であって事業主又は事業主の団体に委託されたもの（厚生労働大臣が定めるものに限る）として行われる作業も含まれる（同号ロ）。

○ **311** 必修基本書 労働科目……334p

（則46条の18第3号ヘ）本肢のとおりである。本肢の「厚生労働省令で定める種類の作業」には、家内労働法第2条第2項の家内労働者又は同条第4項の補助者が行う作業のうち合成樹脂、皮、ゴム、布又は紙の加工の作業も含まれる（同号イ）。

312 □□□ 難 R2.3-E

労災保険法第33条第5号の「厚生労働省令で定める種類の作業に従事する者」は労災保険に特別加入することができるが、労働組合法第2条及び第5条第2項の規定に適合する労働組合その他これに準ずるものであって厚生労働大臣が定めるもの（常時労働者を使用するものを除く。以下「労働組合等」という。）の常勤の役員が行う集会の運営、団体交渉その他の当該労働組合等の活動に係る作業であって、当該労働組合等の事務所、事業場、集会場又は道路、公園その他の公共の用に供する施設におけるもの（当該作業に必要な移動を含む。）は、当該「厚生労働省令で定める種類の作業」に当たる。

313 □□□ 難 R2.3-D

労災保険法第33条第5号の「厚生労働省令で定める種類の作業に従事する者」は労災保険に特別加入することができるが、日常生活を円滑に営むことができるようにするための必要な援助として行われる作業であって、炊事、洗濯、掃除、買物、児童の日常生活上の世話及び必要な保護その他家庭において日常生活を営むのに必要な行為は、当該「厚生労働省令で定める種類の作業」に当たる。

314 □□□ 難 R3.3-E

平成29年から介護作業従事者として特別加入している者が、訪問先の家庭で介護者以外の家族の家事支援作業をしているときに火傷し負傷した場合は、業務災害と認められることはない。

315 □□□ 易 R6.6-A

海外派遣者は、派遣元の団体又は事業主が、海外派遣者を特別加入させることについて政府の承認を申請し、政府の承認があった場合に特別加入することができる。

○ **312** 必修基本書 労働科目……334p

(則46条の18第4号) 本肢のとおりである。本肢の「厚生労働省令で定める種類の作業」には、家内労働法第2条第2項の家内労働者又は同条第4項の補助者が行う作業のうち動力により駆動される合糸機、ねん糸機又は織機を使用して行う作業も含まれる(同条3号ホ)。

○ **313** 必修基本書 労働科目……334p

(則46条の18第5号ロ) 本肢のとおりである。本肢の「厚生労働省令で定める種類の作業」には、日常生活を円滑に営むことができるようにするための必要な援助として行われる作業であって、介護労働者の雇用管理の改善等に関する法律に規定する介護関係業務に係る作業であって、入浴、排せつ、食事等の介護その他の日常生活上の世話、機能訓練又は看護に関わるものも含まれる(同号ロ)。

× **314** 必修基本書……該当ページなし

(則46条の18第5号、平30.2.8基発0208第1号) 一人親方等の特別加入のうち特定作業従事者の特別加入の対象となる作業として、「介護作業及び家事支援作業」があるが、介護作業従事者として特別加入している者は、この「介護作業及び家事支援作業」に係る特別加入者として承認を受けているものとみなし、当該者は、介護作業のみならず、家事支援作業(炊事、洗濯、掃除、買物、児童の日常生活上の世話及び必要な保護その他家庭において日常生活を営むのに必要な行為を代行し又は補助する業務)の「いずれの作業にも従事するものとして取り扱われる」。したがって、本肢の災害は、「業務災害として認められ得る」。

○ **315** 必修基本書 労働科目……336p

(法36条1項) 本肢のとおりである。

316 □□□ 普通 R3.3-D

日本国内で行われている有期事業でない事業を行う事業主から、海外（業務災害、複数業務要因災害及び通勤災害に関する保護制度の状況その他の事情を考慮して厚生労働省令で定める国の地域を除く。）の現地法人で行われている事業に従事するため派遣された労働者について、急な赴任のため特別加入の手続きがなされていなかった。この場合、海外派遣されてからでも派遣元の事業主（日本国内で実施している事業について労災保険の保険関係が既に成立している事業主）が申請すれば、政府の承認があった場合に特別加入することができる。

317 □□□ 普通 R6.6-B

海外派遣者と派遣元の事業との雇用関係が、転勤、在籍出向、移籍出向等のいずれの形態で処理されていても、派遣元の事業主の命令で海外の事業に従事し、その事業との間に現実の労働関係をもつ限りは、特別加入の資格に影響を及ぼすものではない。

318 □□□ 普通 R6.6-E

海外出張者として特段の加入手続を経ることなく当然に労災保険の保護を与えられるのか、海外派遣者として特別加入しなければ保護が与えられないのかは、単に労働の提供の場が海外にあるにすぎず国内の事業場に所属し、当該事業場の使用者の指揮に従って勤務するのか、海外の事業場に所属して当該事業場の使用者の指揮に従って勤務することになるのかという点からその勤務の実態を総合的に勘案して判定されるべきものである。

319 □□□ 普通 R3.3-B

労働者を使用しないで行うことを常態とする特別加入者である個人貨物運送業者については、その住居とその就業の場所との間の往復の実態を明確に区別できることにかんがみ、通勤災害に関する労災保険の適用を行うものとされている。

320 □□□ 普通 R6.6-C

海外派遣者として特別加入している者が、同一の事由について派遣先の事業の所在する国の労災保険から保険給付が受けられる場合には、わが国の労災保険給付との間で調整がなされなければならない。

321 □□□ 普通 R6.6-D

海外派遣者として特別加入している者の赴任途上及び帰任途上の災害については、当該特別加入に係る保険給付は行われない。

○ 316
必修基本書……該当ページなし

（昭52.3.30基発192号）本肢のとおりである。海外派遣者として特別加入できる者は、新たに派遣される者に限られず、既に海外の事業に派遣されている者を特別加入させることも可能である。ただし、**現地採用者**は、海外派遣としての特別加入制度の趣旨及びその加入要件からみて、特別加入の資格がない。

○ 317
必修基本書……該当ページなし

（法33条）本肢のとおりである。なお、海外派遣者の特別加入に係る申請は、当該申請に係る事業の労働保険番号及び名称並びに事業場の所在地等の所定の事項を記載した申請書を所轄労働基準監督署長を経由して所轄都道府県労働局長に提出することによって行わなければならない（則46条の25の2第1項）。

○ 318
必修基本書……該当ページなし

（昭52.3.30基発192号）本肢のとおりである。なお、海外派遣者の特別加入については、対象者全員を包括して加入申請することは要件とされておらず、申請を行う団体又は事業主は、対象者の中から任意に選択した者について特別加入の申請を行うことができる。

× 319
必修基本書 労働科目……337p

（法35条1項、則46条の22の2ほか）本肢の者は、その住居と就業の場所との間の往復の実態が明確でないこと等から、「通勤災害に関しては労災保険を適用しない」ものとされている。

× 320
必修基本書……該当ページなし

（昭52.3.30基発192号）海外派遣の特別加入者が、同一の事由について派遣先の事業の所在する国の労災保険から保険給付が受けられる場合であっても、我が国の労災保険給付との間の「調整は行う必要はない」。

○ 321
必修基本書……該当ページなし

（昭52.3.30基発192号）本肢のとおりである。

322 □□□ 普通 R3.3-C

特別加入している中小事業主が行う事業に従事する者（労働者である者を除く。）が業務災害と認定された。その業務災害の原因である事故が事業主の故意又は重大な過失により生じさせたものである場合は、政府は、その業務災害と認定された者に対して保険給付を全額支給し、厚生労働省令で定めるところにより、その保険給付に要した費用に相当する金額の全部又は一部を事業主から徴収することができる。

× **322** 必修基本書 労働科目……338p

（法34条1項4号）本肢の場合、政府は、「当該事故に係る保険給付の全部又は一部を行わないことができる」。

㉓ 不服申立て・時効

323 □□□ 易 R5.6-A

労災保険給付に関する決定に不服のある者は、都道府県労働局長に対して審査請求を行うことができる。

324 □□□ 易 R5.6-B

審査請求をした日から1か月を経過しても審査請求についての決定がないときは、審査請求は棄却されたものとみなすことができる。

325 □□□ 普通 R5.6-D

医師による傷病の治ゆ認定は、療養補償給付の支給に影響を与えることから、審査請求の対象となる。

326 □□□ 普通 R5.6-E

障害補償給付の不支給処分を受けた者が審査請求前に死亡した場合、その相続人は、当該不支給処分について審査請求人適格を有する。

327 □□□ 易 R5.6-C

処分の取消しの訴えは、再審査請求に対する労働保険審査会の決定を経た後でなければ、提起することができない。

328 □□□ 易 H27.6-オ

障害補償給付、遺族補償給付、介護補償給付、複数事業労働者障害給付、複数事業労働者遺族給付、複数事業労働者介護給付障害給付、遺族給付及び介護給付を受ける権利は、5年を経過したときは、時効によって消滅する。

329 □□□ 易 H27.6-エ

休業特別支給金の支給の申請は、その対象となる日の翌日から起算して2年以内に行わなければならない。

× 323 必修基本書 労働科目……340p

（法38条1項）保険給付に関する決定に不服のある者は、「労働者災害補償保険審査官」に対して審査請求をすることができる。

× 324 必修基本書 労働科目……340p

（法38条2項）審査請求をした日から「3箇月」を経過しても審査請求についての決定がないときは、労働者災害補償保険審査官が審査請求を棄却したものとみなすことができる。

× 325 必修基本書 労働科目……340p

（法38条1項）審査請求の対象となる「保険給付に関する決定」とは、直接、受給権者の権利に法律的効果を及ぼす処分をいう。したがって、傷病の治ゆの認定など決定の前提にすぎない単なる要件事実の認定は、ここにいう「決定に該当せず、審査請求の対象とならない」。

○ 326 必修基本書……該当ページなし

（法38条1項ほか）本肢のとおりである。労災保険法の審査請求をすることができる者（審査請求人適格を有する者）は、「保険給付に関する決定に不服がある者」、すなわち、保険給付に関し労働基準監督署長の違法又は不当な処分により、直接自己の権利又は利益を侵害されたとする者であることから、原処分を受けた者に限らず、直接自己の権利又は利益を侵害されたことを主張できる者も含まれる。

× 327 必修基本書 労働科目……341p

（法40条）処分の取消しの訴えは、当該処分についての「審査請求に対する労働者災害補償保険審査官」の決定を経た後でなければ、提起することができない。

× 328 必修基本書 労働科目……342p

（法42条ほか）介護補償給付、複数事業労働者介護給付及び介護給付を受ける権利は、これらを行使することができる時から2年を経過したときは、時効によって消滅する。その他の記述は正しい。

○ 329 必修基本書 労働科目……343p

（特別金支給金規則3条6項ほか）本肢のとおりである。

330 易　R2.7-D

休業特別支給金の支給は、社会復帰促進等事業として行われているものであることから、その申請は支給の対象となる日の翌日から起算して5年以内に行うこととされている。

× 330 必修基本書 労働科目……343p

（特別支給金規則3条6項）休業特別支給金の支給の申請は、その支給の対象となる日の翌日から起算して「2年以内」に行わなければならない。

24 雑　則

331 □□□ 普通 　R元.1-B

事業主は、その事業についての労災保険に係る保険関係が消滅したときは、その年月日を労働者に周知させなければならない。

332 □□□ 易 　R元.1-E

労災保険に係る保険関係が成立し、若しくは成立していた事業の事業主又は労働保険事務組合若しくは労働保険事務組合であった団体は、労災保険に関する書類を、その完結の日から5年間保存しなければならない。

333 □□□ 普通 　H30.3-A

市町村長（特別区の区長を含むものとし、地方自治法第252条の19第1項の指定都市においては、区長又は総合区長とする。）は、行政庁又は保険給付を受けようとする者に対して、当該市（特別区を含む。）町村の条例で定めるところにより、保険給付を受けようとする者又は遺族の戸籍に関し、無料で証明を行うことができる。

334 □□□ 普通 　H30.3-C

行政庁は、厚生労働省令で定めるところにより、労働者派遣法第44条第1項に規定する派遣先の事業主に対して、労災保険法の施行に関し必要な報告、文書の提出又は出頭を命ずることができる。

335 □□□ 普通 　H30.3-B

行政庁は、厚生労働省令で定めるところにより、保険関係が成立している事業に使用される労働者（労災保険法第34条第1項第1号、第35条第1項第3号又は第36条第1項第1号の規定により当該事業に使用される労働者とみなされる者を含む。）又は保険給付を受け、若しくは受けようとする者に対して、労災保険法の施行に関し必要な報告、届出、文書その他の物件の提出又は出頭を命ずることができる。

○ **331** 必修基本書……該当ページなし

（則49条2項）本肢のとおりである。なお、事業主は、労災保険に関する法令のうち、労働者に関係のある規定の要旨、労災保険に係る保険関係成立日の年月日及び労働保険番号を常時事業場の見易い場所に掲示し、又は備え付ける等の方法によって、労働者に周知させなければならない（同条1項）。

× **332** 必修基本書 労働科目……344p

（則51条）労災保険に係る保険関係が成立し、若しくは成立していた事業の事業主又は労働保険事務組合若しくは労働保険事務組合であった団体は、労災保険に関する書類（労働保険徴収法又は労働保険徴収法施行規則による書類を除く）を、その完結の日から「**3**年間」保存しなければならない。

○ **333** 必修基本書……該当ページなし

（法45条）本肢のとおりである。本肢の規定は、労災保険給付を円滑に行うこと及び労災保険給付の受ける者の便益のため、労災保険給付の請求時に用いる戸籍に関する証明について、各地方公共団体の制定する条例によって無料することができる旨を規定している。

○ **334** 必修基本書……該当ページなし

（法46条）本肢のとおりである。なお、本肢の規定に違反した場合、派遣先の事業主は、**6**月以下の懲役又は**30**万円以下の罰金に処される（法51条1号）。

○ **335** 必修基本書……該当ページなし

（法47条）本肢のとおりである。本肢の「労災保険法第34条第1項第1号、第35条第1項第3号又は第36条第1項第1号の規定により当該事業に使用される労働者とみなされる者」とは、特別加入をしたことにより、労働者とみなされる者をいう。

336 □□□ 易 R元.1-D

行政庁は、保険給付に関して必要があると認めるときは、保険給付を受け、又は受けようとする者（遺族（補償）等年金の額の算定の基礎となる者を含む。）に対し、その指定する医師の診断を受けるべきことを命ずることができる。

337 □□□ 普通 H30.3-D

行政庁は、労災保険法の施行に必要な限度において、当該職員に、適用事業の事業場に立ち入り、関係者に質問させ、又は帳簿書類その他の物件を検査させることができ、立入検査をする職員は、その身分を示す証明書を携帯し、関係者に提示しなければならない。

338 □□□ 普通 H30.3-E

行政庁は、保険給付を受け、又は受けようとする者（遺族（補償）等年金の額の算定の基礎となる者を含む。）の診療を担当した医師その他の者に対して、その行った診療に関する事項について、報告を命ずることはできない。

339 □□□ 普通 R2.4-ア

事業主が、行政庁から厚生労働省令で定めるところにより労災保険法の施行に関し必要な報告を命じられたにもかかわらず、報告をしなかった場合、6月以下の懲役又は30万円以下の罰金に処される。

340 □□□ 普通 R2.4-イ

事業主が、行政庁から厚生労働省令で定めるところにより労災保険法の施行に関し必要な文書の提出を命じられたにもかかわらず、提出をしなかった場合、6月以下の懲役又は30万円以下の罰金に処される。

341 □□□ 普通 R2.4-ウ

事業主が、行政庁から厚生労働省令で定めるところにより労災保険法の施行に関し必要な文書の提出を命じられた際に、虚偽の記載をした文書を提出した場合、6月以下の懲役又は30万円以下の罰金に処される。

○ **336** 必修基本書……該当ページなし

（法47条の2）本肢のとおりである。なお、本肢の命令は、所轄都道府県労働局長又は所轄労働基準監督署長が文書よって行うものとする（則52条の2）。

○ **337** 必修基本書……該当ページなし

（法48条）本肢のとおりである。なお、本肢の帳簿書類とは、賃金台帳、労働者名簿等の労災保険法上必要とされる一切の帳簿書類である。

× **338** 必修基本書……該当ページなし

（法49条1項）行政庁は、本肢の医師その他の者に対して、その行った診療に関する事項について、報告を命ずることが「できる」。

○ **339** 必修基本書 労働科目……343p

（法51条1号）本肢のとおりである。なお、行政庁は、厚生労働省令で定めるところにより、労働者を使用する者、労働保険事務組合、特別加入者の団体、派遣先の事業主又は船員派遣の役務の提供を受ける者に対して、労災保険法の施行に関し必要な報告、文章の提出又は出頭を命ずることができる（法46条）。

○ **340** 必修基本書 労働科目……343p

（法51条1号）本肢のとおりである。なお、法人の代表者又は法人若しくは人の代理人、使用人その他の従業者が、その法人又は人の業務に関して法51条又は法52条に掲げる違反行為をしたときは、行為者を罰するほか、その法人又は人に対しても罰金刑が科される（法54条）。

○ **341** 必修基本書 労働科目……343p

（法51条1号）本肢のとおりである。

342 □□□ 普通 R2.4-エ

行政庁が労災保険法の施行に必要な限度において、当該職員に身分を示す証明書を提示しつつ事業場に立ち入り質問をさせたにもかかわらず、事業主が当該職員の質問に対し虚偽の陳述をした場合、6月以下の懲役又は30万円以下の罰金に処される。

343 □□□ 普通 R2.4-オ

行政庁が労災保険法の施行に必要な限度において、当該職員に身分を示す証明書を提示しつつ事業場に立ち入り帳簿書類の検査をさせようとしたにもかかわらず、事業主が検査を拒んだ場合、6月以下の懲役又は30万円以下の罰金に処される。

344 □□□ 難 H30.4-エ

労災保険法又は同法に基づく政令及び厚生労働省令に規定する期間の計算については、同省令において規定された方法によることとされており、民法の期間の計算に関する規定は準用されない。

345 □□□ 難 R元.1-C

労災保険法、労働者災害補償保険法施行規則並びに労働者災害補償保険特別支給金支給規則の規定による申請書、請求書、証明書、報告書及び届書のうち厚生労働大臣が別に指定するもの並びに労働者災害補償保険法施行規則の規定による年金証書の様式は、厚生労働大臣が別に定めて告示するところによらなければならない。

○ 342　必修基本書 労働科目……343p

（法51条2号）本肢のとおりである。なお、行政庁は、労災保険法の施行に必要な限度において、当該職員に、適用事業の事業場、労働保険事務組合若しくは特別加入者の団体の事務所、特定作業従事者の団体の事務所、労働者派遣法の規定による派遣先の事業場又は船員派遣の役務の提供を受ける者の事業場に立ち入り、関係者に質問させ、又は帳簿書類その他の物件を検査させることができる（法48条）。

○ 343　必修基本書 労働科目……343p

（法51条2号）本肢のとおりである。

× 344　必修基本書……該当ページなし

（法43条）労災保険法又は同法に基づく政令及び厚生労働省令に規定する期間の計算については、民法の期間の計算に関する規定を「準用する」。

○ 345　必修基本書……該当ページなし

（則54条）本肢のとおりである。

参考

選択式問題・解答

❶ 労働基準法及び労働安全衛生法

001 □□□ 普通　　H27-選択

次の文中の［　　］の部分を選択肢の中の適当な語句で埋め、完全な文章とせよ。

1　最高裁判所は、海外旅行の添乗業務に従事する添乗員に労働基準法第38条の2に定めるいわゆる事業場外労働のみなし労働時間制が適用されるかが争点とされた事件において、次のように判示した。

「本件添乗業務は、ツアーの旅行日程に従い、ツアー参加者に対する案内や必要な手続の代行などといったサービスを提供するものであるところ、ツアーの旅行日程は、本件会社とツアー参加者との間の契約内容としてその日時や目的地等を明らかにして定められており、その旅行日程につき、添乗員は、変更補償金の支払など契約上の問題が生じ得る変更が起こらないように、また、それには至らない場合でも変更が必要最小限のものとなるように旅程の管理等を行うことが求められている。そうすると、本件添乗業務は、旅行日程が上記のとおりその日時や目的地等を明らかにして定められることによって、業務の内容があらかじめ具体的に確定されており、添乗員が自ら決定できる事項の範囲及びその決定に係る選択の幅は限られているものということができる。

また、ツアーの開始前には、本件会社は、添乗員に対し、本件会社とツアー参加者との間の契約内容等を記載したパンフレットや最終日程表及びこれに沿った手配状況を示したアイテナリーにより具体的な目的地及びその場所において行うべき観光等の内容や手順等を示すとともに、添乗員用のマニュアルにより具体的な業務の内容を示し、これらに従った業務を行うことを命じている。そして、ツアーの実施中においても、本件会社は、添乗員に対し、携帯電話を所持して常時電源を入れておき、ツアー参加者との間で契約上の問題やクレームが生じ得る旅行日程の変更が必要となる場合には、本件会社に報告して指示を受けることを求めている。さらに、ツアーの修了後においては、本件会社は、添乗員に対し、前期のとおり旅程の管理等の状況を具体的に把握することができる添乗日報によって、業務の遂行の状況等の詳細かつ正確な報告を求めているところ、その報告の内容については、ツアー参加者のアンケートを参照することや関係者に問合せをすることによってその正確性を確認することができるものになっている。これらによれば、本件添乗業務について、本件会社は、添乗員との間で、あらかじめ定められた旅行日程に沿った旅程の管理等の業務を行うべきことを具体的に指示した上で、予定された旅行日程に途中で相応の変更を要する事態が生じた場合にはその時点で個別の指示をするものとされ、旅行日程の終了後は内容の正確性を確認し得る添乗日報によって業務の遂行の状況等につき詳細な報告を受けるものとされているということができる。

以上のような業務の性質、内容やその遂行の態様、状況等、本件会社と添乗員との間の業務に関する指示及び報告の方法、内容やその実施の態様、状況等に鑑みると、本件添乗業務については、これに従事する添乗員の勤務の状況を具体的に把握することが困難であったとは認め難く、労働基準法第38条の2第1項にいう「 A 」に当たるとはいえないと解するのが相当である。」

2　最高裁判所は、労働基準法第39条第5項（当時は第3項）に定める使用者による時季変更権の行使の有効性が争われた事件において、次のように判示した。「労基法39条3項〔現行5項〕ただし書にいう「事業の正常な運営を妨げる場合」か否かの判断に当たつて、 B 配置の難易は、判断の一要素となるというべきであるが、特に、勤務割による勤務体制がとられている事業場の場合には、重要な判断要素であることは明らかである。したがつて、そのような事業場において、使用者としての通常の配慮をすれば、勤務割を変更して B を配置することが客観的に可能な状況にあると認められるにもかかわらず、使用者がそのための配慮をしないことにより B が配置されないときは、必要配置人員を欠くものとして事業の正常な運営を妨げる場合に当たるということはできないと解するのが相当である。そして、年次休暇の利用目的は労基法の関知しないところである〔……〕から、勤務割を変更して B を配置することが可能な状況にあるにもかかわらず、休暇の利用目的のいかんによつてそのための配慮をせずに時季変更権を行使することは、利用目的を考慮して年次休暇を与えないことに等しく、許されないものであり、右時季変更権の行使は、結局、事業の正常な運営を妨げる場合に当たらないものとして、無効といわなければならない。」

3　労働基準法第64条の3では、 C を「妊産婦」とし、使用者は、当該女性を、重量物を取り扱う業務、有害ガスを発散する場所における業務その他妊産婦の妊娠、出産、哺育等に有害な業務に就かせてはならないとしている。

4　労働安全衛生法に定める「事業者」とは、法人企業であれば D を指している。

5　事業者は、クレーンの運転その他の業務で、労働安全衛生法施行令第20条で定めるものについては、都道府県労働局長の当該業務に係る免許を受けた者又は都道府県労働局長の登録を受けた者が行う当該業務に係る技能講習を修了した者その他厚生労働省令で定める資格を有する者でなければ当該業務に就かせてはならないが、労働安全衛生法施行令第20条で定めるものには、ボイラー（小型ボイラーを除く。）の取扱いの業務、つり上げ荷重が5トン以上のクレーン（跨線テルハを除く。）の運転の業務、［ E ］などがある。

選択肢

① 6週間（多胎妊娠の場合にあっては、14週間）以内に出産する予定の女性及び産後8週間を経過しない女性
② 6週間（多胎妊娠の場合にあっては、14週間）以内に出産する予定の女性及び産後1年を経過しない女性
③ アーク溶接機を用いて行う金属の溶接、溶断等の業務
④ エックス線装置又はガンマ線照射装置を用いて行う透過写真の撮影の業務
⑤ 監督又は管理の地位にある者
⑥ 業務の遂行の方法を大幅に労働者の裁量にゆだねる必要があるとき
⑦ 最大荷重（フォークリフトの構造及び材料に応じて基準荷重中心に負荷させることができる最大の荷重をいう。）が1トン以上のフォークリフトの運転（道路上を走行させる運転を除く。）の業務
⑧ 使用者が具体的な指示をすることが困難なものとして厚生労働省令で定める業務
⑨ 時間単位の有給休暇
⑩ 事業主のために行為をするすべての者
⑪ 代替休暇　⑫ 代替勤務者
⑬ チェーンソーを用いて行う立木の伐採の業務
⑭ 通常必要とされた時間労働したもの　⑮ 当該法人
⑯ 妊娠中の女性及び産後8週間を経過しない女性
⑰ 妊娠中の女性及び産後1年を経過しない女性
⑱ 非常勤職員　⑲ 法人の代表者
⑳ 労働時間を算定し難いとき

【解答】

A ⑳ 労働時間を算定し難いとき （最高裁第一小法廷判決平24.1.30阪急トラベルサポート事件）

B ⑫ 代替勤務者 （最高裁第一小法廷判決 昭62.7.10弘前電報電話局事件）

C ⑰ 妊娠中の女性及び産後1年を経過しない女性 （法64条の3）

D ⑮ 当該法人 （法2条）

E ⑦ 最大荷重 （フォークリフトの構造及び材料に応じて基準荷重中心に負荷させることができる最大の荷重をいう。）が1トン以上のフォークリフトの運転（道路上を走行させる運転を除く。）の業務（令20条）

002 □□□ 易　H28-選択

次の文中の［　　］の部分を選択肢の中の適当な語句で埋め、完全な文章とせよ。

1　最高裁判所は、労働基準法第19条第1項の解雇制限が解除されるかどうかが問題となった事件において、次のように判示した。

「労災保険法に基づく保険給付の実質及び労働基準法上の災害補償との関係等によれば、同法〔労働基準法〕において使用者の義務とされている災害補償は、これに代わるものとしての労災保険法に基づく保険給付が行なわれている場合にはそれによって実質的に行われているものといえるので、使用者自らの負担により災害補償が行なわれている場合とこれに代わるものとしての同法〔労災保険法〕に基づく保険給付が行われている場合とで、同項〔労働基準法第19条第1項〕ただし書の適用の有無につき取扱いを異にすべきものとはいい難い。また、後者の場合には［ A ］として相当額の支払がされても傷害又は傷病が治るまでの間は労災保険法に基づき必要な療養補償給付がされることなども勘案すれば、これらの場合につき同項ただし書の適用の有無につき異なる取扱いがされなければ労働者の利益につきその保護を欠くことになるものともいい難い。

そうすると、労災保険法12条の8第1項第1号の療養補償給付を受ける労働者は、解雇制限に関する労働基準法19条1項の適用に関しては、同項ただし書が［ A ］の根拠規定として掲げる同法81条にいう同法75条の規定によって補償を受ける労働者に含まれるものとみるのが相当である。

したがって、労災保険法12条の8第1項1号の療養補償給付を受ける労働者が、療養開始後［ B ］を経過しても疾病等が治らない場合には、労働基準法75条による療養補償を受ける労働者が上記の状況にある場合と同様に、使用者は、当該労働者につき、同法81条の規定による［ A ］の支払をすることにより、解雇制限の除外事由を定める同法19条1項ただし書の適用を受けることができるものと解するのが相当である。」

2　労働基準法第38条の4で定めるいわゆる企画業務型裁量労働制について、同法第1項第1号はその対象業務を、「事業の運営に関する事項についての企画、立案、調査及び分析の業務であつて、当該業務の性質上これを適切に遂行するにはその遂行の方法を大幅に労働者の裁量にゆだねる必要があるため、当該業務の遂行の手段及び時間配分の決定等に関し［ C ］こととする業務」としている。

3　労働安全衛生法第10条第2項において、「総括安全衛生管理者は、［ D ］をもって充てなければならない。」とされている。

4　労働安全衛生法第66条の10により、事業者が労働者に対し実施することが求められている医師等による心理的な負担の程度を把握するための検査における医師等とは、労働安全衛生規則第52条の10において、医師、保健師のほか、検査を行なうために必要な知識についての研修であって厚生労働大臣が定めるものを修了した歯科医師、看護師、［　E　］又は公認心理師とされている。

選択肢

①　6か月	②　1年	③　2年
④　3年	⑤　障害補償	⑥　休業補償
⑦　打切補償	⑧　損害賠償	

⑨　使用者が具体的な指示をしない

⑩　使用者が業務に関する具体的な指示をすることが困難なものとして所轄労働基準監督署長の認定を受けて、労働者に就かせる

⑪　使用者が具体的な指示をすることが困難なものとして厚生労働省令で定める業務のうち、労働者に就かせる

⑫　使用者が具体的な指示をすることが困難なものとして労使委員会で定める業務のうち、労働者に就かせる

⑬　当該事業場において選任することが義務づけられている安全管理者及び衛生管理者の資格を有する者

⑭　当該事業場においてその事業の実施を統括管理する者

⑮　当該事業場において、3年以上安全衛生管理の実務に従事した経験を有する者

⑯　当該事業場における安全衛生委員会委員の互選により選任された者

⑰　社会福祉士	⑱　精神保健福祉士	⑲　臨床検査技師

⑳　労働衛生コンサルタント

【解答】

A　⑦　打切補償　(最高裁第二小法廷判決 平27.6.8 学校法人専修大学事件)
B　④　3年　(最高裁第二小法廷判決 平27.6.8 学校法人専修大学事件)
C　⑨　使用者が具体的な指示をしない　(法38条の4第1項1号)
D　⑭　当該事業場においてその事業の実施を統括管理する者　(法10条2項)
E　⑱　精神保健福祉士　(則52条の10第1項)

003 □□□ 易　　H29-選択

次の文中の［　　］の部分を選択肢の中の最も適切な語句で埋め、完全な文章とせよ。

1　最高裁判所は、労働者が長期かつ連続の年次有給休暇の時季指定をした場合に対する、使用者の時季変更権の行使が問題となった事件において、次のように判示した。

「労働者が長期かつ連続の年次有給休暇を取得しようとする場合においては、それが長期のものであればあるほど、使用者において代替勤務者を確保することの困難さが増大するなど［A］に支障を来す蓋然性が高くなり、使用者の業務計画、他の労働者の休暇予定等との事前の調整を図る必要が生ずるのが通常である。[…（略）…] 労働者が、右の調整を経ることなく、その有する年次有給休暇の日数の範囲内で始期と終期を特定して長期かつ連続の年次有給休暇の時季指定をした場合には、これに対する使用者の時季変更権の行使については、[…（略）…] 使用者にある程度の［B］の余地を認めざるを得ない。もとより、使用者の時季変更権の行使に関する右［B］は、労働者の年次有給休暇の権利を保障している労働基準法39条の趣旨に沿う、合理的なものでなければならないのであって、右［B］が、同条の趣旨に反し、使用者が労働者に休暇を取得させるための状況に応じた配慮を欠くなど不合理であると認められるときは、同条3項〔現5項〕ただし書所定の時季変更権行使の要件を欠くものとして、その行使を違法と判断すべきである。」

2　産前産後の就業について定める労働基準法第65条にいう「出産」については、その範囲を妊娠［C］以上（1か月は28日として計算する。）の分娩とし、生産のみならず死産も含むものとされている。

3　労働安全衛生法第28条の2では、いわゆるリスクアセスメントの実施について、「事業者は、厚生労働省令で定めるところにより、建設物、設備、原材料、ガス、蒸気、粉じん等による、又は作業行動その他業務に起因する［D］（第57条第1項の政令で定める物及び第57条の2第1項に規定する通知対象物による［D］を除く。）を調査し、その結果に基づいて、この法律又はこれに基づく命令の規定による措置を講ずるほか、労働者の危険又は健康障害を防止するため必要な措置を講ずるように努めなければならない。」と定めている。

4　労働安全衛生法第65条の3は、いわゆる労働衛生の3管理の一つである作業管理について、「事業者は、労働者の［E］に配慮して、労働者の従事する作業を適切に管理するように努めなければならない。」と定めている。

選択肢

① 4か月	② 5か月	③ 6か月	④ 7か月

⑤ 一方的決定　⑥ 危害を防止するための法基準の遵守状況
⑦ 危険性又は有害性等　⑧ 健康　⑨ 合理的変更
⑩ 災害事例における原因　⑪ 災害に関する統計情報
⑫ 作業能力　⑬ 作業に関する要望　⑭ 裁量的判断
⑮ 事業の正常な運営　⑯ 専権的配分　⑰ 体　格
⑱ 繁忙期の人員の配置　⑲ 労働時間の適切な管理
⑳ 労働者の安全配慮義務

【解答】

A　⑮　事業の正常な運営　（最高裁第三小法廷判決 平4.6.23 時事通信社事件）
B　⑭　裁量的判断　（最高裁第三小法廷判決 平4.6.23 時事通信社事件）
C　①　4か月　（昭23.12.23基発1885号）
D　⑦　危険性又は有害性等　（法28条の2）
E　⑧　健康　（法65条の3）

004 □□□ 普通　H30-選択

次の文中の［　　］の部分を選択肢の中の適当な語句で埋め、完全な文章とせよ。

1　日日雇い入れられる者には労働基準法第20条の解雇の予告の規定は適用されないが、その者が［ A ］を超えて引き続き使用されるに至った場合においては、この限りでない。
2　生後満1年に達しない生児を育てる女性は、労働基準法第34条の休憩時間のほか、1日2回各々少なくとも［ B ］、その生児を育てるための時間を請求することができる。
3　最高裁判所は、同業他社への転職者に対する退職金の支給額を一般の退職の場合の半額と定めた退職金規則の効力が問題となった事件において、次のように判示した。

「原審の確定した事実関係のもとにおいては、被上告会社が営業担当社員に対し退職後の同業他社への就職をある程度の期間制限することをもって直ちに社員の職業の自由等を不当に拘束するものとは認められず、したがって、被上告会社がその退職金規則において、右制限に反して同業他社に就職した退職社員に支給すべき退職金につき、その点を考慮して、支給額を一般の自己都合による退職の場合の半額と定めることも、本件退職金が［ C ］的な性格を併せ有することにかんがみれば、合理性のない措置であるとすることはできない。」
4　労働安全衛生法で定義される作業環境測定とは、作業環境の実態を把握するため空気環境その他の作業環境について行う［ D ］、サンプリング及び分析（解析を含む。）をいう。
5　労働安全衛生法第44条の2第1項では、一定の機械等で政令で定めるものを製造し、又は輸入した者は、厚生労働省令で定めるところにより、厚生労働大臣の登録を受けた者が行う当該機械等の型式についての検定を受けなければならない旨定めているが、その機械等には、クレーンの過負荷防止装置やプレス機械の安全装置の他［ E ］などが定められている。

選択肢

① 15分	② 30分	③ 45分	④ 1時間
⑤ 14日	⑥ 30日	⑦ 1か月	⑧ 2か月

⑨ アーク溶接作業用紫外線防護めがね　⑩ 気流の測定
⑪ 功労報償　⑫ 作業状況の把握
⑬ 就業規則を遵守する労働者への生活の補助　⑭ 成果給
⑮ 墜落災害防止用安全帯　⑯ デザイン
⑰ 転職の制約に対する代償措置　⑱ 放射線作業用保護具
⑲ モニタリング　⑳ ろ過材及び面体を有する防じんマスク

【解答】

A ⑦ 1か月 （法21条）
B ② 30分 （法67条1項）
C ⑪ 功労報償 （最高裁第二小法廷判決 昭52.8.9 三晃社事件）
D ⑯ デザイン （法2条4号）
E ⑳ ろ過材及び面体を有する防じんマスク （法44条の2第1項、法別表第4、令14条の2第5号）

005 □□□ 易 R元-選択

次の文中の□の部分を選択肢の中の適当な語句で埋め、完全な文章とせよ。

1　最高裁判所は、使用者がその責めに帰すべき事由による解雇期間中の賃金を労働者に支払う場合における、労働者が解雇期間中、他の職に就いて得た利益額の控除が問題となった事件において、次のように判示した。

「使用者の責めに帰すべき事由によって解雇された労働者が解雇期間中に他の職に就いて利益を得たときは、使用者は、右労働者に解雇期間中の賃金を支払うに当たり右利益（以下「中間利益」という。）の額を賃金額から控除することができるが、右賃金額のうち労働基準法12条1項所定の［A］の6割に達するまでの部分については利益控除の対象とすることが禁止されているものと解するのが相当である」「使用者が労働者に対して有する解雇期間中の賃金支払債務のうち［A］額の6割を超える部分から当該賃金の［B］内に得た中間利益の額を控除することは許されるものと解すべきであり、右利益の額が［A］額の4割を超える場合には、更に［A］算定の基礎に算入されない賃金（労働基準法12条4項所定の賃金）の全額を対象として利益額を控除することが許されるものと解せられる」

2　労働基準法第27条は、出来高払制の保障給として、「使用者は、［C］に応じ一定額の賃金の保障をしなければならない。」と定めている。

3　労働安全衛生法は、その目的を第1条で「労働基準法（昭和22年法律第49号）と相まって、労働災害の防止のための危害防止基準の確立、責任体制の明確化及び自主的活動の促進の措置を講ずる等その防止に関する総合的計画的な対策を推進することにより職場における労働者の安全と健康を確保するとともに、［D］の形成を促進することを目的とする。」と定めている。

4　衛生管理者は、都道府県労働局長の免許を受けた者その他厚生労働省令で定める資格を有する者のうちから選任しなければならないが、厚生労働省令で定める資格を有する者には、医師、歯科医師のほか［E］などが定められている。

選択肢

① 安全衛生に対する事業者意識
② 安全衛生に対する労働者意識
③ 衛生管理士
④ 快適な職場環境
⑤ 看護師
⑥ 業務に対する熟練度
⑦ 勤続期間
⑧ 勤務時間数に応じた賃金
⑨ 作業環境測定士
⑩ 支給対象期間から2年を超えない期間
⑪ 支給対象期間から5年を超えない期間
⑫ 支給対象期間と時期的に対応する期間
⑬ 諸手当を含む総賃金
⑭ 全支給対象期間
⑮ そのための努力を持続させる職場環境
⑯ 特定最低賃金
⑰ 平均賃金
⑱ 労働衛生コンサルタント
⑲ 労働時間
⑳ 労働日数

【解答】

A ⑰ 平均賃金 （最高裁第一小法廷判決 昭62.4.2 あけぼのタクシー事件）

B ⑫ 支給対象期間と時期的に対応する期間 （最高裁第一小法廷判決 昭62.4.2 あけぼのタクシー事件）

C ⑲ 労働時間 （法27条）

D ④ 快適な職場環境 （法1条）

E ⑱ 労働衛生コンサルタント （法12条1項、則10条3号）

006 □□□ 普通 R2-選択

次の文中の［　　］の部分を選択肢の中の適当な語句で埋め、完全な文章とせよ。

1　使用者は、常時10人以上の労働者を就業させる事業、厚生労働省令で定める危険な事業又は衛生上有害な事業の附属寄宿舎を設置し、移転し、又は変更しようとする場合においては、労働基準法第96条の規定に基づいて発する厚生労働省令で定める危害防止等に関する基準に従い定めた計画を、［　A　］に、行政官庁に届け出なければならない。

2　最高裁判所は、自己の所有するトラックを持ち込んで特定の会社の製品の運送業務に従事していた運転手が、労働基準法上の労働者に当たるか否かが問題となった事件において、次のように判示した。

「上告人は、業務用機材であるトラックを所有し、自己の危険と計算の下に運送業務に従事していたものである上、F紙業は、運送という業務の性質上当然に必要とされる運送物品、運送先及び納入時刻の指示をしていた以外には、上告人の業務の遂行に関し、特段の指揮監督を行っていたとはいえず、［　B　］の程度も、一般の従業員と比較してはるかに緩やかであり、上告人がF紙業の指揮監督の下で労務を提供していたと評価するには足りないものといわざるを得ない。そして、［　C　］等についてみても、上告人が労働基準法上の労働者に該当すると解するのを相当とする事情はない。そうであれば、上告人は、専属的にF紙業の製品の運送業務に携わっており、同社の運送係の指示を拒否する自由はなかったこと、毎日の始業時刻及び終業時刻は、右運送係の指示内容のいかんによって事実上決定されることになること、右運賃表に定められた運賃は、トラック協会が定める運賃表による運送料よりも1割5分低い額とされていたことなど原審が適法に確定したその余の事実関係を考慮しても、上告人は、労働基準法上の労働者ということはできず、労働者災害補償保険法上の労働者にも該当しないものというべきである。」

3　事業者は、労働者を本邦外の地域に［　D　］以上派遣しようとするときは、あらかじめ、当該労働者に対し、労働安全衛生規則第44条第1項各号に掲げる項目及び厚生労働大臣が定める項目のうち医師が必要であると認める項目について、医師による健康診断を行わなければならない。

4　事業者は、高さ又は深さが［　E　］メートルを超える箇所で作業を行うときは、当該作業に従事する労働者が安全に昇降するための設備等を設けなければならない。ただし、安全に昇降するための設備等を設けることが作業の性質上著しく困難なときは、この限りでない。

選択肢

① 0.7	② 1	③ 1.5
④ 2	⑤ 1月	⑥ 3月
⑦ 6月	⑧ 1年	⑨ 業務遂行条件の変更
⑩ 業務量、時間外労働	⑪ 工事着手後1週間を経過するまで	
⑫ 工事着手30日前まで	⑬ 工事着手14日前まで	⑭ 工事着手日まで
⑮ 公租公課の負担、F紙業が必要経費を負担していた事実		
⑯ 時間的、場所的な拘束		
⑰ 事業組織への組入れ、F紙業が必要経費を負担していた事実		
⑱ 事業組織への組入れ、報酬の支払方法		
⑲ 制裁、懲戒処分	⑳ 報酬の支払方法、公租公課の負担	

【解答】

A ⑬ 工事着手14日前まで (法96条の2)

B ⑯ 時間的、場所的な拘束 (最高裁第一小法廷判決 平8.11.28 横浜南労基署長事件)

C ⑳ 報酬の支払方法、公租公課の負担 (最高裁第一小法廷判決 平8.11.28 横浜南労基署長事件)

D ⑦ 6月 (則45条の2第1項)

E ③ 1.5 (則526条)

007 □□□ 普通 R3-選択

次の文中の［　　］の部分を選択肢の中の最も適切な語句で埋め、完全な文章とせよ。

1　賠償予定の禁止を定める労働基準法第16条における「違約金」とは、労働契約に基づく労働義務を労働者が履行しない場合に労働者本人若しくは親権者又は［ A ］の義務として課せられるものをいう。

2　最高裁判所は、歩合給の計算に当たり売上高等の一定割合に相当する金額から残業手当等に相当する金額を控除する旨の定めがある賃金規則に基づいてされた残業手当等の支払により労働基準法第37条の定める割増賃金が支払われたといえるか否かが問題となった事件において、次のように判示した。

「使用者が労働者に対して労働基準法37条の定める割増賃金を支払ったとすることができるか否かを判断するためには、割増賃金として支払われた金額が、［ B ］に相当する部分の金額を基礎として、労働基準法37条等に定められた方法により算定した割増賃金の額を下回らないか否かを検討することになるところ、その前提として、労働契約における賃金の定めにつき、［ B ］に当たる部分と同条の定める割増賃金に当たる部分とを判別することができることが必要である［…（略）…］。そして、使用者が、労働契約に基づく特定の手当を支払うことにより労働基準法37条の定める割増賃金を支払ったと主張している場合において、上記の判別をすることができるというためには、当該手当が時間外労働等に対する対価として支払われるものとされていることを要するところ、当該手当がそのような趣旨で支払われるものとされているか否かは、当該労働契約に係る契約書等の記載内容のほか諸般の事情を考慮して判断すべきであり［…（略）…］、その判断に際しては、当該手当の名称や算定方法だけでなく、［…（略）…］同条の趣旨を踏まえ、［ C ］等にも留意して検討しなければならないというべきである。」

3　事業者は、中高年齢者その他労働災害の防止上その就業に当たって特に配慮を必要とする者については、これらの者の［ D ］に応じて適正な配置を行うように努めなければならない。

4　事業者は、高さが［ E ］以上の箇所（作業床の端、開口部等を除く。）で作業を行う場合において墜落により労働者に危険を及ぼすおそれのあるときは、足場を組み立てる等の方法により作業床を設けなければならない。

選択肢

① 1メートル	② 1.5メートル
③ 2メートル	④ 3メートル
⑤ 2親等内の親族	⑥ 6親等内の血族
⑦ 家族手当、通勤手当その他厚生労働省令で定める賃金	
⑧ 希望する仕	⑨ 就業経験
⑩ 心身の条件	⑪ 通常の労働時間の賃金
⑫ 当該手当に関する労働者への情報提供又は説明の内容	
⑬ 当該歩合給	
⑭ 当該労働契約の定める賃金体系全体における当該手当の位置付け	
⑮ 同種の手当に関する我が国社会における一般的状況	
⑯ 配偶者	
⑰ 平均賃金にその期間の総労働時間を乗じた金額	
⑱ 身元保証人	⑲ 労働時間
⑳ 労働者に対する不利益の程度	

【解答】

A ⑱ 身元保証人 （法16条ほか）

B ⑪ 通常の労働時間の賃金 （最高裁第一小法廷判決 令2.3.30 国際自動車事件）

C ⑭ 当該労働契約の定める賃金体系全体における当該手当の位置付け （最高裁第一小法廷判決 令2.3.30 国際自動車事件）

D ⑩ 心身の条件 （法62条）

E ③ 2メートル （則518条1項）

008 □□□ 普通　　R4-選択

次の文中の□の部分を選択肢の中の適当な語句で埋め、完全な文章とせよ。

1　労働基準法第20条により、いわゆる解雇予告手当を支払うことなく9月30日の終了をもって労働者を解雇しようとする使用者は、その解雇の予告は、少なくとも［A］までに行わなければならない。

2　最高裁判所は、全国的規模の会社の神戸営業所勤務の大学卒営業担当従業員に対する名古屋営業所への転勤命令が権利の濫用に当たるということができるか否かが問題となった事件において、次のように判示した。

「使用者は業務上の必要に応じ、その裁量により労働者の勤務場所を決定することができるものというべきであるが、転勤、特に転居を伴う転勤は、一般に、労働者の生活関係に少なからぬ影響を与えずにはおかないから、使用者の転勤命令権は無制約に行使することができるものではなく、これを濫用することの許されないことはいうまでもないところ、当該転勤命令につき業務上の必要性が存しない場合又は業務上の必要性が存する場合であつても、当該転勤命令が［B］なされたものであるとき若しくは労働者に対し通常［C］とき等、特段の事情の存する場合でない限りは、当該転勤命令は権利の濫用になるものではないというべきである。右の業務上の必要性についても、当該転勤先への異動が余人をもつては容易に替え難いといつた高度の必要性に限定することは相当でなく、労働力の適正配置、業務の能率増進、労働者の能力開発、勤務意欲の高揚、業務運営の円滑化など企業の合理的運営に寄与する点が認められる限りは、業務上の必要性の存在を肯定すべきである。」

3　労働安全衛生法第59条において、事業者は、労働者を雇い入れたときは、当該労働者に対し、厚生労働省令で定めるところにより、その従事する業務に関する安全又は衛生のための教育を行わなければならないが、この教育は、［D］についても行わなければならないとされている。

4　労働安全衛生法第3条において、「事業者は、単にこの法律で定める労働災害の防止のための最低基準を守るだけでなく、［E］と労働条件の改善を通じて職場における労働者の安全と健康を確保するようにしなければならない。また、事業者は、国が実施する労働災害の防止に関する施策に協力するようにしなければならない。」と規定されている。

選択肢

① 8月30日 ② 8月31日
③ 9月1日 ④ 9月16日
⑤ 行うべき転居先の環境の整備をすることなくなされたものである
⑥ 快適な職場環境の実現
⑦ 甘受すべき程度を著しく超える不利益を負わせるものである
⑧ 現在の業務に就いてから十分な期間をおくことなく
⑨ 他の不当な動機・目的をもつて
⑩ 当該転勤先への異動を希望する他の労働者がいるにもかかわらず
⑪ 配慮すべき労働条件に関する措置が講じられていない
⑫ 予想し得ない転勤命令がなされたものである
⑬ より高度な基準の自主設定
⑭ 労働災害の絶滅に向けた活動
⑮ 労働災害の防止に関する新たな情報の活用
⑯ 労働者が90日以上欠勤等により業務を休み、その業務に復帰したとき
⑰ 労働者が再教育を希望したとき
⑱ 労働者が労働災害により30日以上休業し、元の業務に復帰したとき
⑲ 労働者に対する事前の説明を経ることなく
⑳ 労働者の作業内容を変更したとき

【解答】

A ② 8月31日 （法20条）
B ⑨ 他の不当な動機・目的をもつて （最高裁第二小法廷判決 昭61.7.14 東亜ペイント事件）
C ⑦ 甘受すべき程度を著しく超える不利益を負わせるものである （最高裁第二小法廷判決 昭61.7.14 東亜ペイント事件）
D ⑳ 労働者の作業内容を変更したとき （法59条1項2項）
E ⑥ 快適な職場環境の実現 （法3条1項）

009 □□□ 普通　　R5-選択

次の文中の［　　］の部分を選択肢の中の適当な語句で埋め、完全な文章とせよ。

1　労働基準法の規定による災害補償その他の請求権（賃金の請求権を除く。）はこれを行使することができる時から［　A　］間行わない場合においては、時効によって消滅することとされている。

2　最高裁判所は、労働者の指定した年次有給休暇の期間が開始し又は経過した後にされた使用者の時季変更権行使の効力が問題となった事件において、次のように判示した。

「労働者の年次有給休暇の請求（時季指定）に対する使用者の時季変更権の行使が、労働者の指定した休暇期間が開始し又は経過した後にされた場合であつても、労働者の休暇の請求自体がその指定した休暇期間の始期にきわめて接近してされたため使用者において時季変更権を行使するか否かを事前に判断する時間的余裕がなかつたようなときには、それが事前にされなかつたことのゆえに直ちに時季変更権の行使が不適法となるものではなく、客観的に右時季変更権を行使しうる事由が存し、かつ、その行使が［　B　］されたものである場合には、適法な時季変更権の行使があつたものとしてその効力を認めるのが相当である。」

3　最高裁判所は、マンションの住み込み管理員が所定労働時間の前後の一定の時間に断続的な業務に従事していた場合において、上記一定の時間が、管理員室の隣の居室に居て実作業に従事していない時間を含めて労働基準法上の労働時間に当たるか否かが問題となった事件において、次のように判示した。

「労働基準法32条の労働時間（以下「労基法上の労働時間」という。）とは、労働者が使用者の指揮命令下に置かれている時間をいい、実作業に従事していない時間（以下「不活動時間」という。）が労基法上の労働時間に該当するか否かは、労働者が不活動時間において使用者の指揮命令下に置かれていたものと評価することができるか否かにより客観的に定まるものというべきである〔…（略）…〕。そして、不活動時間において、労働者が実作業に従事していないというだけでは、使用者の指揮命令下から離脱しているということはできず、当該時間に労働者が労働から離れることを保障されていて初めて、労働者が使用者の指揮命令下に置かれていないものと評価することができる。したがって、不活動時間であっても［　C　］が保障されていない場合には労基法上の労働時間に当たるというべきである。そして、当該時間において労働契約上の役務の提供が義務付けられていると評価される場合には、［　C　］が保障されているとはいえず、労働者は使用者の指揮命令下に置かれているというのが相当である」。

4　労働安全衛生法第35条は、重量の表示について、「一の貨物で、重量が［ D ］以上のものを発送しようとする者は、見やすく、かつ、容易に消滅しない方法で、当該貨物にその重量を表示しなければならない。ただし、包装されていない貨物で、その重量が一見して明らかであるものを発送しようとするときは、この限りでない。」と定めている。

5　労働安全衛生法第68条は、「事業者は、伝染性の疾病その他の疾病で、厚生労働省令で定めるものにかかつた労働者については、厚生労働省令で定めるところにより、［ E ］しなければならない。」と定めている。

選択肢

①　2年　②　3年　③　5年　④　10年
⑤　100キログラム　⑥　500キログラム　⑦　1トン　⑧　3トン
⑨　役務の提供における諾否の自由　⑩　企業運営上の必要性から
⑪　休業を勧奨　⑫　行政官庁の許可を受けて
⑬　厚生労働省令で定めるところにより
⑭　使用者の指揮命令下に置かれていない場所への移動
⑮　その就業を禁止　⑯　遅滞なく
⑰　当該時間の自由利用　⑱　必要な療養を勧奨
⑲　病状回復のために支援　⑳　労働からの解放

【解答】

A　①　2年　（法115条）
B　⑯　遅滞なく　（最高裁第一小法廷判決 昭57.3.18 此花電報電話局事件）
C　⑳　労働からの解放　（最高裁第二小法廷判決 平19.10.19 大林ファシリティーズ事件）
D　⑦　1トン　（法35条）
E　⑮　その就業を禁止　（法68条）

010 □□□ 易 R6-選択

次の文中の［　　］の部分を選択肢の中の適当な語句で埋め、完全な文章とせよ。

1　年少者の労働に関し、最低年齢を設けている労働基準法第56条第1項は、「使用者は、［ A ］、これを使用してはならない。」と定めている。

2　最高裁判所は、労働者が始業時刻前及び終業時刻後の作業服及び保護具等の着脱等並びに始業時刻前の副資材等の受出し及び散水に要した時間が労働基準法上の労働時間に該当するかが問題となった事件において、次のように判示した。「労働基準法（昭和62年法律第99号による改正前のもの）32条の労働時間（以下「労働基準法上の労働時間」という。）とは、労働者が使用者の［ B ］に置かれている時間をいい、右の労働時間に該当するか否かは、労働者の行為が使用者の［ B ］に置かれたものと評価することができるか否かにより客観的に定まるものであって、労働契約、就業規則、労働協約等の定めのいかんにより決定されるべきものではないと解するのが相当である。そして、労働者が、就業を命じられた業務の準備行為等を事業所内において行うことを使用者から義務付けられ、又はこれを余儀なくされたときは、当該行為を所定労働時間外において行うものとされている場合であっても、当該行為は、特段の事情のない限り、使用者の［ B ］に置かれたものと評価することができ、当該行為に要した時間は、それが社会通念上必要と認められるものである限り、労働基準法上の労働時間に該当すると解される。」

3　最高裁判所は、賃金に当たる退職金債権放棄の効力が問題となった事件において、次のように判示した。

本件事実関係によれば、本件退職金の「支払については、同法〔労働基準法〕24条1項本文の定めるいわゆる全額払の原則が適用されるものと解するのが相当である。しかし、右全額払の原則の趣旨とするところは、使用者が一方的に賃金を控除することを禁止し、もって労働者に賃金の全額を確実に受領させ、労働者の経済生活をおびやかすことのないようにしてその保護をはかろうとするものというべきであるから、本件のように、労働者たる上告人が退職に際しみずから賃金に該当する本件退職金債権を放棄する旨の意思表示をした場合に、右全額払の原則が右意思表示の効力を否定する趣旨のものであるとまで解することはできない。もっとも、右全額払の原則の趣旨とするところなどに鑑みれば、右意思表示の効力を肯定するには、それが上告人の［ C ］ものであることが明確でなければならないものと解すべきである」。

4　労働安全衛生法第45条により定期自主検査を行わなければならない機械等には、同法第37条第1項に定める特定機械等のほか［ D ］が含まれる。

5　事業者は、労働者が労働災害その他就業中又は事業場内若しくはその付属建設物内における負傷、窒息又は急性中毒により死亡し、又は休業（休業の日数が4日以上の場合に限る。）したときは、［ E ］、所轄労働基準監督署長に報告しなければならない。

選択肢

① 7日以内に　② 14日以内に
③ 30日以内に　④ 管理監督下
⑤ 空気調和設備　⑥ 研削盤
⑦ 権利濫用に該当しない　⑧ 構内運搬車
⑨ 指揮命令下
⑩ 児童が満15歳に達した日以後の最初の3月31日が終了するまで
⑪ 児童が満18歳に達した日以後の最初の3月31日が終了するまで
⑫ 支配管理下　⑬ 自由な意思に基づく
⑭ 従属関係下
⑮ 退職金債権放棄同意書への署名押印により行われた
⑯ 退職に接着した時期においてされた
⑰ 遅滞なく　⑱ フォークリフト
⑲ 満15歳に満たない者については　⑳ 満18歳に満たない者については

【解答】

A　⑩　児童が満15歳に達した日以後の最初の3月31日が終了するまで　（法56条1項）

B　⑨　指揮命令下　（最高裁第一小法廷判決 平12.3.9三菱重工業長崎造船所事件）

C　⑬　自由な意思に基づく　（最高裁第二小法廷判決 昭48.1.19 シンガー・ソーイング・メーシン事件）

D　⑱　フォークリフト　（法45条、令15条）

E　⑰　遅滞なく　（則97条1項）

011 □□□ 難　H27-選択

次の文中の［　　］の部分を選択肢の中の最も適切な語句で埋め、完全な文章とせよ。

1　労災保険法第33条第5号によれば、厚生労働省令で定められた種類の作業に従事する者（労働者である者を除く）は、特別加入が認められる。労災保険法施行規則第46条の18は、その作業として、農業における一定の作業、国又は地方公共団体が実施する訓練として行われる一定の作業、労働組合等の常勤の役員が行う一定の作業、［ A ］関係業務に係る一定の作業と並び、家内労働法第2条第2項の家内労働者又は同条第4項の［ B ］が行う一定の作業（同作業に従事する家内労働者又はその［ B ］を以下「家内労働者等」という。）を挙げている。

労災保険法及び労災保険法施行規則によれば、［ C ］が、家内労働者等の業務災害に関して労災保険の適用を受けることにつき申請をし、政府の承認があった場合、家内労働者等が当該作業により負傷し、疾病に罹患し、障害を負い、又は死亡したとき等は労働基準法第75条から第77条まで、第79条及び第80条に規定する災害補償の事由が生じたものとみなされる。

2　最高裁判所は、労災保険法第12条の4について、同条は、保険給付の原因である事故が第三者の行為によって生じた場合において、受給権者に対し、政府が先に保険給付をしたときは、受給権者の第三者に対する損害賠償請求権はその給付の価額の限度で当然国に移転し、第三者が先に損害賠償をしたときは、政府はその価額の限度で保険給付をしないことができると定め、受給権者に対する第三者の損害賠償義務と政府の保険給付義務とが［ D ］の関係にあり、同一の事由による損害の［ E ］を認めるものではない趣旨を明らかにしているものである旨を判示している。

選択肢

① 委託者	② 委託者の団体	③ 移　転
④ 医　療	⑤ 請負的仲介人	⑥ 介　護
⑦ 家内労働者等の団体	⑧ 減　額	⑨ 在宅労働者
⑩ 使用者	⑪ 相互補完	⑫ 仲介人
⑬ 重　複	⑭ 独　立	⑮ 二重塡補
⑯ 福　祉	⑰ 並　立	⑱ 保　健
⑲ 補助者	⑳ 立　証	

【解答】

A ⑥ 介 護 （法33条5号、則46条の18）

B ⑲ 補助者 （法33条5号、則46条の18）

C ⑦ 家内労働者等の団体 （昭45.10.12基発745号）

D ⑪ 相互補完 （最高裁第3小法廷 平元.4.11高田建設従業員事件ほか）

E ⑮ 二重塡補 （最高裁第3小法廷 平元.4.11高田建設従業員事件ほか）

012 □□□ 普通 H28-選択

次の文中の［　　］の部分を選択肢の中の最も適切な語句で埋め、完全な文章とせよ。

1　労災保険法第13条第3項によれば、政府は、療養の補償給付として療養の給付をすることが困難な場合、療養の給付に代えて［ A ］を支給することができる。労災保険法第12条の2の2第2項によれば、「労働者が故意の犯罪行為若しくは重大な過失により、又は正当な理由がなくて［ B ］に従わないことにより」、負傷の回復を妨げたときは、政府は、保険給付の全部又は一部を行わないことができる。

2　厚生労働省労働基準局長通知（「血管病変等を著しく増悪させる業務における脳血管疾患及び虚血性心疾患等の認定基準について」令和3年9月14日付け基発0914第1号）において、発症前の長期間にわたって、著しい疲労の蓄積をもたらす特に過重な業務に就労したことによる明らかな過重負荷を受けたことにより発症した脳血管疾患及び虚血性疾患等（負傷に起因するものを除く。）は、業務上の疾病として取り扱うこととされている。業務の過重性の評価にあたっては、発症前の一定期間の就労実態等を考察し、発症時における疲労の蓄積がどの程度であったかという観点から判断される。

「発症前の長期間とは、発症前おおむね［ C ］をいう」とされている。疲労の蓄積をもたらす要因は種々あるが、最も重要な要因と考えられる労働時間に着目すると、「発症前［ D ］におおむね100時間又は発症前［ E ］にわたって、1か月あたりおおむね80時間を超える時間外労働が認められる場合は、業務と発症との関連性が強いと評価できること」を踏まえて判断される。ここでいう時間外労働時間数は、1週間当たり40時間を超えて労働した時間数である。

選択肢

①　業務命令	②　就業規則	③　治療材料
④　薬　剤	⑤　リハビリ用品	⑥　療養に関する指示
⑦　療養の費用	⑧　労働協約	⑨　3か月

⑩　6か月	⑪　12か月	⑫　1～3か月	⑬　1週間
⑭　2週間	⑮　4週間	⑯　1か月間	

⑰　1か月間ないし6か月間　　⑱　1か月間ないし12か月間
⑲　2か月間ないし6か月間　　⑳　2か月間ないし12か月間

必修基本書 労働科目……243、263、306p

【解答】

A ⑦ 療養の費用 （法13条3項）

B ⑥ 療養に関する指示 （法12条の2の2第2項）

C ⑩ 6か月間 （令3.9.14基発0914第1号）

D ⑯ 1か月間 （令3.9.14基発0914第1号）

E ⑲ 2か月間ないし6か月間 （令3.9.14基発0914第1号）

013 □□□ 易　　H29-選択

次の文中の［　　］の部分を選択肢の中の最も適切な語句で埋め、完全な文章とせよ。

1　労災保険の保険給付に関する決定に不服のある者は、［A］に対して審査請求をすることができる。審査請求は、正当な理由により所定の期間内に審査請求することができなかったことを疎明した場合を除き、原処分のあったことを知った日の翌日から起算して3か月を経過したときはすることができない。審査請求に対する決定に不服のある者は、［B］に対して再審査請求をすることができる。審査請求をしている者は、審査請求をした日から［C］を経過しても審査請求についての決定がないときは、［A］が審査請求を棄却したものとみなすことができる。

2　労災保険法第42条によれば、「療養補償給付、休業補償給付、葬祭料、介護補償給付、療養給付、複数事業労働者療養給付、複数事業労働者休業給付、複数事業労働者葬祭給付、複数事業労働者介護給付、休業給付、葬祭給付、介護給付及び二次健康診断等給付を受ける権利は、これを行使することができる時から［D］を経過したとき、障害補償給付、遺族補償給付、複数事業労働者障害給付、複数事業労働者遺族給付、障害給付及び遺族給付を受ける権利は、これを行使することができる時から［E］を経過したときは、時効によって消滅する。」とされている。

選択肢

① 60日	② 90日	③ 1か月	④ 2か月
⑤ 3か月	⑥ 6か月	⑦ 1年	⑧ 2年
⑨ 3年	⑩ 5年	⑪ 7年	⑫ 10年

⑬ 厚生労働大臣　⑭ 中央労働委員会　⑮ 都道府県労働委員会
⑯ 都道府県労働局長　⑰ 労働基準監督署長
⑱ 労働者災害補償保険審査会　⑲ 労働者災害補償保険審査官
⑳ 労働保険審査会

必修基本書 労働科目……340、342p

【解答】

A　⑲　労働者災害補償保険審査官　（法38条1項）

B　⑳　労働保険審査会　（法38条1項）

C　⑤　3か月　（法38条2項）

D　⑧　2年　（法42条）

E　⑩　5年　（法42条）

014 □□□ 普通　　H30-選択

次の文中の［　　］の部分を選択肢の中の最も適切な語句で埋め、完全な文章とせよ。

1　労災保険法においては、労働基準法適用労働者には当たらないが、業務の実態、災害の発生状況等からみて、労働基準法適用労働者に準じて保護するにふさわしい一定の者に対して特別加入の制度を設けている。まず、中小事業主等の特別加入については、主たる事業の種類に応じ、厚生労働省令で定める数以下の労働者を使用する事業の事業主で［ A ］に労働保険事務の処理を委託している者及びその事業に従事する者である。この事業の事業主としては、卸売業又は［ B ］を主たる事業とする事業主の場合は、常時100人以下の労働者を使用する者が該当する。この特別加入に際しては、中小事業主が申請をし、政府の承認を受ける必要がある。給付基礎日額は、当該事業に使用される労働者の賃金の額その他の事情を考慮して厚生労働大臣が定める額とされており、最高額は［ C ］である。

また、労災保険法第33条第3号及び第4号により、厚生労働省令で定める種類の事業を労働者を使用しないで行うことを常態とする者とその者が行う事業に従事する者は特別加入の対象となる。この事業の例としては、［ D ］の事業が該当する。また、同条第5号により厚生労働省令で定める種類の作業に従事する者についても特別加入の対象となる。特別加入はこれらの者（一人親方等及び特定作業従事者）の団体が申請をし、政府の承認を受ける必要がある。

2　通勤災害に関する保険給付は、一人親方等及び特定作業従事者の特別加入者のうち、住居と就業の場所との間の往復の状況等を考慮して厚生労働 省令で定める者には支給されない。［ E ］はその一例に該当する。

選択肢

A	① 社会保険事務所		② 商工会議所	
	③ 特定社会保険労務士		④ 労働保険事務組合	
B	① 小売業	② サービス業	③ 不動産業	④ 保険業
C	① 20,000円	② 22,000円	③ 24,000円	④ 25,000円
D	① 介護事業	② 畜産業	③ 養蚕業	④ 林業
E	① 医薬品の配置販売の事業を行う個人事業者			
	② 介護作業従事者		③ 個人タクシー事業者	
	④ 船員法第1条に規定する船員			

必修基本書 労働科目……332、334、338p

【解答】

A　④　労働保険事務組合　（法33条1号・2号）

B　②　サービス業　（則46条の16）

C　④　25,000円　（法34条1項3号、則46条の20第1項ほか）

D　④　林業　（則46条の17）

E　③　個人タクシー事業者　（法35条1項、則46条の22の2）

015 易 R元-選択

次の文中の［　　］の部分を選択肢の中の最も適切な語句で埋め、完全な文章とせよ。

1　労災保険法第1条によれば、労働者災害補償保険は、業務上の事由、複数事業労働者の2以上の事業の業務を要因とする事由又は通勤による労働者の負傷、疾病、障害、死亡等に対して迅速かつ公正な保護をするため、必要な保険給付を行うこと等を目的とする。同法の労働者とは、［ A ］法上の労働者であるとされている。そして同法の保険給付とは、業務災害に関する保険給付、複数業務要因災害に関する保険給付、通勤災害に関する保険給付及び［ B ］給付の4種類である。保険給付の中には一時金ではなく年金として支払われるものもあり、通勤災害に関する保険給付のうち年金として支払われるのは、障害年金、遺族年金及び［ C ］年金である。

2　労災保険の適用があるにもかかわらず、労働保険徴収法第4条の2第1項に規定する労災保険に係る保険関係成立届（以下本問において「保険関係成立届」という。）の提出が行われていない間に労災事故が生じた場合において、事業主が故意又は重大な過失により保険関係成立届を提出していなかった場合は、政府は保険給付に要した費用に相当する金額の全部又は一部を事業主から徴収することができる。事業主がこの提出について、所轄の行政機関から直接指導を受けていたにもかかわらず、その後［ D ］以内に保険関係成立届を提出していない場合は、故意が認定される。事業主がこの提出について、保険手続に関する行政機関による指導も、都道府県労働保険事務組合連合会又はその会員である労働保険事務組合による加入勧奨も受けていない場合において、保険関係が成立してから［ E ］を経過してなお保険関係成立届を提出していないときには、原則、重大な過失と認定される。

必修基本書 労働科目……235、238、293、309p

選択肢

A	① 労働関係調整	② 労働基準
	③ 労働組合	④ 労働契約
B	① 求職者	② 教育訓練
	③ 失業等	④ 二次健康診断等
C	① 厚生	② 国民
	③ 傷病	④ 老齢
D	① 3日	② 5日
	③ 7日	④ 10日
E	① 3ヵ月	② 6ヵ月
	③ 9ヵ月	④ 1年

【解答】

A ② 労働基準 (法3条)
B ④ 二次健康診断等 (法7条1項)
C ③ 傷病 (法12条の8第3項、法18条1項ほか)
D ④ 10日 (平17.9.22基発0922001号)
E ④ 1年 (平17.9.22基発0922001号)

016 □□□ 易 R2-選択

次の文中の［　　］の部分を選択肢の中の適当な語句で埋め、完全な文章とせよ。

通勤災害における通勤とは、労働者が、就業に関し、住居と就業の場所との間の往復等の移動を、［ A ］な経路及び方法により行うことをいい、業務の性質を有するものを除くものとされるが、住居と就業の場所との間の往復に先行し、又は後続する住居間の移動も、厚生労働省令で定める要件に該当するものに限り、通勤に当たるとされている。

厚生労働省令で定める要件の中には、［ B ］に伴い、当該［ B ］の直前の住居と就業の場所との間を日々往復することが当該往復の距離等を考慮して困難となったため住居を移転した労働者であって、次のいずれかに掲げるやむを得ない事情により、当該［ B ］の直前の住居に居住している配偶者と別居することとなったものによる移動が挙げられている。

イ　配偶者が、［ C ］にある労働者又は配偶者の父母又は同居の親族を［ D ］すること。

ロ　配偶者が、学校等に在学し、保育所若しくは幼保連携型認定こども園に通い、又は公共職業能力開発施設の行う職業訓練を受けている同居の子（［ E ］歳に達する日以後の最初の3月31日までの間にある子に限る。）を養育すること。

ハ　配偶者が、引き続き就業すること。

ニ　配偶者が、労働者又は配偶者の所有に係る住宅を管理するため、引き続き当該住宅に居住すること。

ホ　その他配偶者が労働者と同居できないと認められるイからニまでに類する事情

選択肢

① 12	② 15	③ 18	④ 20
⑤ 介護	⑥ 経済的	⑦ 効率的	⑧ 合理的
⑨ 孤立状態	⑩ 支援	⑪ 失業状態	⑫ 就職
⑬ 出張	⑭ 常態的	⑮ 転職	⑯ 転任
⑰ 貧困状態	⑱ 扶養	⑲ 保護	⑳ 要介護状態

必修基本書 労働科目……246、248p

【解答】

A　⑧　合理的　（法7条2項）

B　⑯　転任　（則7条1号）

C　⑳　要介護状態　（則7条1号イ）

D　⑤　介護　（則7条1号イ）

E　③　18　（則7条1号ロ）

017 □□□ 普通　　R3-選択

次の文中の＿＿の部分を選択肢の中の適当な語句で埋め、完全な文章とせよ。

1　労災保険法は、令和2年に改正され、複数事業労働者（事業主が同一人でない2以上の事業に使用される労働者。以下同じ。）の2以上の事業の業務を要因とする負傷、疾病、障害又は死亡（以下「複数業務要因災害」という。）についても保険給付を行う等の制度改正が同年9月1日から施行された。複数事業労働者については、労災保険法第7条第1項第2号により、これに類する者も含むとされており、その範囲については、労災保険法施行規則第5条において、［A］と規定されている。複数業務要因災害による疾病の範囲は、労災保険法施行規則第18条の3の6により、労働基準法施行規則別表第1の2第8号及び第9号に掲げる疾病その他2以上の事業の業務を要因とすることの明らかな疾病と規定されている。複数業務要因災害に係る事務の所轄は、労災保険法第7条第1項第2号に規定する複数事業労働者の2以上の事業のうち、［B］の主たる事務所を管轄する都道府県労働局又は労働基準監督署となる。

2　年金たる保険給付は、その支給を停止すべき事由が生じたときは、［C］の間は、支給されない。

3　遺族補償年金を受けることができる遺族は、労働者の配偶者、子、父母、孫、祖父母及び兄弟姉妹であって、労働者の死亡の当時その収入によって生計を維持していたものとする。ただし、妻（婚姻の届出をしていないが、事実上婚姻関係と同様の事情にあった者を含む。以下同じ。）以外の者にあっては、労働者の死亡の当時次の各号に掲げる要件に該当した場合に限るものとする。

一　夫（婚姻の届出をしていないが、事実上婚姻関係と同様の事情にあった者を含む。以下同じ。）、父母又は祖父母については、［D］歳以上であること。

二　子又は孫については、［E］歳に達する日以後の最初の3月31日までの間にあること。

三　兄弟姉妹については、［E］歳に達する日以後の最初の3月31日までの間にあること又は［D］歳以上であること。

四　前三号の要件に該当しない夫、子、父母、孫、祖父母又は兄弟姉妹については、厚生労働省令で定める障害の状態にあること。

選択肢

① 15　② 16　③ 18
④ 20　⑤ 55　⑥ 60
⑦ 65　⑧ 70
⑨ その事由が生じた月からその事由が消滅した月まで
⑩ その事由が生じた月の翌月からその事由が消滅した月まで
⑪ その事由が生じた日からその事由が消滅した日まで
⑫ その事由が生じた日の翌日からその事由が消滅した日まで
⑬ その収入が当該複数事業労働者の生計を維持する程度の最も高いもの
⑭ 当該複数事業労働者が最も長い期間勤務しているもの
⑮ 当該複数事業労働者の住所に最も近いもの
⑯ 当該複数事業労働者の労働時間が最も長いもの
⑰ 負傷、疾病、障害又は死亡の原因又は要因となる事由が生じた時点以前1か月の間継続して事業主が同一人でない2以上の事業に同時に使用されていた労働者
⑱ 負傷、疾病、障害又は死亡の原因又は要因となる事由が生じた時点以前3か月の間継続して事業主が同一人でない2以上の事業に同時に使用されていた労働者
⑲ 負傷、疾病、障害又は死亡の原因又は要因となる事由が生じた時点以前6か月の間継続して事業主が同一人でない2以上の事業に同時に使用されていた労働者
⑳ 負傷、疾病、障害又は死亡の原因又は要因となる事由が生じた時点において事業主が同一人でない2以上の事業に同時に使用されていた労働者

【解答】

A ⑳ 負傷、疾病、障害又は死亡の原因又は要因となる事由が生じた時点において事業主が同一人でない2以上の事業に同時に使用されていた労働者 （則1条2項2号、同則5条）
B ⑬ その収入が当該複数事業労働者の生計を維持する程度の最も高いもの （則1条2項2号、同則5条）
C ⑩ その事由が生じた月の翌月からその事由が消滅した月まで （法9条2項）
D ⑥ 60 （法16条の2第1項）
E ③ 18 （法16条の2第1項）

018 □□□ 普通　　R4-選択

次の文中の＿＿の部分を選択肢の中の適当な語句で埋め、完全な文章とせよ。

1　業務災害により既に1下肢を1センチメートル短縮していた（13級の8）者が、業務災害により新たに同一下肢を3センチメートル短縮（10級の7）し、かつ1手の小指を失った（12級の8の2）場合の障害等級は［ A ］級であり、新たな障害につき給付される障害補償の額は給付基礎日額の［ B ］日分である。

なお、8級の障害補償の額は給付基礎日額の503日分、9級は391日分、10級は302日分、11級は223日分、12級は156日分、13級は101日分である。

2　最高裁判所は、中小事業主が労災保険に特別加入する際に成立する保険関係について、次のように判示している（作題に当たり一部改変）。

労災保険法（以下「法」という。）が定める中小事業主の特別加入の制度は、労働者に関し成立している労災保険の保険関係（以下「保険関係」という。）を前提として、当該保険関係上、中小事業主又はその代表者を［ C ］とみなすことにより、当該中小事業主又はその代表者に対する法の適用を可能とする制度である。そして、法第3条第1項、労働保険徴収法第3条によれば、保険関係は、労働者を使用する事業について成立するものであり、その成否は当該事業ごとに判断すべきものであるところ、同法第4条の2第1項において、保険関係が成立した事業の事業主による政府への届出事項の中に「事業の行われる場所」が含まれており、また、労働保険徴収法施行規則第16条第1項に基づき労災保険率の適用区分である同施行規則別表第1所定の事業の種類の細目を定める労災保険率適用事業細目表において、同じ建設事業に附帯して行われる事業の中でも当該建設事業の現場内において行われる事業とそうでない事業とで適用される労災保険率の区別がされているものがあることなどに鑑みると、保険関係の成立する事業は、主として場所的な独立性を基準とし、当該一定の場所において一定の組織の下に相関連して行われる作業の一体を単位として区分されるものと解される。そうすると、土木、建築その他の工作物の建設、改造、保存、修理、変更、破壊若しくは解体又はその準備の事業（以下「建設の事業」という。）を行う事業主については、個々の建設等の現場における建築工事等の業務活動と本店等の事務所を拠点とする営業、経営管理その他の業務活動とがそれぞれ別個の事業であって、それぞれその業務の中に［ D ］を前提に、各別に保険関係が成立するものと解される。

したがって、建設の事業を行う事業主が、その使用する労働者を個々の建設等の現場における事業にのみ従事させ、本店等の事務所を拠点とする営業等の事業に従事させていないときは、営業等の事業につき保険関係の成立する余地はないから、営業等の事業について、当該事業主が特別加入の承認を受けることはできず、[E]に起因する事業主又はその代表者の死亡等に関し、その遺族等が法に基づく保険給付を受けることはできないものというべきである。

選択肢

① 8	② 9
③ 10	④ 11
⑤ 122	⑥ 201
⑦ 290	⑧ 402
⑨ 営業等の事業に係る業務	
⑩ 建設及び営業等以外の事業に係る業務	
⑪ 建設及び営業等の事業に係る業務	⑫ 建設の事業に係る業務
⑬ 事業主が自ら行うものがあること	⑭ 事業主が自ら行うものがないこと
⑮ 使用者	⑯ 特別加入者
⑰ 一人親方	⑱ 労働者
⑲ 労働者を使用するものがあること	⑳ 労働者を使用するものがないこと

【解答】

A ② 9 (則14条3項・5項)

B ⑦ 290 (則14条3項・5項)

C ⑱ 労働者 (最高裁第二小法廷判決 平24.2.24 労働災害補償金不支給決定処分取消請求事件)

D ⑲ 労働者を使用するものがあること (最高裁第二小法廷判決 平24.2.24 労働災害補償金不支給決定処分取消請求事件)

E ⑨ 営業等の事業に係る業務 (最高裁第二小法廷判決 平24.2.24 労働災害補償金不支給決定処分取消請求事件)

019 □□□ 普通 R5-選択

次の文中の□の部分を選択肢の中の適当な語句で埋め、完全な文章とせよ。

1　労災保険法第14条第1項は、「休業補償給付は、労働者が業務上の負傷又は疾病による[A]のため労働することができないために賃金を受けない日の第[B]日目から支給するものとし、その額は、一日につき給付基礎日額の[C]に相当する額とする。ただし、労働者が業務上の負傷又は疾病による[A]のため所定労働時間のうちその一部分についてのみ労働する日若しくは賃金が支払われる休暇（以下この項において「部分算定日」という。）又は複数事業労働者の部分算定日に係る休業補償給付の額は、給付基礎日額（第8条の2第2項第2号に定める額（以下この項において「最高限度額」という。）を給付基礎日額とすることとされている場合にあつては、同号の規定の適用がないものとした場合における給付基礎日額）から部分算定日に対して支払われる賃金の額を控除して得た額（当該控除して得た額が最高限度額を超える場合にあつては、最高限度額に相当する額）の[C]に相当する額とする。」と規定している。

2　社会復帰促進等事業とは、労災保険法第29条によれば、①療養施設及びリハビリテーション施設の設置及び運営その他被災労働者の円滑な社会復帰促進に必要な事業、②被災労働者の療養生活・介護の援護、その遺族の就学の援護、被災労働者及びその遺族への資金貸付けによる援護その他被災労働者及びその遺族の援護を図るために必要な事業、③業務災害防止活動に対する援助、[D]に関する施設の設置及び運営その他労働者の安全及び衛生の確保、保険給付の適切な実施の確保並びに[E]の支払の確保を図るために必要な事業である。

選択肢

① 100分の50	② 100分の60	③ 100分の70
④ 100分の80	⑤ 2	⑥ 3
⑦ 4	⑧ 7	⑨ 苦痛
⑩ 健康診断	⑪ 災害時避難	⑫ 食費
⑬ 治療費	⑭ 賃金	⑮ 通院
⑯ 能力喪失	⑰ 防災訓練	⑱ 保護具費
⑲ 療養	⑳ 老人介護	

必修基本書 労働科目……264、266、318p

【解答】

A ⑲ 療養 (法14条1項)
B ⑦ 4 (法14条1項)
C ② 100分の60 (法14条1項)
D ⑩ 健康診断 (法29条1項3号)
E ⑭ 賃金 (法29条1項3号)

020 □□□ 易 R6-選択

次の文中の［　　］の部分を選択肢の中の適当な語句で埋め、完全な文章とせよ。

1　労災保険法施行規則第14条第1項は、「障害補償給付を支給すべき身体障害の障害等級は、別表第1に定めるところによる。」と規定し、同条第2項は、「別表第1に掲げる身体障害が2以上ある場合には、重い方の身体障害の該当する障害等級による。」と規定するが、同条第3項柱書きは、「第［ A ］級以上に該当する身体障害が2以上あるとき」は「前2項の規定による障害等級」を「2級」繰り上げた等級（同項第2号）、「第［ B ］級以上に該当する身体障害が2以上あるとき」は「前2項の規定による障害等級」を「3級」繰り上げた等級（同項第3号）によるとする。

2　年金たる保険給付の支給は、支給すべき事由が生じた［ C ］から始め、支給を受ける権利が消滅した月で終わるものとする。また、保険給付を受ける権利を有する者が死亡した場合において、その死亡した者に支給すべき保険給付でまだその者に支給しなかったものがあるときは、その者の配偶者、子、父母、孫、祖父母又は兄弟姉妹であって、その者の死亡の当時その者と生計を同じくしていたものは、［ D ］の名で、その未支給の保険給付の支給を請求することができる。

3　最高裁判所は、遺族補償年金に関して次のように判示した。「労災保険法に基づく保険給付は、その制度の趣旨目的に従い、特定の損害について必要額を塡補するために支給されるものであり、遺族補償年金は、労働者の死亡による遺族の［ E ］を塡補することを目的とするものであって（労災保険法1条、16条の2から16条の4まで）、その塡補の対象とする損害は、被害者の死亡による逸失利益等の消極損害と同性質であり、かつ、相互補完性があるものと解される。〔…（略）…〕

　したがって、被害者が不法行為によって死亡した場合において、その損害賠償請求権を取得した相続人が遺族補償年金の支給を受け、又は支給を受けることが確定したときは、損害賠償額を算定するに当たり、上記の遺族補償年金につき、その塡補の対象となる［ E ］による損害と同性質であり、かつ、相互補完性を有する逸失利益等の消極損害の元本との間で、損益相殺的な調整を行うべきものと解するのが相当である。」

必修基本書 労働科目……272、298、300p

選択肢

① 3	② 5	③ 6
④ 7	⑤ 8	⑥ 10
⑦ 12	⑧ 13	⑨ 事業主
⑩ 自己	⑪ 死亡した者	⑫ 生活基盤の喪失
⑬ 精神的損害	⑭ 世帯主	⑮ 相続財産の喪失
⑯ 月	⑰ 月の翌月	⑱ 日
⑲ 日の翌日	⑳ 被扶養利益の喪失	

【解答】

A ⑤ 8 （則14条3項2号）
B ② 5 （則14条3項3号）
C ⑰ 月の翌月 （法9条1項）
D ⑩ 自己 （法11条4項）
E ⑳ 被扶養利益の喪失 （最高裁大法廷判決 平27.3.4 損害賠償請求事件）

本試験問題番号対照表

◆労働基準法

●令和6年度

問題番号	頁数	備考
R6.1-A	2	
R6.1-B	4	
R6.1-C	8	
R6.1-D	22	
R6.1-E	26	
R6.2-ア	16	
R6.2-イ	24	
R6.2-ウ	36	
R6.3-A	38	
R6.3-B	40	
R6.3-C	44	
R6.3-D	48	
R6.3-E	56	
R6.4-A	60	
R6.4-B	60	
R6.4-C	60	
R6.4-D	62	
R6.4-E	62	
R6.5-ア	92	
R6.5-イ	106	
R6.5-ウ	124	
R6.5-エ	124	
R6.5-オ	126	
R6.6-A	130	
R6.6-B	130	
R6.6-C	132	
R6.6-D	134	
R6.6-E	128	
R6.7-A	148	
R6.7-B	156	
R6.7-C	144	
R6.7-D	146	
R6.7-E	148	

●令和5年度

問題番号	頁数	備考
R5.1-A	78	
R5.1-B	80	
R5.1-C	80	
R5.1-D	80	
R5.1-E	80	
R5.2-ア	102	
R5.2-イ	104	
R5.2-ウ	102	
R5.2-エ	102	
R5.2-オ	102	
R5.3-A	138	
R5.3-B	140	
R5.3-C	50	
R5.3-D	142	
R5.3-E	136	
R5.4-A	4	
R5.4-B	4	
R5.4-C	10	
R5.4-D	10	
R5.4-E	22	
R5.5-A	38	
R5.5-B	40	
R5.5-C	46	
R5.5-D	54	
R5.5-E	52	
R5.6-A	64	
R5.6-B	106	
R5.6-C	70	
R5.6-D	72	
R5.6-E	76	
R5.7-A	96	
R5.7-B	106	
R5.7-C	84	
R5.7-D	132	
R5.7-E	88	

●令和4年度

問題番号	頁数	備考
R4.1-A	18	
R4.1-B	18	
R4.1-C	16	
R4.1-D	18	
R4.1-E	18	
R4.2-A	86	
R4.2-B	86	
R4.2-C	86	
R4.2-D	86	
R4.2-E	88	
R4.3-A	126	
R4.3-B	110	
R4.3-C	108	
R4.3-D	106	
R4.3-E	106	
R4.4-A	2	
R4.4-B	4	
R4.4-C	6	
R4.4-D	8	
R4.4-E	22	
R4.5-A	38	
R4.5-B	42	
R4.5-C	44	
R4.5-D	44	
R4.5-E	54	
R4.6-ア	34	
R4.6-イ	70	
R4.6-ウ	72	
R4.6-エ	64	
R4.6-オ	82	
R4.7-A	88	
R4.7-B	92	
R4.7-C	112	
R4.7-D	116	
R4.7-E	128	

※法改正等により、問題として成立しなくなったものは、
下表において「－」で表記しており、本書には掲載しておりません。

●令和3年度

問題番号	頁数	備考
R3.1-A	2	
R3.1-B	6	
R3.1-C	10	
R3.1-D	12	
R3.1-E	24	
R3.2-A	36	
R3.2-B	42	
R3.2-C	46	
R3.2-D	46	
R3.2-E	130	
R3.3-ア	58	
R3.3-イ	58	
R3.3-ウ	68	
R3.3-エ	66	
R3.3-オ	72	
R3.4-A	74	
R3.4-B	76	
R3.4-C	74	
R3.4-D	74	
R3.4-E	74	
R3.5-A	108	
R3.5-B	92	
R3.5-C	136	
R3.5-D	142	
R3.5-E	96	
R3.6-A	138	
R3.6-B	140	
R3.6-C	140	
R3.6-D	140	
R3.6-E	140	
R3.7-A	146	
R3.7-B	146	
R3.7-C	150	
R3.7-D	152	
R3.7-E	152	

●令和2年度

問題番号	頁数	備考
R2.1-A	20	
R2.1-B	20	
R2.1-C	22	
R2.1-D	24	
R2.1-E	22	
R2.2-A	160	
R2.2-B	160	
R2.2-C	158	
R2.2-D	158	
R2.2-E	158	
R2.3-A	138	
R2.3-B	138	
R2.3-C	138	
R2.3-D	138	
R2.3-E	138	
R2.4-A	6	
R2.4-B	8	
R2.4-C	12	
R2.4-D	12	
R2.4-E	26	
R2.5-ア	36	
R2.5-イ	42	
R2.5-ウ	52	
R2.5-エ	52	
R2.5-オ	54	
R2.6-A	84	
R2.6-B	96	
R2.6-C	108	
R2.6-D	112	
R2.6-E	132	
R2.7-A	150	
R2.7-B	150	
R2.7-C	144	
R2.7-D	144	
R2.7-E	152	

●令和元年度

問題番号	頁数	備考
R元.1-A	30	
R元.1-B	30	
R元.1-C	32	
R元.1-D	32	
R元.1-E	32	
R元.2-A	94	
R元.2-B	140	
R元.2-C	94	
R元.2-D	92	
R元.2-E	92	
R元.3-ア	8	
R元.3-イ	8	
R元.3-ウ	12	
R元.3-エ	20	
R元.3-オ	24	
R元.4-A	40	
R元.4-B	46	
R元.4-C	50	
R元.4-D	52	
R元.4-E	54	
R元.5-A	58	
R元.5-B	68	
R元.5-C	70	
R元.5-D	72	
R元.5-E	76	
R元.6-A	84	
R元.6-B	98	
R元.6-C	124	
R元.6-D	116	
R元.6-E	130	
R元.7-A	144	
R元.7-B	160	
R元.7-C	150	
R元.7-D	152	
R元.7-E	148	

●平成30年度

問題番号	頁数	備考
H30.1-ア	98	
H30.1-イ	84	
H30.1-ウ	90	
H30.1-エ	136	
H30.1-オ	84	
H30.2-ア	96	
H30.2-イ	100	
H30.2-ウ	98	
H30.2-エ	52	
H30.2-オ	52	
H30.3-A	114	
H30.3-B	114	
H30.3-C	114	
H30.3-D	116	
H30.3-E	112	
H30.4-ア	2	
H30.4-イ	6	
H30.4-ウ	6	
H30.4-エ	20	
H30.4-オ	24	
H30.5-A	56	
H30.5-B	44	
H30.5-C	50	
H30.5-D	38	
H30.5-E	54	
H30.6-A	64	
H30.6-B	66	
H30.6-C	70	
H30.6-D	68	
H30.6-E	74	
H30.7-A	144	
H30.7-B	146	
H30.7-C	146	
H30.7-D	28	
H30.7-E	154	

●平成29年度

問題番号	頁数	備考
H29.1-A	94	
H29.1-B	96	
H29.1-C	102	
H29.1-D	104	
H29.1-E	116	
H29.2-ア	16	
H29.2-イ	16	
H29.2-ウ	16	
H29.2-エ	18	
H29.2-オ	18	
H29.3-A	38	
H29.3-B	42	
H29.3-C	54	
H29.3-D	50	
H29.3-E	40	
H29.4-A	124	
H29.4-B	110	
H29.4-C	108	
H29.4-D	84	
H29.4-E	108	
H29.5-ア	4	
H29.5-イ	10	
H29.5-ウ	12	
H29.5-エ	14	
H29.5-オ	20	
H29.6-A	58	
H29.6-B	72	
H29.6-C	64	
H29.6-D	66	
H29.6-E	76	
H29.7-A	136	
H29.7-B	136	
H29.7-C	136	
H29.7-D	140	
H29.7-E	142	

●平成28年度

問題番号	頁数	備考
H28.1-ア	2	
H28.1-イ	2	
H28.1-ウ	4	
H28.1-エ	12	
H28.1-オ	24	
H28.2-A	38	
H28.2-B	42	
H28.2-C	44	
H28.2-D	46	
H28.2-E	48	
H28.3-A	58	
H28.3-B	62	
H28.3-C	66	
H28.3-D	70	
H28.3-E	82	
H28.4-A	86	
H28.4-B	96	
H28.4-C	98	
H28.4-D	100	
H28.4-E	102	
H28.5-A	146	
H28.5-B	148	
H28.5-C	148	
H28.5-D	152	
H28.5-E	154	
H28.6-A	118	
H28.6-B	118	
H28.6-C	120	
H28.6-D	120	
H28.6-E	122	
H28.7-A	128	
H28.7-B	128	
H28.7-C	128	
H28.7-D	130	
H28.7-E	132	

◆労働安全衛生法

●平成27年度

問題番号	頁数	備考
H27.1-A	2	
H27.1-B	6	
H27.1-C	6	
H27.1-D	10	
H27.1-E	18	
H27.2-A	34	
H27.2-B	34	
H27.2-C	28	
H27.2-D	28	
H27.2-E	28	
H27.3-A	36	
H27.3-B	36	
H27.3-C	40	
H27.3-D	44	
H27.3-E	50	
H27.4-A	64	
H27.4-B	66	
H27.4-C	68	
H27.4-D	70	
H27.4-E	70	
H27.5-A	78	
H27.5-B	78	
H27.5-C	82	
H27.5-D	82	
H27.5-E	82	
H27.6-ア	88	
H27.6-イ	94	
H27.6-ウ	154	
H27.6-エ	126	
H27.6-オ	126	
H27.7-A	144	
H27.7-B	148	
H27.7-C	150	
H27.7-D	152	
H27.7-E	154	

●令和6年度

問題番号	頁数	備考
R6.8-A	174	
R6.8-B	172	
R6.8-C	176	
R6.8-D	188	
R6.8-E	184	
R6.9-A	230	
R6.9-B	232	
R6.9-C	232	
R6.9-D	236	
R6.9-E	248	
R6.10-A	238	
R6.10-B	238	
R6.10-C	238	
R6.10-D	238	
R6.10-E	238	

●令和5年度

問題番号	頁数	備考
R5.8-A	212	
R5.8-B	212	
R5.8-C	212	
R5.8-D	212	
R5.8-E	214	
R5.9-A	200	
R5.9-B	200	
R5.9-C	200	
R5.9-D	200	
R5.9-E	200	
R5.10-A	230	
R5.10-B	226	
R5.10-C	230	
R5.10-D	230	
R5.10-E	228	

●令和4年度

問題番号	頁数	備考
R4.8-A	196	
R4.8-B	196	
R4.8-C	198	
R4.8-D	208	
R4.8-E	206	
R4.9-A	190	
R4.9-B	190	
R4.9-C	190	
R4.9-D	190	
R4.9-E	190	
R4.10-A	192	
R4.10-B	192	
R4.10-C	194	
R4.10-D	192	
R4.10-E	194	

●令和3年度

問題番号	頁数	備考
R3.8-A	164	
R3.8-B	166	
R3.8-C	204	
R3.8-D	220	
R3.8-E	220	
R3.9-ア	170	
R3.9-イ	172	
R3.9-ウ	172	
R3.9-エ	172	
R3.9-オ	174	
R3.10-A	242	
R3.10-B	242	
R3.10-C	242	
R3.10-D	174	
R3.10-E	240	

●令和2年度

問題番号	頁数	備考
R2.8-A	232	
R2.8-B	232	
R2.8-C	234	
R2.8-D	232	
R2.8-E	236	
R2.9-A	164	
R2.9-B	170	
R2.9-C	174	
R2.9-D	164	
R2.9-E	244	
R2.10-A	222	
R2.10-B	222	
R2.10-C	222	
R2.10-D	222	
R2.10-E	222	

●令和元年度

問題番号	頁数	備考
R元.8-A	208	
R元.8-B	194	
R元.8-C	198	
R元.8-D	206	
R元.8-E	210	
R元.9-A	216	
R元.9-B	216	
R元.9-C	216	
R元.9-D	216	
R元.9-E	216	
R元.10-A	226	
R元.10-B	226	
R元.10-C	226	
R元.10-D	228	
R元.10-E	230	

◆労働者災害補償保険法

●平成30年度

問題番号	頁数	備考
H30.8-A	246	
H30.8-B	248	
H30.8-C	246	
H30.8-D	248	
H30.8-E	248	
H30.9-A	218	
H30.9-B	218	
H30.9-C	218	
H30.9-D	218	
H30.9-E	218	
H30.10-A	234	
H30.10-B	234	
H30.10-C	234	
H30.10-D	234	
H30.10-E	236	

●平成29年度

問題番号	頁数	備考
H29.8-A	242	
H29.8-B	240	
H29.8-C	166	
H29.8-D	166	
H29.8-E	164	
H29.9-A	186	
H29.9-B	192	
H29.9-C	178	
H29.9-D	180	
H29.9-E	182	
H29.10-A	186	
H29.10-B	186	
H29.10-C	188	
H29.10-D	188	
H29.10-E	190	

●平成28年度

問題番号	頁数	備考
H28.8-A	202	
H28.8-B	202	
H28.8-C	204	
H28.8-D	204	
H28.8-E	204	
H28.9-A	164	
H28.9-B	164	
H28.9-C	170	
H28.9-D	168	
H28.9-E	242	
H28.10-A	224	
H28.10-B	224	
H28.10-C	224	
H28.10-D	224	
H28.10-E	224	

●平成27年度

問題番号	頁数	備考
H27.8-A	200	
H27.8-B	202	
H27.8-C	202	
H27.8-D	202	
H27.8-E	202	
H27.9-A	246	
H27.9-B	246	
H27.9-C	246	
H27.9-D	246	
H27.9-E	248	
H27.10-ア	226	
H27.10-イ	228	
H27.10-ウ	228	
H27.10-エ	228	
H27.10-オ	228	

●令和6年度

問題番号	頁数	備考
R6.1-A	298	
R6.1-B	298	
R6.1-C	298	
R6.1-D	298	
R6.1-E	300	
R6.2-A	290	
R6.2-B	290	
R6.2-C	292	
R6.2-D	292	
R6.2-E	292	
R6.3-ア	274	
R6.3-イ	284	
R6.3-ウ	284	
R6.3-エ	284	
R6.3-オ	276	
R6.4-A	320	
R6.4-B	320	
R6.4-C	304	
R6.4-D	306	
R6.4-E	306	
R6.5-ア	340	
R6.5-イ	342	
R6.5-ウ	342	
R6.5-エ	342	
R6.5-オ	342	
R6.6-A	390	
R6.6-B	392	
R6.6-C	392	
R6.6-D	392	
R6.6-E	392	
R6.7-ア	358	
R6.7-イ	346	
R6.7-ウ	360	
R6.7-エ	356	
R6.7-オ	366	

●令和5年度

問題番号	頁数	備考
R5.1-A	276	
R5.1-B	278	
R5.1-C	278	
R5.1-D	278	
R5.1-E	278	
R5.2-A	326	
R5.2-B	326	
R5.2-C	326	
R5.2-D	326	
R5.2-E	326	
R5.3-ア	268	
R5.3-イ	268	
R5.3-ウ	268	
R5.3-エ	268	
R5.3-オ	268	
R5.4-ア	368	
R5.4-イ	368	
R5.4-ウ	368	
R5.4-エ	368	
R5.4-オ	370	
R5.5-A	338	
R5.5-B	338	
R5.5-C	338	
R5.5-D	338	
R5.5-E	340	
R5.6-A	396	
R5.6-B	396	
R5.6-C	396	
R5.6-D	396	
R5.6-E	396	
R5.7-A	−	
R5.7-B	−	
R5.7-C	−	
R5.7-D	−	
R5.7-E	304	

●令和4年度

問題番号	頁数	備考
R4.1-A	270	
R4.1-B	274	
R4.1-C	270	
R4.1-D	270	
R4.1-E	274	
R4.2-A	376	
R4.2-B	376	
R4.2-C	376	
R4.2-D	376	
R4.2-E	376	
R4.3-A	386	
R4.3-B	386	
R4.3-C	386	
R4.3-D	386	
R4.3-E	386	
R4.4-ア	264	
R4.4-イ	260	
R4.4-ウ	262	
R4.4-エ	262	
R4.4-オ	260	
R4.5-A	296	
R4.5-B	296	
R4.5-C	296	
R4.5-D	298	
R4.5-E	296	
R4.6-A	264	
R4.6-B	262	
R4.6-C	302	
R4.6-D	294	
R4.6-E	294	
R4.7-ア	308	
R4.7-イ	308	
R4.7-ウ	310	
R4.7-エ	310	

●令和3年度

問題番号	頁数	備考
R3.1-A	264	
R3.1-B	266	
R3.1-C	266	
R3.1-D	266	
R3.1-E	266	
R3.2-A	294	
R3.2-B	300	
R3.2-C	302	
R3.2-D	294	
R3.2-E	296	
R3.3-A	388	
R3.3-B	392	
R3.3-C	394	
R3.3-D	392	
R3.3-E	390	
R3.4-A	282	
R3.4-B	282	
R3.4-C	282	
R3.4-D	282	
R3.4-E	284	
R3.5-A	332	
R3.5-B	332	
R3.5-C	332	
R3.5-D	332	
R3.5-E	334	
R3.6-A	342	
R3.6-B	344	
R3.6-C	344	
R3.6-D	344	
R3.6-E	344	
R3.7-A	286	
R3.7-B	286	
R3.7-C	286	
R3.7-D	286	
R3.7-E	288	

●令和2年度

問題番号	頁数	備考
R 2.1-A	358	
R 2.1-B	360	
R 2.1-C	360	
R 2.1-D	360	
R 2.1-E	360	
R 2.2-A	352	
R 2.2-B	352	
R 2.2-C	366	
R 2.2-D	366	
R 2.2-E	354	
R 2.3-A	388	
R 2.3-B	388	
R 2.3-C	388	
R 2.3-D	390	
R 2.3-E	390	
R 2.4-ア	402	
R 2.4-イ	402	
R 2.4-ウ	402	
R 2.4-エ	404	
R 2.4-オ	404	
R 2.5-A	330	
R 2.5-B	330	
R 2.5-C	330	
R 2.5-D	330	
R 2.5-E	332	
R 2.6-A	318	
R 2.6-B	324	
R 2.6-C	338	
R 2.6-D	328	
R 2.6-E	336	
R 2.7-A	382	
R 2.7-B	382	
R 2.7-C	384	
R 2.7-D	398	
R 2.7-E	384	

●令和元年度

問題番号	頁数	備考
R元.1-A	352	
R元.1-B	400	
R元.1-C	404	
R元.1-D	402	
R元.1-E	400	
R元.2-ア	356	
R元.2-イ	356	
R元.2-ウ	356	
R元.2-エ	356	
R元.2-オ	358	
R元.3-A	270	
R元.3-B	268	
R元.3-C	272	
R元.3-D	272	
R元.3-E	272	
R元.4-A	256	
R元.4-B	256	
R元.4-C	294	
R元.4-D	358	
R元.4-E	358	
R元.5-A	312	
R元.5-B	314	
R元.5-C	314	
R元.5-D	314	
R元.5-E	348	
R元.6-ア	380	
R元.6-イ	380	
R元.6-ウ	380	
R元.6-エ	382	
R元.6-オ	382	
R元.7-A	374	
R元.7-B	374	
R元.7-C	374	
R元.7-D	374	
R元.7-E	374	

●平成30年度

問題番号	頁数	備考
H30.1-A	274	
H30.1-B	276	
H30.1-C	276	
H30.1-D	280	
H30.1-E	278	
H30.2-A	322	
H30.2-B	336	
H30.2-C	336	
H30.2-D	312	
H30.2-E	312	
H30.3-A	400	
H30.3-B	400	
H30.3-C	400	
H30.3-D	402	
H30.3-E	402	
H30.4-ア	354	
H30.4-イ	354	
H30.4-ウ	354	
H30.4-エ	404	
H30.4-オ	252	
H30.5-A	318	
H30.5-B	318	
H30.5-C	322	
H30.5-D	318	
H30.5-E	318	
H30.6-A	326	
H30.6-B	334	
H30.6-C	328	
H30.6-D	334	
H30.6-E	328	
H30.7-A	350	
H30.7-B	350	
H30.7-C	350	
H30.7-D	350	
H30.7-E	350	

●平成29年度

問題番号	頁数	備考
H29.1-A	258	
H29.1-B	256	
H29.1-C	258	
H29.1-D	258	
H29.1-E	256	
H29.2-A	322	
H29.2-B	322	
H29.2-C	324	
H29.2-D	324	
H29.2-E	324	
H29.3-ア	374	
H29.3-イ	374	
H29.3-ウ	378	
H29.3-エ	378	
H29.3-オ	378	
H29.4-A	252	
H29.4-B	252	
H29.4-C	252	
H29.4-D	252	
H29.4-E	252	
H29.5-A	292	
H29.5-B	348	
H29.5-C	290	
H29.5-D	292	
H29.5-E	296	
H29.6-A	372	
H29.6-B	372	
H29.6-C	370	
H29.6-D	372	
H29.6-E	370	
H29.7-A	308	
H29.7-B	378	
H29.7-C	388	
H29.7-D	356	
H29.7-E	358	

●平成28年度

問題番号	頁数	備考
H28.1-A	252	
H28.1-B	252	
H28.1-C	254	
H28.1-D	254	
H28.1-E	252	
H28.2-A	264	
H28.2-B	264	
H28.2-C	262	
H28.2-D	266	
H28.2-E	260	
H28.3-A	290	
H28.3-B	300	
H28.3-C	290	
H28.3-D	300	
H28.3-E	290	
H28.4-A	312	
H28.4-B	314	
H28.4-C	314	
H28.4-D	314	
H28.4-E	314	
H28.5-ア	266	
H28.5-イ	262	
H28.5-ウ	262	
H28.5-エ	308	
H28.5-オ	300	
H28.6-ア	340	
H28.6-イ	340	
H28.6-ウ	340	
H28.6-エ	346	
H28.6-オ	346	
H28.7-A	380	
H28.7-B	380	
H28.7-C	380	
H28.7-D	382	
H28.7-E	382	

●平成27年度

問題番号	頁数	備考
H27.1-A	280	
H27.1-B	280	
H27.1-C	280	
H27.1-D	280	
H27.1-E	282	
H27.2-A	312	
H27.2-B	312	
H27.2-C	314	
H27.2-D	316	
H27.2-E	348	
H27.3-A	256	
H27.3-B	256	
H27.3-C	258	
H27.3-D	302	
H27.3-E	302	
H27.4-A	362	
H27.4-B	362	
H27.4-C	362	
H27.4-D	362	
H27.4-E	364	
H27.5-A	260	
H27.5-B	260	
H27.5-C	254	
H27.5-D	352	
H27.5-E	352	
H27.6-ア	356	
H27.6-イ	356	
H27.6-ウ	366	
H27.6-エ	396	
H27.6-オ	396	
H27.7-ア	352	
H27.7-イ	306	
H27.7-ウ	322	
H27.7-エ	340	
H27.7-オ	346	

◆選択式

●労働基準法及び労働安全衛生法

問題番号	頁数	備考
R6-選択	428	
R5-選択	426	
R4-選択	424	
R3-選択	422	
R2-選択	420	
R元-選択	418	
H30-選択	416	
H29-選択	414	
H28-選択	412	
H27-選択	408	

●労働者災害補償保険法

問題番号	頁数	備考
R6-選択	448	
R5-選択	446	
R4-選択	444	
R3-選択	442	
R2-選択	440	
R元-選択	438	
H30-選択	436	
H29-選択	434	
H28-選択	432	
H27-選択	430	

出る順社労士シリーズ
2025年版 出る順社労士 一問一答過去10年問題集
①労働基準法・労働安全衛生法・労働者災害補償保険法

2016年10月25日　第１版　第１刷発行
2024年10月25日　第９版　第１刷発行

編著者●株式会社　東京リーガルマインド
LEC総合研究所　社会保険労務士試験部

発行所●株式会社　東京リーガルマインド
〒164-0001　東京都中野区中野4-11-10
アーバンネット中野ビル
LECコールセンター　0570-064-464
受付時間　平日9：30～19：30/土・日・祝10：00～18：00
※このナビダイヤルは通話料お客様ご負担となります。
書店様専用受注センター　TEL 048-999-7581 / FAX 048-999-7591
受付時間　平日9：00～17：00/土・日・祝休み
www.lec-jp.com/

印刷・製本●倉敷印刷株式会社

　ISBN978-4-8449-6888-7

コース［全73回］

6月	7月	8月

横断攻略講座［全2回］

白書・統計攻略講座［全2回］

答練 ～選択式・択一式～［全7回］

全日本社労士公開模試［全3回］

社会保険労務士試験

Message

澤井講師からのメッセージ

社労士試験の合格基準は択一式・選択式それぞれの総合点と各科目の基準点をクリアーすることが必要です。そのためには本論編でしっかりとした知識を取り込み、答案練習や模試のアウトプットにつなげていくことが大切です。通学の方も通信の方も不得意科目をつくらずコンスタントに学習を進めていきましょう。

合格講座ガイダンス動画はこちらから

工藤講師からのメッセージ

社労士試験に合格するためには、乗り越えなければならない大変な困難があります。膨大な条文の理解のみならず時には試験テクニックも必要とされます、仕事や家庭との両立の悩みなど、とても独学で乗り越えられるものではありません。私は皆さんに、学習は苦痛ではなく、知らなかったことが理解できた時の嬉しさを感じて頂き、むしろもっと知りたい!と思う気持ちを伝えたいと思っています。メンタル面も含め、これから私が皆さんのサポーターです!

さらに直前対策を強化したい方向け別売オプション

別売 直前対策強化パック［全8回］

選択式予想講座　全2回（2.5H×2回）

選択式問題の出題傾向を徹底分析⇒必要な知識の解説、解き方のコツを伝授します!

年金横断講座　全4回（2.5H×4回）

「年金の壁」を乗り越え、得点源にしよう!

判例マスター講座　全2回（2.5H×2回）

出題可能性の高い重要判例を効率よくかつ丁寧に学習し、得点力を強化します。

中上級プログラム。**狙いは1つ、本試験で合格点を取ること。**

ス[全85回] /中上級コース[全77回]

▲詳細はこちら

2025 年5月～ 2025年8月

充実の直前対策[全16回]

- 改正法攻略講座 全2回(2.5時間×2)
- 白書・統計攻略講座 全2回(2.5時間×2)
- 横断攻略講座 全2回(2.5時間×2)
- 実戦答練～選択式・択一式～ 全7回(答練50分/解説90分)
- 全日本社労士公開模試 全3回

先取りトリプル

労働一般常識
インプット 4回
確認テスト 1回
本試験予想答練1回

- 先取り白書対策 1回
- 先取り改正法対策 1回
- 実力確認模試(労働編) 1回

☑**科目毎の確認テストと本試験予想答練**で アウトプット力を鍛える
☑**始めからの科目間横断学習**で 効率的な総復習
☑**先取りトリプル**で、知識を先取りし、直前期の詰め込みを回避!
☑**実力確認模試**(労働編・社保編)で アウトプット力完成
☑**一問一答過去問BOOK**(自習用教材)で徹底的な過去問対策

リニューアル

直前対策強化パック
[全8回]別売

- 年金横断講座 全4回(2.5時間×4)
- 選択式予想講座 全2回(2.5時間×2)
- 判例マスター講座 全2回(2.5時間×2)

中上級コースはこんな人にオススメ

- 一通りのインプット講義を履修した方
- 模試や本試験の択一式で、半分程度は正答できている方
- これまでの学習で、過去問対策・横断学習・選択式対策が不十分だったと考えている方
- 独学や予備校での学習で、点が伸び悩んでいる方
- 似たような概念や要件に、頭を悩ませている方

LEC Webサイト ▷▷▷ www.lec-jp.com/

情報盛りだくさん！

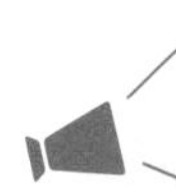

資格を選ぶときも，
講座を選ぶときも，
最新情報でサポートします！

最新情報

各試験の試験日程や法改正情報，対策講座，模擬試験の最新情報を日々更新しています。

資料請求

講座案内など無料でお届けいたします。

受講・受験相談

メールでのご質問を随時受付けております。

よくある質問

LECのシステムから，資格試験についてまで，よくある質問をまとめました。疑問を今すぐ解決したいなら，まずチェック！

書籍・問題集（LEC書籍部）

LECが出版している書籍・問題集・レジュメをこちらで紹介しています。

充実の動画コンテンツ！

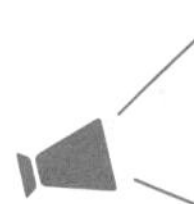

ガイダンスや講演会動画，
講義の無料試聴まで
Webで今すぐCheck！

動画視聴OK

パンフレットやWebサイトを見てもわかりづらいところを動画で説明。いつでもすぐに問題解決！

Web無料試聴

講座の第1回目を動画で無料試聴！気になる講義内容をすぐに確認できます。

スマートフォン・タブレットから簡単アクセス！ ▷▷▷

自慢のメールマガジン配信中！（登録無料）

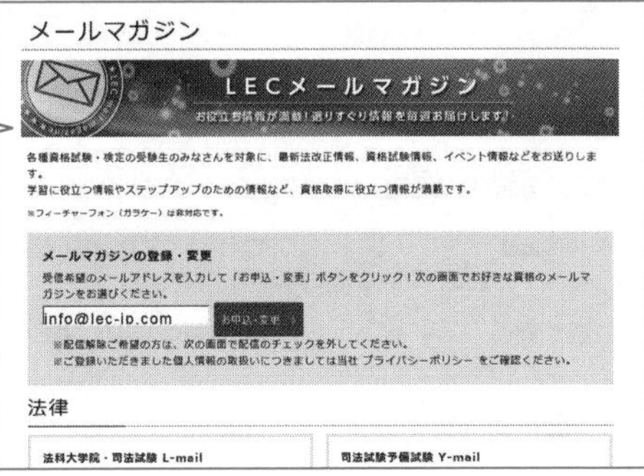

LEC講師陣が毎週配信！　最新情報やワンポイントアドバイス，改正ポイントなど合格に必要な知識をメールにて毎週配信。

www.lec-jp.com/mailmaga/

LECオンラインショップ

充実のラインナップ！　LECの書籍・問題集や講座などのご注文がいつでも可能です。また、割引クーポンや各種お支払い方法をご用意しております。

online.lec-jp.com/

LEC電子書籍シリーズ

LECの書籍が電子書籍に！　お使いのスマートフォンやタブレットで，いつでもどこでも学習できます。

※動作環境・機能につきましては，各電子書籍ストアにてご確認ください。

www.lec-jp.com/ebook/

LEC書籍・問題集・レジュメの紹介サイト **LEC書籍部** **www.lec-jp.com/system/book/**

- LECが出版している書籍・問題集・レジュメをご紹介
- 当サイトから書籍などの直接購入が可能（*）
- 書籍の内容を確認できる「チラ読み」サービス
- 発行後に判明した誤字等の訂正情報を公開

＊商品をご購入いただく際は，事前に会員登録（無料）が必要です。
＊購入金額の合計・発送する地域によって，別途送料がかかる場合がございます。

※資格試験によっては実施していないサービスがありますので，ご了承ください。

LEC全国学校案内

＊講座のお問合せ，受講相談は最寄りのLEC各校へ

LEC本校

北海道・東北

札　幌本校　☎011(210)5002
〒060-0004 北海道札幌市中央区北4条西5-1　アスティ45ビル

仙　台本校　☎022(380)7001
〒980-0022 宮城県仙台市青葉区五橋1-1-10　第二河北ビル

関東

渋谷駅前本校　☎03(3464)5001
〒150-0043 東京都渋谷区道玄坂2-6-17　渋東シネタワー

池　袋本校　☎03(3984)5001
〒171-0022 東京都豊島区南池袋1-25-11　第15野萩ビル

水道橋本校　☎03(3265)5001
〒101-0061 東京都千代田区神田三崎町2-2-15　Daiwa三崎町ビル

新宿エルタワー本校　☎03(5325)6001
〒163-1518 東京都新宿区西新宿1-6-1　新宿エルタワー

早稲田本校　☎03(5155)5501
〒162-0045 東京都新宿区馬場下町62　三朝庵ビル

中　野本校　☎03(5913)6005
〒164-0001 東京都中野区中野4-11-10　アーバンネット中野ビル

立　川本校　☎042(524)5001
〒190-0012 東京都立川市曙町1-14-13　立川MKビル

町　田本校　☎042(709)0581
〒194-0013 東京都町田市原町田4-5-8　MIキューブ町田イースト

横　浜本校　☎045(311)5001
〒220-0004 神奈川県横浜市西区北幸2-4-3　北幸GM21ビル

千　葉本校　☎043(222)5009
〒260-0015 千葉県千葉市中央区富士見2-3-1　塚本大千葉ビル

大　宮本校　☎048(740)5501
〒330-0802 埼玉県さいたま市大宮区宮町1-24　大宮GSビル

東海

名古屋駅前本校　☎052(586)5001
〒450-0002 愛知県名古屋市中村区名駅4-6-23　第三堀内ビル

静　岡本校　☎054(255)5001
〒420-0857 静岡県静岡市葵区御幸町3-21　ペガサート

北陸

富　山本校　☎076(443)5810
〒930-0002 富山県富山市新富町2-4-25　カーニープレイス富山

関西

梅田駅前本校　☎06(6374)5001
〒530-0013 大阪府大阪市北区茶屋町1-27　ABC-MART梅田ビル

難波駅前本校　☎06(6646)6911
〒556−0017 大阪府大阪市浪速区湊町1-4-1
大阪シティエアターミナルビル

京都駅前本校　☎075(353)9531
〒600-8216 京都府京都市下京区東洞院通七条下ル2丁目
東塩小路町680-2　木村食品ビル

四条烏丸本校　☎075(353)2531
〒600-8413　京都府京都市下京区烏丸通仏光寺下ル
大政所町680-1　第八長谷ビル

神　戸本校　☎078(325)0511
〒650-0021 兵庫県神戸市中央区三宮町1-1-2　三宮セントラルビル

中国・四国

岡　山本校　☎086(227)5001
〒700-0901 岡山県岡山市北区本町10-22　本町ビル

広　島本校　☎082(511)7001
〒730-0011 広島県広島市中区基町11-13　合人社広島紙屋町アネクス

山　口本校　☎083(921)8911
〒753-0814 山口県山口市吉敷下東 3-4-7　リアライズⅢ

高　松本校　☎087(851)3411
〒760-0023 香川県高松市寿町2-4-20　高松センタービル

松　山本校　☎089(961)1333
〒790-0003 愛媛県松山市三番町7-13-13　ミツネビルディング

九州・沖縄

福　岡本校　☎092(715)5001
〒810-0001 福岡県福岡市中央区天神4-4-11　天神ショッパーズ福岡

那　覇本校　☎098(867)5001
〒902-0067 沖縄県那覇市安里2-9-10　丸姫産業第2ビル

EYE関西

EYE 大阪本校　☎06(7222)3655
〒530-0013　大阪府大阪市北区茶屋町1-27　ABC-MART梅田ビル

EYE 京都本校　☎075(353)2531
〒600-8413　京都府京都市下京区烏丸通仏光寺下ル
大政所町680-1　第八長谷ビル

LEC提携校

＊提携校はLECとは別の経営母体が運営をしております。
＊提携校は実施講座およびサービスにおいてLECと異なる部分がございます。

北海道・東北

八戸中央校【提携校】 ☎0178(47)5011
〒031-0035　青森県八戸市寺横町13　第1朋友ビル　新教育センター内

弘前校【提携校】 ☎0172(55)8831
〒036-8093　青森県弘前市城東中央1-5-2
まなびの森　弘前城東予備校内

秋田校【提携校】 ☎018(863)9341
〒010-0964　秋田県秋田市八橋鯲沼町1-60
株式会社アキタシステムマネジメント内

関東

水戸校【提携校】 ☎029(297)6611
〒310-0912　茨城県水戸市見川2-3079-5

所沢校【提携校】 ☎050(6865)6996
〒359-0037　埼玉県所沢市くすのき台3-18-4　所沢K・Sビル
合同会社LPエデュケーション内

日本橋校【提携校】 ☎03(6661)1188
〒103-0025　東京都中央区日本橋茅場町2-5-6　日本橋大江戸ビル
株式会社大江戸コンサルタント内

東海

沼津校【提携校】 ☎055(928)4621
〒410-0048　静岡県沼津市新宿町3-15　萩原ビル
M-netパソコンスクール沼津校内

北陸

新潟校【提携校】 ☎025(240)7781
〒950-0901　新潟県新潟市中央区弁天3-2-20　弁天501ビル
株式会社大江戸コンサルタント内

金沢校【提携校】 ☎076(237)3925
〒920-8217　石川県金沢市近岡町845-1　株式会社アイ・アイ・ピー金沢内

福井南校【提携校】 ☎0776(35)8230
〒918-8114　福井県福井市羽水2-701　株式会社ヒューマン・デザイン内

関西

和歌山駅前校【提携校】 ☎073(402)2888
〒640-8342　和歌山県和歌山市友田町2-145
KEG教育センタービル　株式会社KEGキャリア・アカデミー内

中国・四国

松江殿町校【提携校】 ☎0852(31)1661
〒690-0887　島根県松江市殿町517　アルファステイツ殿町
山路イングリッシュスクール内

岩国駅前校【提携校】 ☎0827(23)7424
〒740-0018　山口県岩国市麻里布町1-3-3　岡村ビル　英光学院内

新居浜駅前校【提携校】 ☎0897(32)5356
〒792-0812　愛媛県新居浜市坂井町2-3-8　パルティフジ新居浜駅前店内

九州・沖縄

佐世保駅前校【提携校】 ☎0956(22)8623
〒857-0862　長崎県佐世保市白南風町5-15　智翔館内

日野校【提携校】 ☎0956(48)2239
〒858-0925　長崎県佐世保市椎木町336-1　智翔館日野校内

長崎駅前校【提携校】 ☎095(895)5917
〒850-0057 長崎県長崎市大黒町10-10　KoKoRoビル
minatoコワーキングスペース内

高原校【提携校】 ☎098(989)8009
〒904-2163　沖縄県沖縄市大里2-24-1
有限会社スキップヒューマンワーク内

※上記は2024年9月1日現在のものです。

書籍の訂正情報について

このたびは，弊社発行書籍をご購入いただき，誠にありがとうございます。
万が一誤りの箇所がございましたら，以下の方法にてご確認ください。

1 訂正情報の確認方法

書籍発行後に判明した訂正情報を順次掲載しております。
下記Webサイトよりご確認ください。

www.lec-jp.com/system/correct/

2 ご連絡方法

上記Webサイトに訂正情報の掲載がない場合は，下記Webサイトの入力フォームよりご連絡ください。

lec.jp/system/soudan/web.html

フォームのご入力にあたりましては，「Web教材・サービスのご利用について」の最下部の「ご質問内容」に下記事項をご記載ください。

- 対象書籍名（○○年版，第○版の記載がある書籍は併せてご記載ください）
- ご指摘箇所（具体的にページ数と内容の記載をお願いいたします）

ご連絡期限は，次の改訂版の発行日までとさせていただきます。
また，改訂版を発行しない書籍は，販売終了日までとさせていただきます。

※上記「2ご連絡方法」のフォームをご利用になれない場合は，①書籍名，②発行年月日，③ご指摘箇所，を記載の上，郵送にて下記送付先にご送付ください。確認した上で，内容理解の妨げとなる誤りについては，訂正情報として掲載させていただきます。なお，郵送でご連絡いただいた場合は個別に返信しておりません。

送付先：〒164-0001 東京都中野区中野4-11-10 アーバンネット中野ビル
株式会社東京リーガルマインド 出版部 訂正情報係

- 誤りの箇所のご連絡以外の書籍の内容に関する質問は受け付けておりません。
また，書籍の内容に関する解説，受験指導等は一切行っておりませんので，あらかじめご了承ください。
- お電話でのお問合せは受け付けておりません。

講座・資料のお問合せ・お申込み

LECコールセンター 携帯OK 0570-064-464

受付時間：平日9:30～19:30/土・日・祝10:00～18:00

※このナビダイヤルの通話料はお客様のご負担となります。
※このナビダイヤルは講座のお申込みや資料のご請求に関するお問合せ専用ですので，書籍の正誤に関するご質問をいただいた場合，上記「2ご連絡方法」のフォームをご案内させていただきます。